Kwiat Śniegu
i sekretny wachlarz

Kasieńko kochana,

niech ta książka pozwoli Ci
choć na chwilę oderwać się od
rzeczywistości i pozwoli Ci
inaczej - radośniej - spojrzeć
na otaczający Cię świat...
Pamiętaj, że jestem i ilekroć
będziesz mnie potrzebowała -
- będę...

Twoja

Agnieszka

Boże Narodzenie 2008

Lisa See

Kwiat Śniegu i sekretny wachlarz

Z angielskiego przełożyła
Anna Dobrzańska-Gadowska

Świat Książki

Tytuł oryginału
SNOW FLOWER AND THE SECRET FAN

Projekt okładki
Małgorzata Karkowska

Zdjęcie na okładce
FPM

Redaktor prowadzący
Ewa Niepokólczycka

Redakcja
Krystyna Mazurkiewicz

Konsultacja sinologiczna
Monika Twardziak

Redakcja techniczna
Julita Czachorowska

Korekta
Jadwiga Pilar
Elżbieta Jaroszuk

Świat Książki
Warszawa 2005
Bertelsmann Media sp. z o.o.
ul. Rosoła 10, 02-786 Warszawa

Skład i łamanie
Joanna Duchnowska

Druk i oprawa
GGP Media GmbH, Pössneck

ISBN 978-83-7391-986-0
Nr 5258
ISBN 978-83-247-0147-6
Nr 5433

W powieści posłużyłam się tradycyjnym chińskim sposobem określania dat. Trzeci rok panowania cesarza Daoguanga, kiedy narodziła się Lilia, to rok 1823. Powstanie Taipingów wybuchło w roku 1850 i zakończyło się w 1864.

Uważa się, że *nu shu*, sekretne pismo, którego używały kobiety w odległej części południowo-zachodniej prowincji Hunan, powstało tysiąc lat temu. Wszystko wskazuje na to, że jest to jedyny pisany język na świecie, który stworzyły kobiety, i to wyłącznie na własny użytek.

Siedząc spokojnie

W naszej wiosce o starych kobietach mówi się "te, które jeszcze nie umarły". Jestem wdową i mam osiemdziesiąt lat. Bez męża dni bardzo mi się dłużą. Nie cieszą mnie już wyrafinowane dania, jakie przygotowuje Peonia i inne kobiety. Nie czekam na szczęśliwe wydarzenia, które tak łatwo znajdują drogę pod nasz dach. Teraz interesuje mnie wyłącznie przeszłość. I mogę wreszcie opowiedzieć o wszystkim, o czym nie wolno mi było choćby wspomnieć, gdy byłam zależna najpierw od własnej rodziny, a później od rodziny męża. Dziś nie mam już nic do stracenia.

Żyję wystarczająco długo, aby dobrze znać swoje zalety i wady. Cechy, które często są jednym i drugim jednocześnie. Przez całe życie tęskniłam za miłością. Wiedziałam, że jako dziewczyna, a później kobieta nie powinnam jej pragnąć ani oczekiwać, a jednak tęskniłam za nią i właśnie to niczym nieusprawiedliwione pragnienie stało się źródłem wszystkich udręk, jakich doświadczyłam. Marzyłam, aby matka mnie zauważyła i razem z resztą rodziny pokochała całym sercem. Żeby zdobyć ich uczucie, byłam posłuszna – jest to najlepsza z cech osoby mojej płci – byłam jednak zbyt chętna i gotowa spełniać wszystkie polecenia. Z nadzieją na choćby najdrobniejszą oznakę dobroci z ich strony, starałam się sprostać stawianym oczekiwaniom – oznaczało to, że powinnam mieć najmniejsze stopy w całym okręgu – pozwoliłam więc połamać sobie kości i ułożyć je w lepszy kształt.

Kiedy czułam, że nic zniosę dłużej ani jednej chwili cierpienia i zlewałam łzami zakrwawione bandaże, matka szeptała mi do ucha zachęty, abym wytrzymała jeszcze jedną godzinę, jeszcze jeden dzień, jeszcze jeden tydzień, i przypominała o nagrodach, jakie czekają mnie, jeżeli wytrwam trochę dłużej. W ten sposób nauczyła mnie znosić nie tylko fizyczne cierpienia skrępowanych stóp, a później porodów, ale także znacznie bardziej dotkliwy ból serca, umysłu i duszy. Wskazywała również moje wady i uczyła, jak wykorzystywać je dla własnego dobra. W naszym kraju nazywamy ten rodzaj matczynej miłości *tengai*. Syn powiedział mi, że w męskim piśmie określenie to składa się z dwóch znaków – pierwszy znaczy „ból", drugi „miłość". Taka jest miłość matki.

Krępowanie zmieniło nie tylko kształt moich stóp, ale i cały mój charakter. Może to dziwne, lecz wydaje mi się, że proces ten ciągnął się przez całe życie, czyniąc z ustępliwego dziecka zdeterminowaną dziewczynę, a potem z młodej kobiety, bez słowa spełniającej wszystkie życzenia teściów, dojrzałą, stojącą najwyżej w hierarchii okręgu matronę, tę, która narzucała innym surowe zasady i zwyczaje. Zanim skończyłam czterdzieści lat, twarde usztywnienie bandaży ograniczało nie tylko złote lilie mych stóp, ale także serce, które tak zastygło w poczuciu niesprawiedliwości, żalu i pretensji, że nie umiałam wybaczyć tym, których kochałam i którzy mnie kochali.

Jedyną formą buntu, na jaką sobie pozwoliłam, było *nu shu*, sekretne pismo kobiet. Zaczęło się od tego, że Kwiat Śniegu – moja *laotong*, „ta sama" – przysłała mi wachlarz, który spoczywa teraz na stole przede mną. Potem, kiedy się spotkałyśmy, nasz sekretny dialog rozkwitł i osiągnął pełnię. Zawsze jednak, abstrahując od tego, kim byłam w rozmowach z Kwiatem Śniegu, starałam się być dobrą żoną, godną pochwał synową i troskliwą, skrupulatną matką.

W złych chwilach moje serce było wytrzymałe niczym nefryt. Nosiłam w sobie ukrytą siłę, dzięki której potrafiłam znieść tragedie i smutki. Lecz teraz jako wdowa – ciągle posłuszna nakazom tradycji – zrozumiałam, że zbyt długo byłam ślepa. Poza trzema strasznymi miesiącami w piątym roku panowania cesarza Xianfenga, całe życie spędziłam w przeznaczonych dla kobiet pokojach na piętrze. Wyprawiałam się do świątyni, do mojego rodzinnego domu, odwiedziłam nawet Kwiat Śniegu, to prawda, lecz bardzo niewiele wiem o zewnętrznym świecie. Słyszałam rozmowy mężczyzn o podatkach, suszach, buntach i powstaniach, ale te tematy mają niewiele wspólnego z moim życiem. Znam sztukę haftowania, tkania, rodzinę mojego męża, moje dzieci, wnuki, prawnuki i *nu shu*, to wszystko. Moje życie przebiegło w normalny sposób – miałam swoje Dni Córki, Dni Upinania Włosów, Dni Ryżu i Soli, a teraz Spokojnego Siedzenia.

Siedzę więc tutaj spokojnie, sama ze swoimi myślami i wachlarzem na stole. Kiedy go podnoszę, dziwię się, że jest taki lekki, bo przecież zapisano na nim tyle radości i smutków. Otwieram go szybko i dźwięk, jaki wydaje każda fałda, kojarzy mi się z rozpaczliwie szybkim biciem serca. Wspomnienia błyskawicznie przemykają przed moimi oczami. W ciągu ostatnich czterdziestu lat czytałam zapisane na wachlarzu treści tyle razy, że dziś znam je na pamięć, jak piosenkę z dzieciństwa.

Pamiętam dzień, w którym wręczyła mi go pośredniczka. Moje palce drżały, kiedy rozkładałam jego fałdy. Wtedy zdobiła go zaledwie pojedyncza girlanda liści wzdłuż górnej krawędzi i była tam tylko jedna wiadomość, ściekająca w dół pierwszej fałdy. W tamtych czasach nie znałam wielu znaków w *nu shu*, więc przeczytała mi ją moja ciotka. *Podobno w waszym domu mieszka dziewczyna dobrego charakteru i bogatej kobiecej wiedzy. Ty i ja narodziłyśmy się tego samego dnia tego samego roku. Czy możemy iść przez życie razem jako takie same?* Patrząc na delikatne kreski, tworzące słowa, widzę nie tylko Kwiat Śniegu jako dziewczynę, ale także kobietę, którą z czasem się stała – wytrwałą, nieustępliwą, bezpośrednią, otwartą.

Moje oczy obejmują inne fałdy wachlarza i widzę nasz optymizm, naszą radość, wzajemny podziw i obietnice, które sobie złożyłyśmy. Widzę, jak prosta girlanda przeistoczyła się w złożony wzór ze splecionych kwiatów śniegu i lilii, symbolizujących nasze życie razem, jako pary *laotong*, takich samych. Widzę księżyc w prawym górnym rogu, który rzuca na nas swój blask. Miałyśmy być jak długie pędy winorośli o splecionych korzeniach, jak drzewa, które stoją tysiąc lat, jak para kaczek mandarynek, które wybierają tylko jednego partnera na całe życie. Na jednej z fałd Kwiat Śniegu napisała: *My, które znamy szczere uczucie, nigdy nie zerwiemy łączącej nas więzi*. A jednak w innym miejscu widzę nieporozumienia, zawiedzione zaufanie i ostateczne zamknięcie drzwi... W moich oczach miłość była skarbem tak cennym, że nie chciałam dzielić się nim z nikim innym i właśnie to w końcu odcięło mnie od jedynej bratniej duszy, od tej, która była taka jak ja.

Wciąż uczę się czegoś nowego o miłości. Myślałam, że rozumiem to uczucie – nie tylko miłość macierzyńską, ale także miłość do rodziców, do męża i do *laotong*. Doświadczyłam także innych rodzajów miłości, miłości opartej na współczuciu i litości, na szacunku i wdzięczności, lecz patrząc na sekretny wachlarz pokryty wyznaniami, które przez wiele lat wymieniałyśmy z Kwiatem Śniegu, rozumiem, że nie ceniłam najważniejszego uczucia – miłości płynącej z głębi serca.

W ostatnich latach przepisałam dużo autobiografii dla kobiet, które nigdy nie nauczyły się *nu shu*. Cierpliwie słuchałam gorzkich słów skarg oraz opisów smutnych wydarzeń, niesprawiedliwości i tragedii. Zapisywałam smętne koleje życia tych, których ścieżka naznaczona została przez zły los. Słuchałam wszystkiego i wszystko spisywałam, ale jeżeli nawet znam sporo historii kobiet, to nie wiem prawie nic o życiu mężczyzn, oczywiście poza tym, że rolnicy zwykle walczą z siłami przyrody, żołnierze z wrogiem w bitwie, a samotni wyruszają na wyprawę w głąb swego serca. A jednak, patrząc na swoje życie, widzę, że mieszczą się w nim doświadczenia i kobiet, i mężczyzn. Jestem skromną kobietą ze zwykłymi smutkami, ale w głębi serca ja także stoczyłam swoją bitwę, walkę między moją prawdziwą naturą i naturą osoby, którą powinnam była się stać.

Zapisuję więc karty dla tych, którzy mieszkają w tamtym świecie. Peonia, żona mojego wnuka, obiecała dopilnować, aby spłonęły w chwili mojej śmierci. Może dzięki temu historia ta dotrze do niebios jeszcze przed moim duchem. Niechże słowa wyjaśnią czyny przodkom, mojemu mężowi, ale przede wszystkim Kwiatowi Śniegu, i niechże stanie się to, zanim znowu ich powitam.

Dni Córki

Mleczne lata

Mam na imię Lilia. Przyszłam na ten świat piątego dnia szóstego miesiąca trzeciego roku panowania cesarza Daoguanga. Puwei, moja rodzinna wioska, znajduje się w okręgu Yongming, okręgu Wieczystej Jasności. Większość mieszkańców to potomkowie plemienia Yao. Od bajarzy, którzy odwiedzali Puwei, gdy byłam dzieckiem, dowiedziałam się, że lud Yao przybył tu przed tysiąc dwustu laty, za czasów dynastii Tang, lecz większość rodzin osiedliła się sto lat później, po ucieczce przed armiami Mongołów, które najechały północną część kraju. Chociaż mieszkańcy naszego regionu nigdy nie byli bogaci, rzadko popadaliśmy w tak wielkie ubóstwo, aby kobiety musiały pracować w polu.

Należeliśmy do linii rodu Yi, jednego z pierwszych klanów Yao i najliczniejszego w tym regionie. Ojciec i stryj dzierżawili siedem *mou* gruntu od bogatego właściciela ziemskiego, który mieszkał w zachodnim zakątku prowincji. Uprawiali na tej działce ryż, bawełnę, taro i warzywa. Mój rodzinny dom był dość typowy, miał jedno piętro i był skierowany frontem na południe. Na piętrze mieściła się izba, w której spotykały się kobiety i spały niezamężne dziewczęta. Izby dla każdej z rodzin i specjalne pomieszczenie dla zwierząt znajdowały się po obu stronach głównej sali na parterze, gdzie kosze wypełnione jajami lub poma-

15

rańczami oraz sznury suszącej się papryki chili wieszano pod biegnącą przez środek sufitu belką, aby zabezpieczyć je przed myszami, kurczakami czy zabłąkaną świnią. Pod jedną ścianą stał stół i stołki. Palenisko, nad którym mama i ciotka gotowały posiłki, zajmowało przeciwległy róg. W głównej izbie nie było okien, więc w czasie ciepłych miesięcy zawsze zostawialiśmy drzwi otwarte na alejkę za domem, żeby do środka docierało światło i powietrze. Pozostałe izby były małe, z ubitym klepiskiem, a nasze zwierzęta, jak już mówiłam, mieszkały z nami.

Nigdy się nie zastanawiałam, czy jako dziecko czułam się szczęśliwa i zadowolona. Byłam zwyczajną, przeciętną dziewczyną ze zwyczajnej rodziny, mieszkającej w zwyczajnej wiosce. Nie wiedziałam, że można żyć inaczej i w ogóle o tym nie myślałam, pamiętam jednak dzień, kiedy zaczęłam być świadoma tego, co dzieje się wokół mnie. Skończyłam właśnie pięć lat i czułam się tak, jakbym przekroczyła wysoki próg. Obudziłam się przed świtem z dziwnym uczuciem, czymś w rodzaju swędzenia w mózgu. Uczuliło mnie to na wszystko, co widziałam i przeżyłam tamtego dnia.

Leżałam między starszą siostrą i trzecią siostrą. Zerknęłam na posłanie mojej kuzynki pod przeciwną ścianą. Piękny Księżyc, która była moją rówieśniczką, jeszcze się nie obudziła, leżałam więc spokojnie, czekając, aż siostry zaczną się ruszać. Patrzyłam na starszą siostrę, która była cztery lata starsza ode mnie. Chociaż sypiałyśmy w jednym łóżku, poznałam ją lepiej dopiero wtedy, gdy po skrępowaniu stóp trafiłam do pokoju dla kobiet. Cieszyłam się, że leżę plecami do trzeciej siostry i nie muszę na nią patrzeć. Zawsze powtarzałam sobie, że ponieważ jest o rok młodsza, w ogóle nie warto o niej myśleć. Moje siostry także raczej mnie nie uwielbiały, ale obojętność, jaką sobie okazywałyśmy, była tylko maską skrywającą prawdziwe pragnienia. Każda z nas pragnęła, aby mama zwróciła na nią uwagę, każda zabiegała o względy taty, każda miała nadzieję, że będzie jej wolno spędzić trochę czasu ze starszym bratem, który jako pierwszy syn był najcenniejszą osobą w rodzinie. Nie odczuwałam takiej zazdrości wobec Pięknego Księżyca. Byłyśmy przyjaciółkami i cieszyłyśmy się, że pozostaniemy razem, dopóki rodzice nie wydadzą nas za mąż. Wszystkie cztery wyglądałyśmy bardzo podobnie. Miałyśmy czarne, krótko obcięte włosy, byłyśmy bardzo chude i mniej więcej tego samego wzrostu. Różniło nas naprawdę niewiele. Starsza siostra miała duże znamię nad górną wargą. Włosy trzeciej siostry zwykle związane były w małe kucyki, ponieważ nie lubiła, kiedy mama ją czesała. Piękny Księżyc miała ładną, okrągłą twarz, a ja dobrze umięśnione od biegania nogi i silne ramiona, bo często nosiłam naszego małego braciszka.

– Dziewczęta! – zawołała z dołu mama.

To wystarczyło, żeby obudzić te, które jeszcze spały, i wygonić nas z łóżek. Starsza siostra ubrała się pośpiesznie i zeszła na dół. Piękny Księżyc i ja zbiegłyśmy za nią dopiero po dłuższej chwili, ponieważ musiałyśmy ubrać także trzecią siostrę. Na parterze ciotka zamiatała podłogę, stryj śpiewał poranną piosenkę, mama (z drugim bratem uwiązanym na plecach) wlewała resztkę wody do imbryka, a starsza siostra siekała szalotki na ryżowy pudding, zwany *congee*. Rzuciła mi spokojne spojrzenie, które ja odczytałam jako wiadomość, że tego ranka zasłużyła już na aprobatę rodziny i do końca dnia nie ma się czego obawiać. Szybko stłumiłam niechęć, nie rozumiejąc, że to, co uznałam za zadowolenie z samej siebie, jest czymś dużo bliższym smętnej rezygnacji, w którą popadła moja siostra po wyjściu za mąż.

– Piękny Księżycu! Lilio! Chodźcie tutaj! Chodźcie tutaj!

Nasza stryjenka witała nas tak każdego dnia. Podbiegłyśmy do niej. Ucałowała Piękny Księżyc i z czułością poklepała mnie po pupie. Potem stryj chwycił Piękny Księżyc w ramiona, pocałował ją i stawiając na podłodze, mrugnął do mnie i lekko uszczypnął w policzek.

Znacie to stare powiedzenie, że piękni ludzie łączą się

węzłem małżeńskim z pięknymi ludźmi, a zdolni ze zdolnymi? Tamtego ranka doszłam do wniosku, że stryj i stryjenka oboje są brzydcy i dlatego właśnie idealnie do siebie pasują. Stryj, młodszy brat ojca, miał pałąkowate nogi, łysą głowę i okrągłą, błyszczącą twarz. Stryjenka była pulchna, a jej zęby do złudzenia przypominały krzywe kamyki, sterczące z krawędzi jaskini. Stopy skrępowano jej w dzieciństwie, ale były niezbyt małe, długości mniej więcej czternastu centymetrów, czyli dwa razy dłuższe od moich, kiedy proces krępowania dobiegł już końca. Słyszałam, jak złośliwi ludzie z naszej wioski gadali, że właśnie dlatego stryjenka, wywodząca się ze zdrowej rodziny i wyposażona w szerokie biodra, nigdy nie zdołała urodzić żywego syna. W naszym domu nikt nie wygłaszał pod jej adresem podobnych pretensji, nawet stryj. W moich oczach stryj i stryjenka tworzyli idealne małżeństwo – on był czułym, uczuciowym Szczurem, ona obowiązkowym, pracowitym Bawołem. Codziennie rozsiewali swoje szczęście wokół wspólnego paleniska.

Tymczasem moja matka nie dała jeszcze żadnego znaku, że mnie widzi. Było tak zawsze, ale właśnie tamtego dnia dostrzegłam i odczułam jej obojętność. Melancholia nasączyła moje serce, oszałamiając mnie swą siłą, i odebrała radość z powitania stryjenki i stryja. Zaraz potem, równie szybko, smutek zniknął, ponieważ starszy brat, starszy ode mnie o sześć lat, zawołał, żebym pomogła mu w porannych zajęciach. Ponieważ urodziłam się w Roku Konia, uwielbiam przebywać na świeżym powietrzu, ale jeszcze ważniejsze było wtedy to, że miałam starszego brata wyłącznie dla siebie. Wiedziałam, jakie to szczęście i że moje siostry będą się boczyły z tego powodu, ale nic mnie to nie obchodziło. Kiedy starszy brat rozmawiał ze mną i uśmiechał się, nie czułam się niewidzialna.

Wybiegliśmy na dwór. Starszy brat wyciągnął wodę ze studni i napełnił wiadra. Zanieśliśmy je do domu i wyszliśmy znowu, tym razem po drewno na opał. Zebraliśmy gałęzie na spory stos; starszy brat nałożył mi naręcz drobniejszych kawałków na wyciągnięte ramiona, potem sam dźwignął z ziemi resztę i ruszyliśmy do domu. Kiedy dotarliśmy na miejsce, podałam gałązki mamie, z nadzieją na pochwałę. Ostatecznie niełatwo jest małej dziewczynce nosić wodę i drewno, ale mama nic nie powiedziała.

Nawet dziś, po tylu latach, trudno mi myśleć o mamie i o tym, co uświadomiłam sobie tamtego dnia. Zrozumiałam z całą jasnością, że jestem dla niej istotą bez znaczenia. Byłam trzecim dzieckiem, drugą bezwartościową dziewczynką, jeszcze za małą, żeby poświęcać jej cenny czas, żeby marnować go, mówiąc wprost, dopóki nie wiadomo na pewno, czy wyrośnie z mlecznych lat. Patrzyła na mnie tak, jak wszystkie matki patrzą na córki – jak na gościa, którego trzeba karmić i ubierać aż do dnia, kiedy wyniesie się do domu męża. Miałam pięć lat i byłam dość duża, aby wiedzieć, że nie zasługuję na jej uwagę, ale nagle gorąco zapragnęłam, by poświęciła mi chociaż króciutką chwilę. Chciałam, żeby spojrzała na mnie i porozmawiała ze mną tak, jak rozmawiała ze starszym bratem, lecz nawet w tym momencie przepełnionym pierwszym prawdziwie głębokim pragnieniem byłam na tyle bystra, aby rozumieć, że mama nie życzyłaby sobie, bym przerywała jej codzienne zajęcia. Często karciła mnie za to, że mówię za głośno, albo odsuwała machnięciem ręki, jak natrętną muchę, kiedy jej przeszkadzałam. Nie zrobiłam więc nic i nie odezwałam się ani słowem, przyrzekłam sobie natomiast, że stanę się podobna do starszej siostry i będę się starała pomagać mamie cicho, spokojnie i uważnie.

Do izby weszła babcia. Jej twarz przypominała suszoną śliwkę, a plecy były tak przygarbione, że oczy znajdowały się na wysokości moich.

– Pomóż babci – poleciła mama. – Zapytaj, czy czegoś nie potrzebuje.

Chociaż przed chwilą złożyłam uroczystą obietnicę, teraz się zawahałam. Babcia rano zawsze miała oklejone białą mazią dziąsła i nikt nie lubił się do niej zbliżać. Podeszłam ostrożnie, z boku, wstrzymując oddech, ale ona przegnała mnie zniecierpliwionym ruchem dłoni. Odsunęłam się tak szybko, że wpadłam na ojca – jedenastą i najważniejszą osobę w domu. Nie udzielił mi reprymendy, nie odezwał się też do nikogo innego. Wiedziałam, że nie przemówi, dopóki dzień nie dobiegnie końca. Usiadł i czekał, aż zostanie obsłużony. Przyglądałam się, jak mama bez słowa nalewa mu herbaty. Nie chciałam przeszkadzać w porannych czynnościach, lecz ona była jeszcze bardziej ostrożna w stosunku do ojca. Rzadko się zdarzało, żeby ją uderzył i nigdy nie wziął sobie konkubiny, niemniej zawsze była czujna i zachowywała dystans, co i nam się udzielało.

Stryjenka rozstawiła miseczki na stole i napełniła je *congee*, mama w tym czasie karmiła niemowlę. Po posiłku ojciec i stryj poszli na pole, a matka, stryjna, babka i starsza siostra udały się na górę, do izby kobiet. Miałam wielką ochotę pójść z mamą i pozostałymi kobietami z naszej rodziny, ale jeszcze do tego nie dorosłam. Najgorsze było jednak to, że teraz nie mogłam już cieszyć się niepodzielną uwagą starszego brata, ponieważ musieliśmy zabrać ze sobą malucha i trzecią siostrę.

Zarzuciłam płachtę z dzieckiem na plecy i razem ze starszym bratem zabrałam się do ścinania trawy i wyrywania korzeni dla świni. Trzecia siostra starała się dotrzymać nam kroku. Była zabawnym, przekornym stworzeniem. Zachowywała się tak, jakby była rozpuszczona, chociaż jedynymi dziećmi, które miały prawo być rozpuszczone, byli nasi bracia. Uważała, że jest najukochańszym dzieckiem w rodzinie, choć nic na to nie wskazywało.

Kiedy skończyliśmy z obowiązkami, wyprawiliśmy się dalej do wioski. Chodziliśmy alejkami między domami, dopóki nie natknęliśmy się na skaczące przez sznurek dziewczynki. Mój brat przystanął, wziął ode mnie dziecko i pozwolił mi także poskakać. Potem wróciliśmy do domu na wczesny obiad – coś prostego, ryż z warzywami. Później starszy brat wyszedł z mężczyznami, a my poszłyśmy na górę. Mama znowu nakarmiła dziecko i ułożyła je do snu, razem z naszą siostrą. Już wtedy uwielbiałam przebywać w izbie dla kobiet z babcią, stryjenką, siostrą, kuzynką, a zwłaszcza z matką. Mama i babcia tkały, Piękny Księżyc i ja zwijałyśmy włóczkę w kłębki, a starsza siostra czekała na swoje cztery zaprzysiężone siostry, które miały przyjść do niej z popołudniową wizytą.

Wkrótce usłyszeliśmy ciche kroki czterech par liliowych stóp na schodach. Starsza siostra przywitała każdą z dziewcząt uściskiem, potem cała piątka przycupnęła w kącie. Nie lubiły, kiedy wtrącałam się do ich rozmów, ale nie protestowały, że je obserwuję, więc przyglądałam się uważnie, wiedząc, że za dwa lata sama stanę się częścią takiej grupy. Wszystkie pochodziły z Puwei, co oznaczało, że mogły spotykać się dość często, nie tylko z okazji świąt, na przykład w święto Chwytania Chłodnych Podmuchów czy w święto Wyganiania Ptaków. Grupa sióstr zawiązała się, gdy dziewczynki skończyły siedem lat. Aby scementować ich związek, każdy z ojców dał dwadzieścia pięć *jin* ryżu, który przechowywano w naszym domu. Zwyczaj nakazywał sprzedawać porcję ryżu dziewczyny wychodzącej za mąż, aby za uzyskane pieniądze każda z sióstr mogła kupić podarek ślubny. Spieniężenie ostatniej porcji ryżu oznaczało koniec stowarzyszenia, ponieważ jego członkinie najczęściej rozjeżdżały się do odległych wiosek, gdzie bez reszty pochłaniało je wychowywanie dzieci i okazywanie posłuszeństwa teściowym.

Starsza siostra nie starała się zwrócić na siebie uwagi nawet w gronie przyjaciółek. Siedziała spokojnie, haftowała razem z innymi, słuchała zabawnych historyjek i sama je opowiadała. Kiedy zaczynały za głośno chichotać i rozmawiać, matka surowo je uciszała. Tamtego dnia przyszła mi do głowy zupełnie nowa myśl – mama nigdy nie zachowywała się tak wobec zaprzysiężonych sióstr babci, gdy te

21

przychodziły do niej z wizytą. Kiedy babcia odchowała dzieci, zaproponowano jej, aby przyłączyła się do nowej grupy pięciu zaprzysiężonych sióstr z Puwei. Teraz przy życiu zostały już tylko dwie i babcia, wszystkie owdowiałe. Spotykały się co najmniej raz w tygodniu, rozśmieszały się do łez i wymieniały rubaszne dowcipy, których my, dziewczynki, kompletnie nie rozumiałyśmy. Mama za bardzo bała się teściowej, żeby poprosić, aby przestały, a może była zbyt zajęta.

Mamie skończyła się przędza, więc podniosła się, żeby wziąć świeży motek. Przez chwilę stała nieruchomo, w zamyśleniu wpatrując się w przestrzeń. Nagle ogarnęło mnie przemożne pragnienie, aby rzucić się jej w ramiona i zawołać: „Zauważ mnie, zauważ mnie, zauważ mnie!". Oczywiście nie zrobiłam tego. Matka mamy źle krępowała jej stopy i w rezultacie zamiast złocistych lilii mama miała paskudne pniaki. Kiedy chodziła, nie chwiała się z gracją, lecz podpierała laską. Pozbawiona laski, natychmiast zaczynała bezradnie machać rękami, starając się zachować równowagę. Mama zbyt słabo trzymała się na nogach, aby można ją było uściskać, przytulić lub pocałować.

– Czy Piękny Księżyc i Lilia nie powinny już wyjść na dwór? – zagadnęła stryjenka, przerywając głębokie zamyślenie mamy. – Mogłyby pomóc starszemu bratu w jego obowiązkach...

– Nie potrzebuje ich pomocy.

– Wiem – przyznała stryjenka. – Ale dzień jest taki ładny...

– Nie – powiedziała twardo mama. – Nie lubię, kiedy dziewczynki włóczą się po wiosce, zamiast pracować i uczyć się domowych zajęć.

Jednak w tej jednej kwestii stryjenka potrafiła być uparta. Chciała, żebyśmy poznały wszystkie uliczki i alejki, sprawdziły, co znajduje się na ich końcu i dotarły aż na skraj wioski, ponieważ dobrze wiedziała, że już niedługo będziemy patrzeć na świat tylko przez okienko w izbie dla kobiet.

– Zostało im ledwo parę miesięcy. – Nie dodała już, że

później nasze stopy zostaną skrępowane, kości popękają, a skóra zgnije. – Pozwól im biegać, dopóki mogą...

Moja matka była wyczerpana. Miała pięcioro dzieci, w tym troje zupełnie małych. Dźwigała na barkach odpowiedzialność za cały dom – za sprzątanie, pranie, cerowanie, szycie, gotowanie wszystkich posiłków i pilnowanie rodzinnych długów. Zajmowała wyższą pozycję niż stryjenka, lecz nie miała siły, by codziennie walczyć o przestrzeganie zasad dobrego wychowania.

– Dobrze... – westchnęła z rezygnacją. – Mogą wyjść.

Chwyciłam Piękny Księżyc za rękę i zaczęłyśmy skakać z radości. Stryjenka szybko przegoniła nas za drzwi, żeby mama nie zdążyła zmienić zdania, a starsza siostra i pozostałe dziewczęta popatrzyły na nas z wyraźną zazdrością. Zbiegłyśmy na dół i wypadłyśmy na dwór. Późne popołudnie zawsze było moją ulubioną porą dnia – powietrze jest wtedy ciepłe, aromatyczne, a świerszcze grają głośno i rytmicznie. Biegłyśmy alejką przed siebie, dopóki nie znalazłyśmy mojego brata, który właśnie prowadził bawołu nad rzekę. Jechał na szerokim grzbiecie zwierzęcia, z jedną nogą podwiniętą pod siebie, a drugą zwisającą wzdłuż boku. Piękny Księżyc i ja szłyśmy za nimi wioskowym labiryntem wąskich uliczek, ta plątanina chroniła nas przed złymi duchami i bandytami. Po drodze nie spotkaliśmy żadnych dorosłych – mężczyźni pracowali na polu, a kobiety siedziały w swoich izbach za okratowanymi okienkami – ale za to w alejkach dosłownie roiło się od dzieci i różnych zwierząt: kurcząt, kaczek, tłustych macior i pokwikujących prosiąt.

Opuściliśmy wioskę i poszliśmy dalej wybrukowaną małymi kamieniami ścieżką, dość szeroką dla ludzi i palankinów, lecz za wąską dla zaprzężonych w woły lub kuce wozów. Dotarliśmy nią nad rzekę Xiao i zatrzymaliśmy się tuż przed kołyszącym się lekko mostem, po którym można się było przedostać na drugą stronę. Za mostem otwierał się przed naszymi oczami nieznany świat i uprawne pola. Nad głowami rozciągało się niebo, błękitne jak pióra zimorodka.

W oddali widać było inne wioski, o ich odwiedzeniu nawet nie marzyłam. Potem zeszliśmy na sam brzeg, gdzie wiatr szeleścił łodygami trzcin. Usiadłam na kamieniu, zdjęłam buty i zaczęłam brodzić w płytkiej wodzie. Od tamtego dnia minęło siedemdziesiąt pięć lat, a ja wciąż pamiętam miękkie, kleiste błoto między palcami stóp i zimny prąd, leniwie omywający moją skórę. Piękny Księżyc i ja doświadczyłyśmy wtedy takiej wolności, jaka nigdy później nie została nam już dana.

Pamiętam ten dzień także dlatego, że od chwili przebudzenia patrzyłam na moją rodzinę w inny, nowy sposób i ta świeża perspektywa napełniła mnie dziwnymi uczuciami – melancholią, smutkiem, zazdrością i poczuciem niesprawiedliwości. Wtedy, nad rzeką, pozwoliłam, aby woda zmyła ze mnie to wszystko.

Wieczorem, po kolacji, usiedliśmy przed domem, ciesząc się chłodnym powietrzem i zapadającą ciemnością. Tata i stryj palili długie fajki, wszyscy byli zmęczeni. Mama ostatni raz karmiła dziecko, usiłując je uśpić. Wyglądała na bardzo znużoną obowiązkami, które dla niej jeszcze się przecież nie skończyły. Objęłam ją ramieniem, żeby trochę pocieszyć.

– Jest za gorąco – powiedziała, odsuwając moją rękę.

Tata musiał dostrzec moje rozczarowanie, bo wziął mnie na kolana. W spokojnej ciemności byłam jego skarbem, na krótką chwilę stałam się perłą, którą mocno trzymał w ręce.

Krępowanie stóp

W moim przypadku przygotowania do krępowania stóp trwały znacznie dłużej, niż można się było spodziewać. W dużych miastach dziewczynkom z klasy wyższej krępuje się stopy już w wieku trzech lat. W niektórych odległych prowincjach wykonuje się ten zabieg tylko czasowo, żeby dziewczęta zrobiły lepsze wrażenie na przyszłych mężach, czasami dopiero w wieku trzynastu lat. Nie łamie się im kości, a bandaże zakłada luźno, aby po ślubie mogły uwolnić stopy i pracować w polu ramię w ramię z małżonkami. Stóp dziewcząt z najuboższych rodzin w ogóle się nie krępuje. Wiemy, jak kończą takie dziewczyny – najczęściej sprzedaje się je do służby lub przeznacza na „małe synowe". „Małe synowe" to dziewczęta o dużych stopach, pochodzące z nisko postawionych rodzin. Oddaje się je innym rodzinom na wychowanie do czasu, kiedy osiągną dojrzałość i staną się zdolne do rodzenia dzieci. Jednak w naszym zwyczajnym okręgu dziewczynkom z rodzin takich jak moja zaczyna się krępować stopy w wieku lat sześciu, a po dwóch latach zabieg uważa się za zakończony.

Jeszcze kiedy biegałam z bratem po wiosce, moja matka przygotowywała długie paski niebieskiej tkaniny, które miały posłużyć jako bandaże. Własnoręcznie uszyła mi pierwszą parę butów, ale dużo więcej czasu i uwagi poświęciła na uszycie miniaturowych bucików, które miała złożyć na ołtarzu Guanyin, bogini, która wysłuchuje skarg wszystkich kobiet. Te pięknie wyszywane cacuszka miały tylko trzy i pół centymetra długości i zrobione były ze specjalnego kawałka czerwonego jedwabiu, zaoszczędzonego przez matkę jeszcze z posagu. Był to dla mnie pierwszy znak, że może nie jestem jej jednak całkiem obojętna.

Kiedy Piękny Księżyc i ja skończyłyśmy sześć lat, mama i stryjenka posłały po wróżbitę, aby określił szczęśliwą datę na rozpoczęcie krępowania naszych stóp. Większość ludzi twierdzi, że do tego zabiegu należy przystępować jesienią, głównie dlatego, że zimą stopy drętwieją i mniej bolą. Czy byłam podekscytowana? Nie. Bałam się. Byłam za mała, żeby pamiętać początek krępowania stóp starszej siostry, ale kto z naszej wioski nie słyszał przeraźliwych krzyków dziewczynki Wu...

Moja matka przywitała wróżbitę Hu na dole, podała herbatę i podsunęła mu miseczkę pestek arbuza. Jej uprzejmość miała przyczynić się do uzyskania lepszej wróżby. Wróżbita Hu zaczął ode mnie. Rozważył datę moich urodzin i związane z nią możliwości.

– Muszę zobaczyć to dziecko na własne oczy – powiedział.

Nie było to normalne i kiedy mama weszła ze mną do izby, na jej twarzy ostrzej znaczyły się wyryte troską zmarszczki między brwiami. Podprowadziła mnie do wróżbity i ustawiła tuż przed nim. Poczułam jej palce na ramionach, przytrzymujące mnie na miejscu i jednocześnie budzące lęk w sercu. Wróżbita długo przyglądał mi się badawczo.

– Oczy, tak... Uszy, tak... I te usta... – Podniósł wzrok na matkę. – To nie jest zwyczajne dziecko.

Mama wciągnęła powietrze przez zaciśnięte zęby. Był to najgorszy wyrok, jaki mógł wygłosić wróżbita.

– Potrzebne będą bardziej szczegółowe konsultacje – ciągnął. – Proponuję, żebyśmy skontaktowali się ze swatką. Zgadzacie się?

26

Ktoś mógłby podejrzewać, że wróżbita próbuje zarobić więcej pieniędzy i dzieli się dochodami z miejscową swatką, ale mama nie wahała się ani chwili. Jej obawy lub pewność były tak silne, że nie poprosiła nawet ojca o pozwolenie na wydanie większej sumy.

– Wróć do nas jak najszybciej – powiedziała. – Będziemy cię oczekiwać.

Wróżbita odszedł, pozostawiając nas wszystkich w rozterce. Tego wieczoru matka prawie się nie odzywała i nie chciała na mnie patrzeć. Stryjenka w ogóle nie żartowała. Babka wcześnie udała się na spoczynek, ale słyszałam, jak się modliła. Tata i stryj poszli na długi spacer. Nawet moi bracia zachowywali się spokojniej niż zwykle, wyczuwając poruszenie w domu.

Następnego dnia kobiety wstały przed świtem. Tym razem przygotowały słodkie ciasteczka, zaparzyły chryzantemową herbatę i wyjęły z kredensów odświętne naczynia. Ojciec nie poszedł w pole, chciał osobiście przywitać gości. Wszystkie te wyjątkowe zabiegi dowodziły, że sytuacja jest poważna. Na domiar złego okazało się, że wróżbita przyprowadził ze sobą nie panią Gao, miejscową swatkę, lecz panią Wang, swatkę z Tongkou, najlepszej wioski w całym okręgu.

Dla wyjaśnienia powiem, że dotąd nawet lokalna swatka nie odwiedziła jeszcze naszego domu. Miała pojawić się u nas za jakieś dwa lata, aby pośredniczyć w znalezieniu odpowiedniej żony dla starszego brata i przedstawić rodzicom listę rodzin szukających młodych żon dla synów. Kiedy więc przed naszym domem zatrzymał się palankin pani Wang, nikt się nie ucieszył. Patrząc w dół z okna izby kobiet, zobaczyłam grupki sąsiadów, którzy wyszli z domów, żeby przyjrzeć się sławnej swatce. Mój ojciec kłaniał się uniżenie, raz po raz dotykając czołem ziemi. Zrobiło mi się go żal. Tata zawsze zanadto się martwił, co jest dość typowe dla osoby urodzonej w Roku Królika. Był odpowiedzialny za wszystkich domowników, ale ta sytuacja nie mieściła się w jego dotychczasowych doświadczeniach. Mój stryj przestępował z nogi na nogę, a stryjna, zwykle tak wesoła i gościnna, teraz stała nieruchomo u jego boku. Z mojego punktu widokowego wyraźnie widziałam, co maluje się na wszystkich twarzach, i nie miałam wątpliwości, że coś jest nie w porządku, i to bardzo.

Gdy weszli do domu, na palcach podkradłam się do szczytu schodów, gdzie mogłam usłyszeć, co mówią. Pani Wang usadowiła się wygodnie, mama podała herbatę i przygotowane przysmaki. Głos mojego ojca brzmiał bardzo cicho, kiedy recytował on ceremonialne uprzejmości, jednak szybko stało się jasne, że pani Wang nie fatygowała się tak daleko, żeby zamienić parę banalnych uwag ze skromną rodziną. Chciała mnie obejrzeć, więc podobnie jak poprzedniego dnia zostałam przyprowadzona do głównej izby. Zeszłam na dół tak lekko i wdzięcznie, jak tylko może to uczynić ledwie sześcioletnie dziecko o wciąż jeszcze dużych, niezgrabnych stopach.

Potoczyłam wzrokiem po twarzach starszych z rodziny. Chociaż często upływ czasu zaciera wspomnienia szczególnych chwil, do dziś widzę ich wszystkich bardzo wyraźnie. Babka siedziała przygarbiona, wpatrzona w swoje splecione dłonie. Jej skóra była tak delikatna i cienka, że dostrzegłam błękitny puls, bijący na skroni. Ojciec, któremu i tak nie brakowało trosk, zaniemówił ze zmartwienia. Stryjenka i stryj stali w drzwiach, zalęknieni, że będą świadkami tego, co ma się wydarzyć, a jednocześnie nie chcąc niczego przegapić. Najdokładniej pamiętam jednak twarz matki. Oczywiście, jako córka zawsze uważałam, że jest ładna, ale tamtego dnia po raz pierwszy zobaczyłam jej prawdziwą osobowość. Wiedziałam, że przyszła na świat w Roku Małpy, ale dotąd nie zdawałam sobie sprawy, że charakterystyczne dla tego znaku cechy – spryt, przebiegłość i skłonność do stosowania oszustwa zakorzenione są w niej tak mocno. Coś dzikiego czaiło się pod wysokimi kośćmi policzkowymi, coś podstępnego tkwiło na dnie ciemnych źrenic. Było to... Nawet dziś nie wiem, jak to opisać. Powiedziałabym, że na twarzy matki pojawiło się coś na kształt męskiej ambicji.

Kazano mi stanąć przed panią Wang. Wtedy wydawało mi się, że jedwabna tunika, w którą była ubrana, jest piękna, ale dziecko nie ma przecież gustu ani rozeznania. Dziś na pewno uznałabym jej ubiór za wulgarny i nieodpowiedni dla wdowy, lecz, z drugiej strony, swatka nie jest wszak przeciętną kobietą. Prowadzi interesy z mężczyznami, ustala ceny narzeczonych, targuje się o wysokość posagu i pełni rolę pośredniczki. Śmiech pani Wang był za głośny, słowa zbyt gładkie. Przywołała mnie bliżej, przytrzymała między kolanami i długo patrzyła w moją twarz. W tamtej chwili z niewidzialnej stałam się bardzo, bardzo widzialna.

Pani Wang podeszła do całej sprawy ze znacznie większą dokładnością i uwagą niż wróżbita. Obmacała płatki uszu. Oparła palce wskazujące na dolnych powiekach i wywinęła je, kazała mi popatrzeć w górę, w dół, w lewo, w prawo. Ujęła w dłonie policzki, odwracając twarz to w tę, to w tamtą stronę. Palcami uciskała ręce od barków po przeguby dłoni. Wreszcie położyła dłonie na moich biodrach. Miałam dopiero sześć lat, w tym wieku nie można jeszcze wyrokować o płodności, lecz ona sprawdziła, jak szeroko rozstawione są kości miednicy i nikt nie powiedział ani słowa, aby ją powstrzymać! Na koniec zrobiła rzecz najbardziej zaskakującą. Podniosła się z krzesła i kazała mi zająć swoje miejsce. Coś takiego świadczyłoby, że zostałam przerażająco źle wychowana, spojrzałam więc na matkę i ojca, szukając u nich rady, lecz oni stali nieruchomo, bezradni jak przeznaczone na rzeź zwierzęta. Twarz ojca poszarzała. Wydawało mi się, że słyszę, jak myśli: „Dlaczego nie wrzuciliśmy jej do strumienia zaraz po urodzeniu?".

Pani Wang na pewno nie została najbardziej liczącą się swatką w okręgu dlatego, że cierpliwie czekała, aż sparaliżowane ze strachu owce podejmą decyzję. Ujęła mnie pod pachy i posadziła na krześle, po czym uklękła i zdjęła mi buty i skarpetki. W izbie panowała kompletna cisza. Dokładnie obejrzała stopy, podobnie jak wcześniej twarz i przejechała paznokciem kciuka po podbiciu.

Potem przeniosła wzrok na wróżbitę i skinęła głową. Wstała z podłogi i krótkim ruchem wskazującego palca kazała mi zwolnić krzesło. Kiedy znowu usiadła, wróżbita odchrząknął.

– Wasza córka stawia nas wobec szczególnych okoliczności – powiedział. – Dostrzegłem w niej coś już wczoraj, a pani Wang, która dysponuje dodatkowym doświadczeniem, potwierdza moje przypuszczenia. Twarz waszej córki jest pociągła i szczupła jak ziarno ryżu. Ma pulchne płatki uszu, co wskazuje, że jest szczerą, hojną osobą, najważniejsze są jednak stopy o wysokim podbiciu, ale jego łuk nie zdążył się jeszcze w pełni uformować. Znaczy to, matko, że należy poczekać jeszcze rok, zanim zaczniesz krępować dziewczynce stopy... – Podniósł dłoń, jakby chciał powstrzymać kogoś, kto mógłby mu przerwać, chociaż naturalnie tak śmiała myśl nikomu nawet nie zaświtała w głowie. – Wiem, że w naszej wiosce zwyczaj nakazuje rozpocząć krępowanie w wieku lat sześciu, ale myślę, że jeżeli przyjrzysz się córce, dostrzeżesz, iż...

Wróżbita Hu się zawahał. Babka pchnęła miskę z tangerynkami w jego kierunku, żeby zajął czymś ręce i łatwiej zebrał myśli. Wziął jeden owoc, obrał go i rzucił skórkę na podłogę. Po chwili znowu zaczął mówić, trzymając cząstkę tangerynki tuż przed ustami.

– W wieku sześciu lat kości składają się jeszcze w dużej części z wody i dlatego łatwo daje się je układać, ale wasza córka jest słabo rozwinięta fizycznie, nawet jak na naszą wioskę, która ma za sobą trudne lata. Możliwe, że podobnie jest z innymi dziewczynkami w tym domu, nie ma się czego wstydzić.

Aż do tamtej chwili nie przyszło mi do głowy, że moja rodzina w jakiś sposób różni się od innych, a tym bardziej że ja różnię się od innych dzieci.

Wróżbita wsunął cząstkę owocu do ust i przeżuł ją w zamyśleniu.

– Ale wasza córka ma w sobie coś jeszcze, poza drobną budową, której przyczyną najprawdopodobniej jest głód podjął. – Jej stopy mają wyjątkowo wysoki łuk, a to znaczy, że przy odpowiednich staraniach mogą okazać się najdoskonalsze, jakie kiedykolwiek zrodził nasz okręg. Niektórzy ludzie nie wierzą we wróżbitów. Uważają, że swoim klientom podsuwają tylko zalecenia zgodne ze zdrowym rozsądkiem. Ostatecznie, jesień rzeczywiście jest najlepszą porą krępowania stóp, wiosna najlepiej nadaje się do rodzenia dzieci, a piękne wzgórze, owiewane lekkim wiatrem, to zgodnie z *fengshui* najlepsze miejsce na cmentarz... Wszystko to prawda, ale ten wróżbita naprawdę coś we mnie dostrzegł i jego rady odmieniły bieg mojego życia. Zrozumiałam to później, bo w tamtej chwili w izbie bynajmniej nie dało się wyczuć ducha radości. Wciąż nie mogłam się oprzeć wrażeniu, że coś jest nie tak.

Martwe milczenie przerwała pani Wang.

– Dziewczynka faktycznie jest śliczna, ale złociste lilie są w życiu dużo ważniejsze niż ładna buzia. Urodziwa twarz to dar Niebios, natomiast malutkie stopy mogą poprawić jej pozycję społeczną, co do tego wszyscy się zgadzamy. Decyzję, co robić dalej, musi podjąć ojciec – spojrzała na tatę, chociaż słowa, które posłała w powietrze, przeznaczone były dla matki. – Nie jest źle wprowadzić córkę w dobrą rodzinę. Wysoko postawiony ród pana młodego zapewni wam lepsze koneksje, wyższą cenę za narzeczoną i długotrwałą ochronę polityczną i ekonomiczną. Naturalnie, w pełni doceniam gościnność i hojność, jakie dziś okazaliście, ale... – lekceważącym gestem podkreśliła ubóstwo naszego domu – ...los, pod postacią waszej córki, daje wam wielką szansę. Jeżeli matka właściwie wykona swoje zadanie, ta nic nieznacząca dziewczynka może przez małżeństwo wejść do rodziny z Tongkou.

Tongkou!

– Mówisz o wspaniałych rzeczach, pani Wang – odezwał się ostrożnie ojciec. – Lecz nasza rodzina jest bardzo skromna. Nie stać nas na należne ci wynagrodzenie.

– Stary ojcze, jeśli stopy twojej córki okażą się w końcu tak drobne, jak tego oczekuję, będę mogła liczyć na hojne wynagrodzenie od rodziny pana młodego – odparła gładko pani Wang. – Wy także otrzymacie od nich wiele cennych rzeczy jako zapłatę za pannę młodą, sam więc widzisz, że oboje możemy odnieść korzyść z naszej umowy.

Ojciec milczał. Nigdy nie rozmawiał z nami o plonach i nie ujawniał swoich uczuć, pamiętam jednak pewną zimę po roku suszy, kiedy mieliśmy mało jedzenia. Ojciec poszedł wtedy w góry na polowanie, ale nawet zwierzęta wyzdychały z głodu. Wrócił do domu tylko z gorzkimi korzonkami, które matka i babka wrzuciły do zupy. Może w tej chwili wspominał hańbę tamtego roku i wyobrażał sobie, jak wysoką cenę dostanie za mnie i ile dobrego przyniesie to naszej rodzinie.

– Poza tym sądzę, że twoja córka mogłaby także zawrzeć związek *laotong* – dodała swatka.

Znałam to określenie, wiedziałam, co ono oznacza. Związek *laotong* zasadniczo różnił się od stowarzyszenia zaprzysiężonych sióstr. Łączył dwie dziewczyny z różnych wiosek i obejmował całe ich życie, gdy tymczasem zaprzysiężonych sióstr było kilka i rozstawały się na dobre z chwilą wstąpienia w związek małżeński. W swoim krótkim życiu nigdy nie spotkałam się z osobami złączonymi *laotong* i nie przypuszczałam, że sama mogłabym zostać jedną z nich. Jako dziewczęta moja matka i stryjenka miały zaprzysiężone siostry w swoich rodzinnych wioskach, starsza siostra także je miała, a babka stworzyła podobną grupę z zaprzyjaźnionymi wdowami z wioski swego męża. Posiadanie *laotong* było czymś niezwykłym, wyjątkowym. Powinnam tryskać radością, lecz zamiast tego czułam się przerażona i ogłupiała, podobnie jak wszyscy moi bliscy. O *laotong* nie należało rozmawiać w obecności mężczyzn, ale sytuacja była tak nadzwyczajna, że ojciec zupełnie stracił grunt pod nogami.

– Żadna kobieta z naszej rodziny nie miała nigdy *laotong*! – wykrztusił.

– Wasza rodzina nie miała wielu rzeczy, aż do tej pory – zauważyła pani Wong, wstając. – Omów te sprawy z krewnymi, ale pamiętaj, że taka szansa nie pojawia się codziennie. Dobry los nieczęsto wkracza do domu. Odwiedzę was jeszcze.

Swatka i wróżbita wyszli, obiecując, że będą sprawdzać, jakie czynię postępy. Matka i ja poszłyśmy na górę. Kiedy znalazłyśmy się w izbie dla kobiet, odwróciła się i spojrzała na mnie z tym samym wyrazem twarzy, jaki dostrzegłam u niej na dole, a następnie, nim zdążyłam coś powiedzieć, wymierzyła mi bardzo mocny policzek.

– Wiesz, ile kłopotu będzie przez to miał ojciec? – zapytała.

Twarde słowa, ale ja zdawałam sobie sprawę, że i surowość, i policzek mają przynieść nam szczęście, a także odstraszyć złe duchy. Nie było przecież żadnej gwarancji, że z moich stóp rzeczywiście rozwiną się złote lilie. Co więcej, zawsze może zostać popełniony jakiś błąd, o czym matka nie mogła zapomnieć, patrząc na swoje stopy. Wiązanie stóp starszej siostry przebiegło pomyślnie, ale wszystko mogło się zdarzyć. Zamiast osiągnąć wysoką cenę na rynku małżeńskim, mogłam do końca życia kuśtykać na niekształtnych kopytkach, wymachując ramionami dla zachowania równowagi, tak jak moja matka.

Chociaż twarz mnie piekła, w głębi serca byłam szczęśliwa. Wymierzając ten policzek, mama pierwszy raz okazała mi matczyną miłość, musiałam więc przygryźć wargi, żeby powstrzymać uśmiech.

Nie odezwała się do mnie do końca dnia. Wróciła do głównej izby i długo rozmawiała ze stryjenką, stryjem, ojcem i babką. Stryj miał dobre serce, ale jako drugi syn nie miał praktycznie żadnej pozycji w naszym domu. Stryjenka była świadoma korzyści, jakie mogą wyniknąć z całej sytuacji, lecz jako żona drugiego syna, która nie urodziła ani jednego chłopca, stała najniżej w hierarchii naszej rodziny. Mama także nie miała żadnej pozycji, ale ja, która widziałam wyraz malujący się na jej twarzy podczas przemowy swatki, odgadywałam, o czym myśli. Ojciec i babcia podejmowali wszystkie decyzje w domu, jednak na oboje można było wpłynąć. Słowa swatki zawierały w sobie dobrą wróżbę dla mnie, chociaż oznaczały także, że ojciec będzie musiał ciężko pracować, by zgromadzić odpowiedni posag na dobry związek. Gdyby postąpił wbrew sugestiom swatki, straciłby twarz nie tylko w wiosce, ale także w okręgu.

Nie wiem, czy tamtego dnia uzgodnili mój los, lecz później nic już nie było tak jak dawniej, w każdym razie w moich oczach. Przyszłość Pięknego Księżyca zmieniła się razem z moją. Byłam kilka miesięcy starsza od niej, zdecydowano jednak, że nasze stopy zostaną skrępowane tego samego dnia, co stopy trzeciej siostry. Nadal wykonywałam różne obowiązki na dworze, ale już nigdy nie wybrałam się nad rzekę z bratem, nigdy więcej nie poczułam na skórze chłodu płynącej wody. Aż do tamtego dnia mama ani razu mnie nie uderzyła, lecz szybko się okazało, że po tamtym policzku nastąpiły kolejne – w ciągu kilku następnych lat biła mnie wiele razy. Najgorsze było to, że ojciec nigdy już nie spojrzał na mnie jak na swoją kochaną córeczkę. Skończyły się dobre czasy, kiedy wieczorami zapalał fajkę i brał mnie na kolana. W jednej chwili zmieniłam się z bezużytecznej dziewczynki w osobę, która mogła okazać się bardzo przydatna.

Moje błękitne bandaże i maleńkie buciki, które matka miała złożyć na ołtarzu Guanyin, na razie schowano, podobnie jak bandaże i buciki zrobione dla Pięknego Księżyca. Pani Wang odwiedzała nas co jakiś czas, zawsze w palankinie. Uważnie oglądała mnie od stóp do głów i wypytywała, jak mi idzie nauka domowych zajęć. Nie powiedziałabym, że okazywała mi sympatię. Byłam tylko materiałem, dzięki któremu mogła osiągnąć spore zyski.

W następnym roku moja edukacja w izbie dla kobiet zaczęła się na dobre, ale ja i tak wiedziałam już całkiem sporo. Wiedziałam, że mężczyźni rzadko wchodzą do izby na piętrze – jest to miejsce przeznaczone tylko dla nas, byśmy miały gdzie pracować i dzielić się swoimi myślami. Wiedziałam, że prawie całe życie upłynie mi w podobnej izbie. Wiedziałam też, że różnica między *nei* – wewnętrznym światem domu – oraz *wai* – zewnętrznym światem mężczyzn – leży u podstaw społeczeństwa konfucjańskiego. Niezależnie od tego, czy ktoś jest bogaty, czy biedny, jest cesarzem, czy niewolnikiem, sfera domowa przeznaczona jest dla kobiet, natomiast zewnętrzna dla mężczyzn. Kobiety nie powinny przekraczać progu swego świata ani w myślach, ani w rzeczywistości. Byłam świadoma, że naszym życiem rządzą dwa sformułowane przez Konfucjusza ideały. Pierwszy był tożsamy z zasadą trzech posłuszeństw: „Jako dziewczyna słuchaj ojca; jako żona – męża; jako wdowa – syna". Drugi mówił o czterech cnotach, określających zachowanie, mowę, postawę i zajęcia kobiety: „Bądź cnotliwa i uległa, spokojna i prawa w swym zachowaniu; opanowana i ustępliwa w mowie; umiarkowana i wyrafinowana w sposobie poruszania się; dążąca do perfekcji w pracach domowych i hafcie". Dziewczęta, które trzymają się tych zasad, wyrastają na cnotliwe, dobre kobiety.

Moja nauka obejmowała teraz coraz więcej zajęć praktycznych. Nauczyłam się nawlekać igłę, dobierać odpowiedni kolor nici i szyć równym, drobnym ściegiem. Było to ważne, ponieważ Piękny Księżyc, trzecia siostra i ja pracowałyśmy nad butami, które miały wystarczyć nam na cały dwuletni okres krępowania stóp. Potrzebne były buty na dzień, specjalne klapki do snu i kilka par obcisłych skarpetek. Przygotowywałyśmy je chronologicznie, od bucików i skarpet, które pasowały na nasze stopy już teraz, po coraz mniejsze rozmiary.

Najważniejsze były jednak lekcje *nu shu*, których udzielała mi stryjenka. Nie rozumiałam wtedy do końca, dlaczego okazuje mi tak szczególne zainteresowanie; w swojej wielkiej głupocie wierzyłam, że jeżeli będę pilna, zainspiruję Piękny Księżyc, która dzięki pilności w zdobywaniu wiedzy zwiększy swoje szanse na dobre małżeństwo, może nawet lepsze niż małżeństwo jej matki. Myliłam się, ponieważ stryjenką kierowała nadzieja wprowadzenia sekretnego pisma w nasze życie, abyśmy obie, Piękny Księżyc i ja, zawsze mogły z niego korzystać. Nie dostrzegłam także, iż wywołało to konflikt między moją stryjenką a matką i babką, które nie znały *nu shu*, podobnie jak ojciec i stryj nie znali pisma mężczyzn.

W tamtym okresie nie miałam jeszcze okazji widzieć męskiego pisma, więc nie mogłam porównać go z *nu shu*, dziś jednak wiem, że pismo mężczyzn jest surowe, śmiałe i wyraźne; każdy znak można zamknąć w kwadracie, gdy tymczasem nasze znaki wyglądają jak nóżki komarów lub odciski ptasich łapek na piasku. W przeciwieństwie do męskiego pisma, znaki *nu shu* nie odpowiadają poszczególnym słowom i mają raczej charakter fonetyczny. W rezultacie jeden znak może odpowiadać każdemu wymówionemu słowu, zawierającemu ten sam dźwięk. Znaczenie wynika zwykle z kontekstu, trzeba jednak bardzo uważać, aby nie zostało błędnie odczytane. Wiele kobiet, tak jak moja matka i babka, nigdy nie poznaje kobiecego pisma, ale za to uczy się piosenek i opowieści, najczęściej opartych na prostym rytmie: *ta dum, ta dum, ta dum*.

Stryjenka uczyła mnie szczególnych zasad, którymi rządzi się *nu shu*. Naszymi znakami można się posługiwać, by pisać listy, pieśni, autobiografie, wykłady o kobiecych obowiązkach, modlitwy do bogini i oczywiście popularne historyjki. Kreśli się je pędzelkiem i tuszem na papierze lub na wachlarzu, ale można także wyszywać na chusteczkach lub włączać do wzorów tkackich. Zapisane teksty można i wręcz należy śpiewać przed audytorium złożonym z innych kobiet i dziewcząt, ale również czytać i delektować się nimi w samotności. Najważniejsze dwie zasady brzmią:

mężczyźni nie mogą się dowiedzieć o istnieniu pisma ani dotykać żadnej jego postaci.

Dni toczyły się w zwyczajnym rytmie, Piękny Księżyc i ja codziennie uczyłyśmy się czegoś nowego, aż do moich siódmych urodzin, kiedy to do naszego domu ponownie zawitał wróżbita. Tym razem musiał ustalić wspólną datę rozpoczęcia krępowania stóp dla trzech dziewczynek, z których tylko jedna, trzecia siostra, była w odpowiednim wieku. Zastanawiał się bardzo długo, kręcąc głową i wzdychając, wracał wciąż do naszych ośmiu znaków, w końcu wybrał dzień typowy dla dziewcząt z naszego regionu – dwudziesty czwarty w ósmym miesiącu cyklu księżycowego, dzień, w którym dziewczęta oczekujące na skrępowanie stóp zanoszą modły i ofiary na ołtarz Pani o Maleńkich Stopach, bogini czuwającej nad tą tradycją.

Mama i stryjenka znowu zabrały się do przygotowywania bandaży. Karmiły nas kluseczkami z czerwoną fasolą, aby nasze kości zmiękły, osiągając konsystencję gotowanego ciasta, i żeby natchnąć nas pragnieniem posiadania stópek nie większych niż kluski. W dniach poprzedzających krępowanie wiele kobiet z wioski odwiedzało nas w izbie na piętrze. Zaprzysiężone siostry starszej siostry życzyły nam szczęścia, znosiły słodycze i gratulowały oficjalnego wejścia w świat kobiet, izba rozbrzmiewała głosami pełnymi radości. Wszystkie byłyśmy zadowolone, szczęśliwe, roześmiane i rozgadane. Dziś wiem, że o wielu rzeczach po prostu nam nie powiedziano. (Nikt nie wyjawił, że mogę umrzeć. Dopiero gdy przeniosłam się do domu męża, teściowa zdradziła mi, że z dziesięciu dziewczynek jedna umiera z powodu krępowania stóp, nie tylko w naszym okręgu, ale w całych Chinach).

Wtedy wiedziałam tylko, że zabieg ten da mi większe szanse na dobre małżeństwo, a tym samym przybliży szanse na największą miłość i radość w życiu każdej kobiety – do syna. Aby osiągnąć ten cel, musiałam postarać się o ide-

alne stopy, obdarzone siedmioma atrybutami: powinny być
małe, wąskie, proste, spiczaste, wysoko wypiętrzone, a przy
tym pachnące i delikatne w dotyku. Oczywiście najważniej-
sza jest długość. Ideał to siedem centymetrów – taką długość ma przeciętny kciuk. Później kształt – doskonała stopa
powinna wyglądać jak pączek lotosu, o pełnej, zaokrąglonej
pięcie, mocno zwężająca się ku przodowi. Cały ciężar ciała
opiera się na dużym palcu, co oznacza, że kości dużych palców i podbicia należy połamać, ściągając je w kierunku pię-
ty. We wgłębieniu między przednią częścią i piętą powinno
być dość miejsca, aby w załamaniach dało się umieścić dużą
monetę. Wiedziałam, że jeżeli uda mi się to wszystko osiągnąć, moją nagrodą będzie wielkie szczęście.

Rankiem dwudziestego czwartego dnia ósmego miesiąca
księżycowego cyklu ofiarowałyśmy Pani o Maleńkich Stopach kleiste ryżowe kulki, a nasze matki położyły pięknie
uszyte miniaturowe buciki przed małą figurą Guanyin. Potem mama i stryjenka przygotowały ałun, środek ściąga-
jący, nożyczki, specjalne obcinaki do paznokci, igły i nici.
Wyciągnęły błękitne bandaże, każdy szeroki na pięć centymetrów, długości trzech metrów i lekko nakrochmalony.
Wszystkie kobiety z naszej rodziny zgromadziły się w izbie
na górze. Starsza siostra zjawiła się ostatnia, niosąc wiadro
gotowanej wody, w której długo moczyły się tłuczone migdały, korzeń morwy, zioła i inne korzenie, a wszystko z dodatkiem moczu.

Jako najstarsza, miałam zostać poddana zabiegowi pierwsza. Byłam zdecydowana pokazać wszystkim, jaka potrafię
być dzielna. Mama umyła mi stopy i natarła je ałunem, żeby ściągnąć tkankę i ograniczyć nieuniknione krwawienie
i wydzielanie się ropy. Obcięła mi paznokcie bardzo krótko,
jak najkrócej. W tym czasie pozostałe kobiety namoczyły
bandaże, które miały wysychać na skórze, w ten sposób
jeszcze bardziej ją ściągając. Następnie mama ujęła koniec
bandażu, położyła go na moim podbiciu i mocno objęła nim
cztery zagięte małe palce. Okręciła bandażem piętę, zabez-

pieczyła wiązanie pętlą wokół kostki. Chodziło o to, aby małe palce i pięta spotkały się, tworząc wgłębienie, lecz duży palec musiał pozostać wolny, żebym mogła się na nim opierać. Mama powtarzała te ruchy, dopóki nie zużyła całego bandaża; stryjenka i babcia zaglądały jej przez ramię, sprawdzając, czy bandaż gdzieś się nie zmarszczył i nie zagiął. Mama solidnie zszyła końce, żeby pętle się nie rozluźniły i żebym nie zdołała się uwolnić.

Kiedy skończyła, stryjenka rozpoczęła krępowanie stóp Pięknego Księżyca. W tym czasie trzecia siostra powiedziała, że musi napić się wody i zeszła na dół. Gdy stopy Pięknego Księżyca były gotowe, mama zawołała trzecią siostrę, lecz odpowiedziała jej cisza. Jeszcze godzinę wcześniej otrzymałabym polecenie, żeby znaleźć trzecią siostrę, ale teraz wiedziałam, że przez następne dwa lata nie wolno mi będzie zejść po schodach. Mama i stryjenka przeszukały dom i wyszły na dwór. Chciałam podbiec do okna i wyjrzeć, lecz stopy zaczęły mnie już boleć. Nacisk na kości narastał, wysychające bandaże blokowały krążenie. Zerknęłam na Piękny Księżyc. Twarz mojej kuzynki była tak blada, jak wskazywało na to jej imię, po policzkach spływały strumyczki łez.

Z zewnątrz dobiegały nas nawoływania mamy i stryjenki.

– Trzecia siostro! Trzecia siostro!

Babcia i starsza siostra zbliżyły się do okna i wyjrzały.

– *Aiya...* – wymamrotała babcia.

Starsza siostra spojrzała na nas przez ramię.

– Mama i stryjenka są w domu sąsiadów – powiedziała. – Słyszycie, jak piszczy trzecia siostra?

Piękny Księżyc i ja potrząsnęłyśmy głowami.

– Mama ciągnie trzecią siostrę alejką – dodała starsza siostra.

Dopiero teraz usłyszałyśmy krzyki trzeciej siostry.

– Nie, nie pójdę tam! Nie chcę, nie zrobię tego!

– Jesteś bezużytecznym zerem – łajała ją głośno mama. – Przynosisz wstyd naszym przodkom!

Były to niemiłe słowa, lecz w naszej wiosce słyszałyśmy je prawie codziennie.

Mama wepchnęła trzecią siostrę do izby. Mała upadła na podłogę, zaraz jednak zerwała się, uciekła do kąta i skuliła się tam.

– To i tak się stanie, nie masz wyboru – oświadczyła mama.

Trzecia siostra gorączkowo rozglądała się dookoła, daremnie szukając jakiejś kryjówki. Znalazła się w potrzasku i nic nie mogło powstrzymać tego, co nieuniknione. Mama i stryjenka podeszły do niej. Ostatnim wysiłkiem spróbowała przemknąć pod ich wyciągniętymi ramionami, ale starsza siostra chwyciła ją mocno. Trzecia siostra miała dopiero sześć lat, lecz walczyła ze wszystkich sił. Starsza siostra, stryjenka i babcia przytrzymały ją, a mama pośpiesznie nałożyła bandaże. Trzecia siostra krzyczała bez chwili przerwy. Kilka razy udało jej się wyrwać rękę z uścisku, lecz kobiety natychmiast ją chwytały. Kiedy mama na ułamek sekundy uwolniła jej stopę, trzecia siostra oswobodziła ją i zaczęła rozpaczliwie wymachiwać nogą. Długi bandaż tańczył w powietrzu jak wstążka akrobaty. Piękny Księżyc i ja byłyśmy przerażone. Nikt z naszej rodziny nie powinien zachowywać się w ten sposób, byłyśmy o tym głęboko przekonane, mogłyśmy jednak tylko siedzieć i patrzeć, bo coraz ostrzejsze sztylety bólu kłuły nasze nogi. W końcu mama zrobiła, co do niej należało. Postawiła stopy trzeciej siostry na podłogę, wyprostowała się i z obrzydzeniem spojrzała na najmłodszą córkę.

– Bezużyteczna dziewczyna! – rzuciła gniewnie.

Opiszę teraz następne minuty i tygodnie, które w życiu tak długim jak moje powinny być bez znaczenia, ale wciąż wydają mi się wiecznością.

Mama spojrzała najpierw na mnie, ponieważ byłam najstarsza.

– Wstań!

Nie mogłam zrozumieć, czego ode mnie chce. Stopy pulsowały bólem. Zaledwie parę minut wcześniej byłam pewna swojej odwagi, a teraz usiłowałam tylko powstrzymać łzy, najzupełniej beznadziejnie.

Stryjenka trąciła Piękny Księżyc w ramię.

– Wstań i chodź.

Trzecia siostra wciąż zawodziła na podłodze.

Mama szarpnięciem podniosła mnie z krzesła. Słowo „ból" jest zbyt słabe, aby opisać, co czułam. Małe palce stóp miałam podgięte i cały ciężar ciała spoczął właśnie na nich. Usiłowałam przechylić się do tyłu i oprzeć na piętach. Kiedy mama zobaczyła, co robię, uderzyła mnie.

– Spaceruj!

Starałam się. Gdy kuśtykałam w kierunku okna, mama poderwała trzecią siostrę na nogi i pchnęła ją w ramiona starszej siostry.

– Przejdź się z nią w tę i z powrotem dziesięć razy – poleciła.

Dopiero wtedy pojęłam, co mnie czeka, chociaż wydawało mi się to niewyobrażalne. Widząc, co się dzieje, stryjenka, osoba o najniższej pozycji w rodzinie, chwyciła swoją córkę za rękę i pomogła jej wstać. Łzy płynęły mi po twarzy, kiedy mama prowadziła mnie po pokoju. Słyszałam swoje jęki. Trzecia siostra wrzeszczała i próbowała wyrwać się starszej siostrze. Babcia, której obowiązkiem jako najważniejszej osoby w domu było tylko nadzorowanie wszystkich czynności, ujęła drugie ramię trzeciej siostry. Podtrzymywane przez dwie znacznie silniejsze osoby, fizyczne ciało trzeciej siostry musiało ulec, ale to nie znaczyło, że ustały jej narzekania. Tylko Piękny Księżyc skrywała swoje uczucia, pokazując, że chociaż stoi bardzo nisko w domowej hierarchii, jest naprawdę dobrą córką.

Po dziesięciu okrążeniach mama, stryjenka i babcia zostawiły nas w spokoju. Wszystkie trzy byłyśmy wręcz sparaliżowane z bólu, a przecież nasze cierpienia dopiero się zaczęły. Nie mogłyśmy jeść. Miałyśmy puste żołądki, lecz wciąż wymiotowałyśmy. W końcu wszyscy położyli się spać. Jakąż ulgą było położyć się na posłaniu, trzymać stopy na tym samym poziomie, co reszta ciała... Jednak po paru godzinach dotknęło nas nowe cierpienie. Stopy płonęły, zupełnie jakby ułożono je wśród rozgrzanych węgli. Z naszych ust wydobywały się dziwne, miauczące odgłosy. Biedna starsza siostra, która dzieliła z nami izbę, starała się ukoić nasz ból, opowiadając bajki i przypominając łagodnie, że wszystkie dziewczęta z dobrych rodzin w całych wielkich Chinach przechodzą przez to samo, aby zostać wartościowymi kobietami, żonami i matkami.

Tamtej nocy żadna z nas nie zasnęła, ale ból okazał się niczym w porównaniu z tym, co przeżyłyśmy następnego dnia. Wszystkie trzy próbowałyśmy zerwać bandaże, lecz tylko trzeciej siostrze udało się oswobodzić jedną stopę. Mama zbiła ją po rękach i nogach, ponownie zabandażowała stopę i kazała za karę zrobić dziesięć dodatkowych okrążeń.

– Chcesz zostać małą synową? – pytała raz po raz, potrząsając nią mocno. – Jeszcze nie jest za późno, możesz wybrać sobie taką przyszłość!

Często słyszałyśmy podobne groźby, chociaż żadna z nas nigdy nie widziała małej synowej. Puwei było zbyt ubogą wioską, aby ludzie przyjmowali tu do domów niechciane, uparte dziewczyny o dużych stopach. Nie widziałyśmy jednak także ducha lisa, a wierzyłyśmy w jego istnienie, dlatego po słowach mamy trzecia siostra się poddała, przynajmniej na pewien czas.

Czwartego dnia wymoczyłyśmy zabandażowane stopy w wiadrze z gorącą wodą. Potem bandaże zdjęto. Mama i stryjenka uważnie obejrzały nasze paznokcie, wycięły odciski, zeskrobały stwardniałą skórę, natarły stopy ałunem i pachnidłem, żeby zabić odór gnijącego ciała i nałożyły czyste bandaże, jeszcze ciaśniej niż poprzednio. Każdy dzień był taki sam. Co czwarty dzień moczyły nam nogi i zmieniały bandaże. Co dwa tygodnie dostawałyśmy nową parę bucików, coraz mniejszych. Sąsiadki często nas odwiedzały,

przynosząc kluski z czerwoną fasolą, żeby nasze kości szybciej zmiękły, albo suszone papryczki chili, aby stopy przybrały taki smukły, ouln rnkończony kształt. Zaprzysiężone siostry starszej siostry przychodziły z drobnymi podarunkami, które im samym pomogły przetrwać te ciężkie chwile.
– Przygryzajcie koniuszek pędzelka do kaligrafii – radziły. – Jest ostry i delikatny, dzięki temu wasze stopy też staną się smukłe i subtelne.
Albo:
– Zjedzcie trochę tych wodnych kasztanów, a one natchną wasze ciało, żeby szybciej się kurczyło.
Izba kobiet przeistoczyła się w izbę dyscypliny. Zamiast wykonywać swoje codzienne obowiązki, chodziłyśmy teraz tylko w tę i z powrotem od okna do ściany. Mama i stryjenka codziennie dorzucały nam po parę okrążeń i prosiły babcię o pomoc. Kiedy babcia poczuła zmęczenie, siadała na jednym z łóżek i stamtąd kierowała naszymi poczynaniami. Gdy się ochłodziło, przykrywała się jeszcze jedną kołdrą. W miarę jak dni stawały się coraz krótsze i mroczniejsze, odzywała się coraz rzadziej, coraz słabszym głosem, aż wreszcie w ogóle zamilkła i tylko patrzyła na trzecią siostrę, nakazując jej wzrokiem chodzić więcej, wciąż więcej i więcej.
Ból wcale nie słabł. Jakże mogłoby być inaczej? Nauczyłyśmy się jednak tego, co najważniejsze w życiu kobiety – musimy być posłuszne dla naszego dobra. Już w tych pierwszych tygodniach zaczął formować się obraz przyszłości każdej z nas. Piękny Księżyc będzie stoicko spokojna i piękna we wszystkich możliwych okolicznościach. Trzecia siostra będzie wiecznie narzekającą, uskarżającą się na swój los żoną, która nie umie docenić otrzymanych darów. Ja, ta tak zwana szczególna, wyjątkowa dziewczyna, przyjęłam mój los bez sprzeciwu.
Któregoś dnia, w czasie jednej z wycieczek po izbie, usłyszałam trzask. To pękła kość w moim palcu. Myślałam, że nikt poza mną nie zdaje sobie sprawy, co się stało, ale

dźwięk był tak głośny i wyraźny, że usłyszały je wszystkie kobiety w izbie. Matka utkwiła we mnie skupione spojrzenie.

– Ruszaj się! Wreszcie robisz postępy!

Chodziłam dalej, dygocząc na całym ciele. Do wieczora złamały się wszystkie osiem palców moich stóp, ale mama nie pozwoliła mi odpocząć. Czułam, jak pogruchotane palce zamieniają się w miazgę przy każdym kroku, w bucikach miałam teraz pewien luz. Wolna przestrzeń, którą niedawno zajmowały stawy palców, zamieniła się w galaretę cierpienia. Panujące na dworze zimno nie zdołało złagodzić tortur, przez jakie przechodziło moje ciało. A mimo to mama nie była ze mnie całkowicie zadowolona. Wieczorem kazała starszemu bratu naciąć witek nad rzeką i przynieść je do domu. Przez następne dwa dni smagała mnie nimi po nogach, żebym nie traciła zapału do chodzenia. W dniu zmiany bandaży jak zwykle wymoczyłam stopy, lecz tym razem masaż palców o połamanych kościach był doświadczeniem, którego po prostu nie da się opisać. Mama kilka razy poruszyła obluzowane palce i podgięła je mocniej. Nigdy wcześniej ani później nie widziałam tak wyraźnie, że jednak ogarnia mnie swoją matczyną miłością.

– Prawdziwa dama nie pozwala, aby w jej życie wkradła się choćby najmniejsza brzydota – powtarzała uparcie. – Piękno osiąga się wyłącznie poprzez cierpienie. Tylko przez ból dochodzi się do spokoju. Ja owijam twoje stopy i bandażuję je, ale to ty otrzymasz nagrodę.

Palce Pięknego Księżyca pękły parę dni później, lecz kości trzeciej siostry wciąż stawiały opór. Mama posłała starszego brata po drobne kamyki, które zamierzała przymocować do palców trzeciej siostry, żeby zwiększyć ucisk. Mówiłam już, że moja młodsza siostra była bardzo uparta, ale teraz jej krzyki rozbrzmiewały jeszcze głośniej, chociaż trudno to sobie wyobrazić. Piękny Księżyc i ja myślałyśmy, że reaguje w ten sposób, ponieważ chce skupić na sobie uwagę mamy, która poświęcała swój czas i wysiłek przede

wszystkim mnie, jednak przy zmianie bandaży widziałyśmy różnice między naszymi stopami i stopami trzeciej siostry. Krew i ropa przeciąkały także przez nasze bandaże, to
było normalne, ale wydzieliny z ciała trzeciej siostry niedawno zaczęły cuchnąć inaczej. Skóra na naszych stopach
była trupiobiała, natomiast skóra trzeciej siostry – mocno
różowa.

Pani Wang przyjechała z wizytą, obejrzała dzieło mamy
i zaleciła napary z różnych ziół, które mogły do pewnego
stopnia uśmierzyć ból. Pierwszy raz wypiłam gorzki napar
dopiero po dużych opadach śniegu, kiedy kości mojego
śródstopia popękały i się rozsunęły. Gdy stan trzeciej siostry uległ pogorszeniu, mój umysł drzemał w oparach ziół
i bólu. Skóra dziewczynki płonęła żywym ogniem. Oczy
miała załzawione i błyszczące gorączką, wyostrzyły się rysy
jej dotąd okrągłej buzi. Kiedy mama i stryjenka zeszły na
dół, żeby przygotować obiad, starsza siostra zlitowała się
nad nieszczęsnym, żałosnym stworzeniem i pozwoliła jej
wyciągnąć się na łóżku. Piękny Księżyc i ja wykorzysta-
łyśmy tę okazję, ale tylko przystanęłyśmy u wezgłowia –
nie śmiałyśmy usiąść, żeby nie narazić się na gniew mamy
i stryjenki. Starsza siostra zaczęła masować nogi trzeciej siostry, chcąc przynieść jej trochę ulgi. Był środek zimy i wszystkie nosiłyśmy najgrubsze pikowane stroje, więc z naszą pomocą starsza siostra podciągnęła jedną nogawkę spodni
dziewczynki do kolana, aby wymasować łydkę. Właśnie
wtedy zobaczyłyśmy ostro rysujące się czerwone smugi,
wydobywające się spod bandaży i znikające pod spodniami.
Chwilę patrzyłyśmy na siebie w milczeniu, potem szybko
obejrzałyśmy drugą nogę. Ona także była naznaczona czerwonymi smugami.

Starsza siostra zeszła na dół. Aby powiedzieć mamie, co
odkryłyśmy, musiała się przyznać, że nie wypełniła powie-
rzonego jej zadania. Spodziewałyśmy się, że zaraz usły-
szymy głośne plaśnięcie dłoni o policzek starszej siostry,
ale nic takiego nie nastąpiło. Mama i stryjenka pośpiesznie

wróciły na piętro. Zatrzymały się u szczytu schodów i potoczyły wzrokiem po izbie. Trzecia siostra leżała nieruchomo, wpatrzona w sufit, z odsłoniętymi nóżkami, dwie niewiele większe dziewczynki czekały na wymierzenie kary, a babcia spała pod kołdrami. Stryjenka drgnęła i szybko poszła po wrzątek.

Mama zbliżyła się do łóżka. W pośpiechu nie wzięła laski, kuśtykała więc przez izbę jak ptak z połamanymi skrzydłami i równie jak ptak niezdolna pomóc córce. Natychmiast po powrocie stryjenki zaczęła odwijać bandaże. Powietrze w izbie przesycił ohydny odór. Stryjenka poderwała rękę do ust, z trudem powstrzymując wymioty. Padał śnieg, lecz mimo to starsza siostra zdarła z okien ryżowy papier, żeby smród wydostał się na zewnątrz. W końcu stopy trzeciej siostry zostały obnażone. Spływały ciemnozieloną ropą i gęstą jak błoto brunatną krwią. Mama i stryjenka podniosły trzecią siostrę do pozycji siedzącej i zanurzyły jej bose stopy w misce z parującą wodą, lecz ona chyba nawet tego nie zauważyła. Była nieprzytomna, majaczyła.

Nagle krzyki trzeciej siostry, które tak irytowały nas w ostatnich tygodniach, nabrały innego znaczenia. Czy już tamtego pierwszego dnia wiedziała, że może jej się przydarzyć coś złego? Czy dlatego stawiała opór? Czy przyczyną zakażenia krwi były nierówności bandaży? Czy to ona była osłabiona i niedożywiona, chociaż pani Wang twierdziła, że dotyczy to przede wszystkim mnie? Co takiego zrobiła w poprzednim życiu, czym zasłużyła na tak straszną karę?

Mama wyszorowała jej stopy, starając się usunąć infekcję. Trzecia siostra zemdlała. Woda w misce zmętniała od obrzydliwej wydzieliny. Po pewnym czasie mama wyjęła pogruchotane stopy z miski i osuszyła je.

– Matko! – zawołała do swojej teściowej. – Masz więcej doświadczenia ode mnie. Pomóż mi, proszę.

Ale babcia nie poruszyła się pod kołdrami. Mama i stryjenka nie mogły się zgodzić, co należy robić dalej.

– Trzeba zostawić jej stopy na wierzchu, wystawić je na działanie powietrza – sugerowała mama.

– Dobrze wiem, że to byłoby najgorsze – odparła stryjenka. – Wiele kości jest już złamanych, jeśli ich nie zwiążcom, nigdy nie zagoją się jak należy. Dziewczyna zostanie kaleką, nikt nie zechce się z nią ożenić.

– Wolę, żeby została tutaj, na świecie, bez męża, nie chcę stracić jej na zawsze!

– Jej życie będzie bez celu oraz jakiejkolwiek wartości – przekonywała ją stryjenka. – Matczyna miłość, która mieszka w twoim sercu na pewno ci podpowiada, że lepiej nie mieć takiej przyszłości.

Przez cały czas, gdy się spierały, trzecia siostra nawet nie drgnęła. Mama posmarowała ałunem skórę jej stóp i zabandażowała je. Następnego dnia śnieg padał dalej, a trzecia siostra czuła się gorzej. Chociaż nie byliśmy bogaci, tata wyszedł w okropną śnieżycę po wioskowego lekarza, który spojrzał na trzecią siostrę i w milczeniu pokręcił głową. Wtedy pierwszy raz widziałam ten gest, oznaczający, że nie ma żadnego sposobu, aby powstrzymać duszę kochanej osoby i nie pozwolić jej odejść do świata duchów. Można z tym walczyć, ale kiedy śmierć mocno chwyci ofiarę, nic nie da się na to poradzić. W obliczu pragnień tamtego świata wszyscy jesteśmy bezradni i słabi. Doktor zaproponował, że przyrządzi maść i przygotuje zioła na napar, był jednak dobrym, uczciwym człowiekiem i rozumiał naszą sytuację.

– Mogę zrobić leki dla waszej małej dziewczynki, ale w gruncie rzeczy oznacza to pieniądze wyrzucone w błoto – powiedział ojcu.

To dopiero pierwsza część złych wieści. Kiedy uprzejmie kłanialiśmy się doktorowi, on rozejrzał się po izbie i zobaczył skuloną pod kołdrami babcię. Podszedł, dotknął jej czoła, posłuchał tętna, które odmierzało jej *qi*, a potem podniósł wzrok i zmierzył ojca uważnym spojrzeniem.

– Twoja szanowna matka jest bardzo chora. Dlaczego nie wspomniałeś mi o tym wcześniej?

Jak ojciec mógł odpowiedzieć na to pytanie i zachować twarz? Był dobrym synem, ale także mężczyzną, a te sprawy należały do wewnętrznego świata. Niemniej doglądanie, by babci nie stało się nic złego, było jego najważniejszym synowskim obowiązkiem. Gdy on na dole palił fajkę w towarzystwie brata i czekał na koniec zimy, w izbie na piętrze dwie osoby padły ofiarą działania złych duchów.

I znowu cała rodzina zadawała sobie niekończące się pytania. Czy zajmowanie się bezwartościowymi dziewczynkami zabrało mamie i stryjence aż tyle czasu, że nie zauważyły, jak jedyna cenna dla rodziny, szanowana kobieta powoli opada z sił? Czy spacerowanie po izbie z trzecią siostrą wyczerpało cały zapas kroków, jakim dysponowała babcia? Czy babcia, zmęczona słuchaniem wrzasków trzeciej siostry, zamknęła swoje *qi*, aby odciąć się od irytującego hałasu? Czy duchy, które przyszły karmić się siłami trzeciej siostry, dostrzegły możliwość pożarcia drugiej ofiary?

Po kilku tygodniach gwaru i zamętu, wywołanych przez trzecią siostrę, uwaga wszystkich skupiła się teraz na babci. ojciec i stryj odchodzili od jej posłania tylko po to, żeby coś zjeść, zapalić fajkę i za potrzebą. Stryjenka wzięła na siebie wszystkie domowe obowiązki – przygotowywała dla nas posiłki, myła naczynia, prała i zajmowała się nami. Nie widziałam, by mama chociaż raz położyła się na spoczynek w tych strasznych dniach. Jako pierwsza synowa miała w życiu dwa główne cele: urodzić synów dla podtrzymania istnienia rodu i dbać o matkę męża. Powinna była okazać większą czujność w kwestii zdrowia teściowej, tymczasem ona pozwoliła, aby męska nadzieja wtargnęła do jej umysłu i skupiła całą uwagę na mnie i mojej przyszłości. Teraz, z żarliwą determinacją zrodzoną z wcześniejszego zaniedbania, wykonywała wszystkie tradycyjne rytuały, przygotowywała specjalne ofiary dla bogów i naszych przodków, modliła się i śpiewała. Zrobiła nawet zupę z dodatkiem własnej krwi, aby podbudować siły życiowe babci.

Ponieważ wszyscy dorośli zajęci byli babcią, Pięknemu Księżycowi i mnie przypadło w udziale czuwanie nad trzecią siostrą. Byłyśmy siedmioletnimi dziewczynkami i zupełnie nie umiałyśmy jej ukoić czy pocieszyć. Bardzo cierpiała, ale nie było to najgorsze cierpienie, jakie dane mi było oglądać w całym moim życiu. Umarła cztery dni później. Ból, który musiała znieść, nie pasował do tak krótkiego życia. Babcia odeszła następnego dnia. Nikt nie widział jej cierpienia. Zwijała się tylko w coraz mniejszy kłębek, zupełnie jak gąsienica pod warstwą jesiennych liści.

Ziemia zamarzła, więc nie można było zrobić pogrzebu. Dwie żyjące zaprzysiężone siostry babci zajęły się zwłokami. Śpiewały żałobne pieśni, zawinęły ciało w muślin i ubrały zmarłą tak, żeby mogła podjąć życie na tamtym świecie. Babcia była starą kobietą, długo żyła, więc jej strój na wieczność składał się z wielu warstw. Trzecia siostra miała zaledwie sześć lat, niewiele ubrań, które mogłyby zapewnić jej ciepło, i niewielu przyjaciół, którzy powitaliby ją na tamtym świecie. Właściwie miała tylko jeden strój letni i jeden zimowy, zresztą, nawet te odziedziczyła po starszej siostrze i po mnie. Babcia i trzecia siostra spędziły resztę zimy pod całunem śniegu.

Mogę powiedzieć, że po śmierci babci i trzeciej siostry, a przed ich pogrzebem, w izbie dla kobiet wiele rzeczy uległo zmianie. Och, naturalnie dalej krążyłyśmy od ściany do okna i z powrotem, nadal co czwarty dzień miałyśmy zmieniane bandaże i co dwa tygodnie dostawałyśmy mniejsze buciki, ale teraz mama i stryjenka obserwowały nas z większą czujnością. My także stałyśmy się ostrożniejsze, chociaż nie opierałyśmy się i nie narzekałyśmy. Kiedy mama i stryjenka obmywały nam nogi, nie mniej bacznie niż one badałyśmy wzrokiem ropną wydzielinę i krew. Codziennie wieczorem tuż przed snem i codziennie rano starsza siostra oglądała nasze nogi, sprawdzając, czy nie rozwija się jakaś poważna infekcja.

Często wracam myślami do tych pierwszych miesięcy krępowania stóp. Pamiętam, że mama, stryjenka, babcia i nawet starsza siostra recytowały pewne zwroty, żeby dodać nam odwagi. Jednym z nich była wyliczanka: „Poślubisz kurczaka, zostaniesz z kurczakiem; poślubisz koguta, zostaniesz z kogutem". Oczywiście w tamtym czasie słuchałam słów, ale nie rozumiałam ich znaczenia. Wielkość stóp miała zadecydować o tym, jakie małżeństwo będzie mi dane. Malutkie stopy byłyby dla przyszłych teściów dowodem, że posiadam wewnętrzną dyscyplinę i jestem zdolna znieść ból porodu, a także wszelkie inne nieszczęścia. Malutkie stopy byłyby świadectwem dla całego świata, że jestem posłuszna rodzinie, w której się urodziłam, szczególnie matce, a takie posłuszeństwo zawsze robi dobre wrażenie na przyszłej teściowej. Buciki, które haftowałam, miały się stać symbolem moich umiejętności w zakresie prac ręcznych i domowych. Poza tym, chociaż wtedy nie miałam jeszcze o tym pojęcia, moje stopy miały fascynować męża w najbardziej intymnych chwilach wspólnego życia mężczyzny i kobiety. I rzeczywiście, jego pragnienie patrzenia na nie i trzymania ich w dłoniach nigdy nie osłabło, nawet kiedy urodziłam pięcioro dzieci i moje ciało straciło zalety, które decydują o udanym życiu w łóżku.

Wachlarz

Minęło sześć miesięcy od dnia, kiedy mama i stryjenka zaczęły krępować nam stopy i dwa miesiące od śmierci babci i trzeciej siostry. Śnieg stopniał, ziemia zmiękła i babcię i trzecią siostrę można było przygotować do pochówku. W życiu każdego Yao, nie, każdego Chińczyka, istnieją trzy wydarzenia, na które potrzeba najwięcej pieniędzy – narodziny, zawarcie małżeństwa i śmierć. Wszyscy pragniemy dobrze się urodzić i zawrzeć dobre małżeństwo; tak samo zależy nam, żeby dobrze umrzeć i zostać należycie pochowanym, zawsze jednak, mimo naszych starań i zabiegów, to los i okoliczności wywierają największy wpływ na te trzy wydarzenia. Babcia była najstarsza z rodu i zawsze żyła przykładnie, trzecia siostra nie zdążyła nic osiągnąć. Tata i stryj wygrzebali wszystkie pieniądze, jakie mieli, i zapłacili stolarzowi z Shangjiangxu, aby zrobił porządną trumnę dla babci, a sami zbili z desek niewielką skrzynię dla trzeciej siostry. Zaprzysiężone siostry babci jeszcze raz odwiedziły nasz dom i w końcu odbył się pogrzeb.

Przy tej okazji znowu uświadomiłam sobie, jacy jesteśmy ubodzy. Gdybyśmy mieli więcej pieniędzy, tata zbudowałby wdowi łuk, żeby upamiętnić godne życie babci, może kazałby także wróżbicie wyszukać najbardziej odpowiednie miejsce na grób, z najlepszymi elementami *fengshui*, lub wy-

51

najął palankin dla córki i bratanicy, które wciąż nie bardzo mogły chodzić. Wszystko to po prostu nie było możliwe. Mama dźwigała mnie na plecach, a stryjenka niosła Piękny Księżyc. Niewielki pochód wyruszył na miejsce niezbyt odległe od domu, na dzierżawionym przez nas terenie. Tata i stryj złożyli trzy serie głębokich pokłonów, a mama padła na grób, błagając o wybaczenie. Spaliliśmy papierowe pieniądze, ale przybyłym na pogrzeb żałobnikom mogliśmy zaoferować tylko słodycze.

Chociaż babcia nie umiała czytać *nu shu*, miała księgi ślubne trzeciego dnia, które dostała z okazji ślubu przed wielu laty. Razem z kilkoma innymi skarbami, zgromadzonymi przez jej dwie zaprzysiężone siostry zostały one także spalone przy grobie, aby słowa mogły towarzyszyć babci w podróży na tamten świat.

– Mamy nadzieję, że znajdziesz tam nasze pozostałe zaprzysiężone siostry – śpiewnie wyrecytowały dwie stare kobiety. – Będziecie szczęśliwe we trzy. Nie zapomnijcie o nas. Łączące nas tkanki wciąż żyją, chociaż korzeń lotosu został podcięty. Taka jest siła i trwałość naszego związku...

Nikt nie miał nic do powiedzenia o trzeciej siostrze, nawet starszy brat. Ponieważ trzecia siostra nie miała żadnych własnych pism, stryjenka, starsza siostra, Piękny Księżyc i ja napisałyśmy krótkie przesłania w *nu shu*, pragnąc przedstawić ją w ten sposób naszym przodkom, a potem je spaliłyśmy.

Chociaż trzyletni okres żałoby po babci dopiero się dla nas zaczynał, życie toczyło się dalej. Najbardziej bolesne dni krępowania stóp miałam już za sobą. Matka nie musiała mnie już tak często bić, a ból był znacznie mniejszy. Na tym etapie krępowania Piękny Księżyc i ja powinnyśmy dużo siedzieć, aby pozwolić stopom okrzepnąć w nowym kształcie. Wczesnym rankiem obie poznawałyśmy nowe ściegi i ćwiczyłyśmy je pod nadzorem starszej siostry. Później mama uczyła mnie prząść bawełnę, a wczesnym popołudniem tkałyśmy. Piękny Księżyc i jej matka odbywały te same zajęcia, tyle że w odwrotnym porządku. Późnym popołudniem studiowałyśmy *nu shu*. Stryjenka uczyła nas prostych słów z wielką cierpliwością i poczuciem humoru. Starsza siostra, która niedawno skończyła jedenaście lat, wolna od obowiązku czuwania nad trzecią siostrą, wróciła do nauki kobiecych umiejętności. Pani Gao, miejscowa swatka, regularnie zjawiała się w naszym domu, aby prowadzić negocjacje dotyczące zgodności ośmiu znaków przyszłych małżonków, pierwszy z pięciu etapów prowadzących do zawarcia małżeństw przez starszego brata i starszą siostrę. Dla starszego brata znaleziono dziewczynę z rodziny podobnej do naszej, zamieszkałej w Gaojia, rodzinnej wiosce pani Gao. Była to korzystna okoliczność dla przyszłej synowej, ponieważ pani Gao prowadziła tyle spraw łączących obie wioski, że można było liczyć na regularne przesyłanie listów *nu shu*, poza tym z Gaojia pochodziła stryjenka, która teraz mogła łatwiej komunikować się z rodziną. Była z tego powodu bardzo szczęśliwa i przez wiele dni mogliśmy oglądać jej uśmiech, odsłaniający nierówne, połamane zęby i wielką jaskinię ust.

Starsza siostra, uznawana za cichą i ładną przez wszystkich, którzy ją znali, miała wejść do rodziny lepszej niż nasza, mieszkającej w dalekiej wiosce Getan. Smuciło nas, że nie będziemy się widywać z nią tak często, jak byśmy chcieli, ale na pocieszenie mieliśmy świadomość, że jeszcze sześć lat spędzi z nami, a po ślubie dopiero po dwóch lub trzech latach opuści nas na dobre. W naszym okręgu, jak wiadomo, przestrzegamy zwyczaju *buluo fujia*, zgodnie z którym młoda żona na stałe przenosi się do domu męża dopiero wtedy, gdy zajdzie w ciążę.

Pani Gao pod żadnym względem nie przypominała pani Wang. Jej zachowanie najtrafniej opisuje słowo „wulgarna". Pani Wang nosiła jedwabie, pani Gao zaś tkaną w domu bawełnę. Język pani Wang był gładki i płynny jak gęsi smalec, pani Gao wypowiadała zdania głośno i jazgotliwie, jak wiejski kundel. Przychodziła do izby dla kobiet, przysiadała na stołku i koniecznie chciała oglądać stopy wszystkich dziewcząt z domu Yi. Oczywiście starsza siostra i Piękny Księżyc posłusznie pokazywały jej swoje. Moim losem kierowała wprawdzie pani Wang, lecz mama mówiła, że ja także powinnam odsłaniać stopy podczas wizyt pani Gao. Co ta kobieta wygadywała!

– Wgłębienie jest równie głębokie jak wewnętrzne fałdy tej dziewczyny – mawiała często. – Jej mąż będzie bardzo szczęśliwym mężczyzną!

Albo:

– Sposób ułożenia stopy, z tą mocno podciągniętą piętą i szpicem przedniej części, będzie przywodził mu na myśl jego własny członek. Ten szczęściarz będzie przez cały dzień myślał wyłącznie o sprawach łóżkowych...

Wtedy nie rozumiałam znaczenia słów pani Gao, a kiedy już je pojęłam, wstydziłam się, że swatka opowiada takie rzeczy w obecności mamy i stryjenki, ale one śmiały się razem z nią. My trzy także chichotałyśmy cicho, chociaż, jak już mówiłam, to, o czym mówiły, wykraczało poza nasze doświadczenie i wiedzę.

Tamtego roku, ósmego dnia czwartego miesiąca księżycowego, zaprzysiężone siostry starszej siostry spotkały się w naszym domu w Dzień Walki Byków. Dziewczęta starały się już zademonstrować, jakimi będą dobrymi gospodyniami, wypożyczyły więc ryż, podarowany przez ich rodziny na założenie siostrzanego związku, aby sfinansować obchody święta. Każda przyniosła z domu jedno danie – zupę z ryżowymi kluseczkami, botwinę z konserwowanym jajkiem, wieprzowe nóżki w sosie chili, konserwowaną długą fasolę i słodkie ryżowe ciasteczka. Dużo potraw przygotowywały też wspólnie, szczególnie kluski gotowane na parze i maczane w sosie sojowym z sokiem cytrynowym i olejem chili. Dziewczęta jadły, chichotały i recytowały opowieści *nu shu*, na przykład *Historię Sangu*, w której córka bogacza pozostaje wierna ubogiemu mężowi i razem z nim przeżywa dramatyczne wzloty i upadki, aż w końcu cesarz wynosi

54

ich do godności mandarynów w nagrodę za wzajemną wierność i prawość, albo *Cudownego karpia*, baśń o rybie, która przemienia się w piękną młodą kobietę i zakochuje w wybitnie zdolnym uczonym, potem zaś wraca do swojej prawdziwej postaci.

Ulubioną opowieścią pięciu dziewcząt była jednak *Historia kobiety, która miała trzech braci*. Nie znały jej w całości, ale nie śmiały prosić mamę, żeby odpowiadała na niektóre kwestie, chociaż doskonale pamiętała wiele słów, błagały natomiast stryjenkę, by pomogła im dotrzeć do końca opowieści. Piękny Księżyc i ja przyłączyłyśmy się do ich próśb, ponieważ ta popularna historia, oparta na faktach, jednocześnie tragiczna i zabawna, była świetnym ćwiczeniem recytacji, bezpośrednio związanej z naszym specjalnym kobiecym pismem.

Jedna z zaprzysiężonych sióstr stryjenki wyhaftowała dla niej tę opowieść na chusteczce do nosa. Stryjenka wyjęła mały kawałek płótna i starannie go rozłożyła. Piękny Księżyc i ja usiadłyśmy po obu jej stronach, żeby widzieć recytowane przez nią znaki.

– Pewna kobieta miała trzech braci – zaczęła stryjenka. – Wszyscy byli żonaci, ale ona nie miała męża. Chociaż była cnotliwa i pracowita, bracia nie dali jej posagu. Jakże była nieszczęśliwa! Co miała zrobić?

– Pogrążona w wielkim cierpieniu, idzie do ogrodu i wiesza się na gałęzi – dopowiedziała moja matka.

Teraz do chóru włączyłyśmy się my, dziewczęta – Piękny Księżyc, moje dwie siostry, zaprzysiężone siostry i ja.

– Najstarszy brat spaceruje w ogrodzie i udaje, że jej nie widzi. Drugi brat przechodzi przez ogród i udaje, że nie widzi, iż jest martwa. Trzeci brat widzi, co się stało, zalewa się łzami i wnosi ciało do domu.

Siedząca pod przeciwległą ścianą mama podniosła wzrok i pochwyciła moje spojrzenie. Uśmiechnęła się, może zadowolona, że nie opuściłam żadnego słowa.

Stryjenka podjęła recytację.

– Pewna kobieta miała trzech braci. Kiedy umarła, żaden nie chciał zająć się jej ciałem. Chociaż była cnotliwa i pracowita, bracia nie chcieli jej usłużyć. Jakże to było okrutne! Co się teraz stanie?

– Zapomną o niej po śmierci, tak samo jak nie pamiętali za życia, dopóki jej zwłoki nie zaczną śmierdzieć – zaśpiewała mama.

I znowu my wyrecytowałyśmy znany refren.

– Najstarszy brat daje jeden kawałek płótna na okrycie ciała. Drugi daje dwa kawałki płótna. Trzeci grubo owija ciało, aby jego siostra nie zmarzła na tamtym świecie.

– Pewna kobieta miała trzech braci – ciągnęła stryjenka. – Ubrano ją na przyszłość, lecz bracia nie chcą dać pieniędzy na trumnę. Chociaż była cnotliwa i pracowita, jej bracia skąpią na pochówek. Jakże to niesprawiedliwe! Czy nieszczęsna kiedykolwiek znajdzie spokój?

– Całkiem sama, całkiem sama planuje, aby wrócić do nich jako duch i wzbudzić lęk w ich sercach – zaśpiewała mama.

Stryjenka palcem wskazywała nam kolejne znaki, a my starałyśmy się nadążać, chociaż nie znałyśmy jeszcze *nu shu* na tyle dobrze, aby odczytać wszystkie.

– Najstarszy brat mówi: „Nie musimy grzebać jej w trumnie, dobrze jej będzie tak, jak jest". Drugi mówi: „Możemy przecież wykorzystać tę starą skrzynię, która stoi w szopie". Trzeci mówi: „To wszystkie pieniądze, jakie mam, ale pójdę i kupię trumnę".

W miarę jak zbliżałyśmy się do końca, rytm opowiadania się zmieniał.

– Pewna kobieta miała trzech braci – śpiewała stryjenka. – Daleko zaszli, ale co stanie się teraz z siostrą? Starszy brat ma serce skąpe, drugi zimne jak lód, lecz w trzecim miłość może jeszcze dojść do głosu...

Zaprzysiężone siostry pozwoliły Pięknemu Księżycowi i mnie dokończyć historię.

– Starszy brat mówi: „Pochowajmy ją przy drodze, którą

chodzą bawoły" (znaczy to, że zostanie stratowana na całą wieczność). Drugi mówi: „Pochowajmy ją pod mostem" (znaczy to, że woda zabierze ją i zmyje pamięć o niej). Tylko trzeci brat, człowiek dobrego serca i zawsze lojalny, mówi: „Pochowamy ją za domem, żeby wszyscy o niej pamiętali". I tak wreszcie siostra po nieszczęśliwym, smutnym życiu, znalazła wielkie szczęście na tamtym świecie.

Uwielbiałam tę opowieść. Z wielką przyjemnością śpiewałam i recytowałam razem z mamą i innymi, lecz od śmierci babki i siostry lepiej rozumiałam jej przesłanie. Historia nieszczęsnej siostry trzech braci pokazywała mi, że wartość dziewczyny lub kobiety może się zmieniać w zależności od tego, kto na nią patrzy i ją ocenia. Zawierała także praktyczne rady, jak zadbać o ciało ukochanej osoby – w jaki sposób zająć się zwłokami, jak przystroić je na wieczność, gdzie pochować. Moja rodzina zawsze starała się przestrzegać tych zasad i ja także, kiedy już zostałam żoną i matką, próbowałam się do nich stosować.

W dzień po święcie wróciła pani Wang. Nauczyłam się bać i nienawidzić jej wizyt, ponieważ zawsze wnosiły niepokój do naszego domu. Oczywiście wszyscy byli zadowoleni z perspektyw na dobre małżeństwo, jakie otworzyły się przed starszą siostrą, wszyscy cieszyli się, że także i starszy brat wstąpi w związek małżeński i w naszym domu pojawi się pierwsza synowa, ale w ostatnim czasie przeżyliśmy odejście dwóch osób z rodziny. Pomijając stronę uczuciową, te smutne i radosne wydarzenia pociągały za sobą wydatki związane z dwoma pogrzebami i dwoma zbliżającymi się ślubami. Teraz w znacznie większym stopniu niż kiedykolwiek czułam, jak wiele zależy od mojego małżeństwa – korzystny związek, którego wszyscy się po mnie spodziewali, mógł oznaczać ratunek dla całej rodziny.

Pani Wang przyszła na górę do izby dla kobiet, uprzejmie pochwaliła hafty starszej siostry za ich wyjątkowe zalety i piękny wygląd, a potem usiadła na stołku, plecami do okna. Nie patrzyła w moim kierunku. Mama, która dopiero zaczynała rozumieć swoją nową pozycję najważniejszej kobiety w domu, gestem nakazała stryjence przynieść herbatę. Do powrotu stryjenki pani Wang rozmawiała o pogodzie, o planach zbliżających się targów przy świątyni i dostawie towarów, które przewieziono rzeką z Guilin, dopiero gdy herbata została nalana, przeszła do rzeczy.

– Szanowna matko... – zaczęła. – Omawialiśmy wcześniej niektóre możliwości, jakie stoją przed waszą córką. Wejście do dobrej rodziny w wiosce Tongkou wydaje się całkowicie pewne. – Pochyliła się w stronę mamy, przybierając porozumiewawczy ton. – Niektóre osoby stamtąd wyraziły już zainteresowanie tą sprawą. Jeszcze parę lat i odwiedzę ciebie i twojego małżonka, aby zawrzeć Kontrakt Zgodności... – Wyprostowała się i odchrząknęła. – Jednak dzisiaj przybyłam tu, aby zasugerować wam związek innego rodzaju. Jak sobie może przypominasz, przy naszym pierwszym spotkaniu dostrzegłam, że Lilia może mieć szansę na *laotong*... – Pani Wang znacząco zawiesiła głos, aby jej słowa w całej pełni dotarły do mamy. – Tongkou znajduje się w odległości czterdziestu pięciu minut marszu, oczywiście męskim krokiem. Większość tamtejszych rodzin wywodzi się z klanu Lu i właśnie z tej rodziny pochodzi też potencjalna *laotong* dla Lilii. Nosi imię Kwiat Śniegu.

Pierwsze pytanie mamy uświadomiło nam wszystkim, że nie tylko nie zapomniała, o czym mówiła pani Wang w czasie pierwszej wizyty, ale też że od tamtej pory nieustannie rozmyślała o tej rozmowie.

– Co z ośmioma znakami? – zapytała mama, a słodycz jej głosu bynajmniej nie maskowała determinacji. – Nie widzę powodu do zawarcia takiego związku, jeżeli nie mam ośmiu całkowicie zgodnych znaków...

– Matko, nie przybyłabym dziś do ciebie, gdybym nie miała pewności, że znaki te pozostają w zgodzie – odparła spokojnie pani Wang. – Lilia i Kwiat Śniegu urodziły się w Roku Konia, w tym samym miesiącu oraz, naturalnie, jeżeli obie matki powiedziały mi prawdę, tego samego dnia i w tej samej godzinie. Lilia i Kwiat Śniegu mają tyle samo braci i sióstr, przy czym każda z dziewcząt jest trzecim dzieckiem w rodzinie...

– Ale...

Pani Wang podniosła rękę, powstrzymując matkę.

– Odpowiem na twoje pytanie, zanim je zadasz – tak, trzecia córka w rodzinie Lu również dołączyła już do swoich przodków. Okoliczności obu tych tragedii nie mają znaczenia, zresztą, nikt nie lubi myśleć o stracie dziecka, nawet jeśli chodzi o córkę. – Popatrzyła na mamę twardym wzrokiem, prawie rzucając jej otwarte wyzwanie. Kiedy mama odwróciła oczy, pani Wang zaczęła mówić dalej: – Lilia i Kwiat Śniegu są identycznego wzrostu, równie wielkiej urody, a co najważniejsze, ich stopy zostały skrępowane tego samego dnia. Pradziadek Kwiatu Śniegu był uczonym *jinshi*, więc społeczna i ekonomiczna pozycja obu rodzin jest odmienna, ale... – Pani Wang nie musiała wyjaśniać, że jeśli rodzina Lu posiadała wśród przodków cesarskiego uczonego najwyższej rangi, musiała być naprawdę doskonale skoligacona i zamożna. – Ale matka Kwiatu Śniegu jest skłonna przymknąć oczy na te różnice, skoro obie dziewczynki mają ze sobą tyle wspólnego...

Mama spokojnie skinęła głową. Żyjąca w niej Małpa wciąż analizowała i rozważała wszystkie te fakty z pozorną obojętnością, gdy tymczasem ja miałam ochotę zerwać się z krzesła, popędzić nad rzekę i krzyczeć z radości i podniecenia. Zerknęłam na stryjenkę. Spodziewałam się, że zobaczę wielką jaskinię jej uśmiechu, ale ona mocno zacisnęła wargi, usiłując skryć ogromne zadowolenie. Całe jej ciało wyrażało spokój i płynącą z dobrego wychowania godność, tylko palce poruszały się szybko, wręcz gorączkowo, zupełnie jak wrzucone do miseczki z wodą młodziutkie węgorze. Właśnie stryjenka, bardziej niż ktokolwiek z nas, doceniała wagę tego spotkania. Posłałam dwa pośpieszne uśmiechy Pięknemu Księżycowi i starszej siostrze, mając nadzieję, że robię to niepostrzeżenie. Ich oczy lśniły radością, obie cieszyły się ze wspaniałej przyszłości, jaka mnie czekała. Czułam, że tego wieczoru, gdy reszta rodziny uda się już na spoczynek, będziemy gadały i gadały bez końca.

– Zwykle czynię takie propozycje w czasie świąt Środka Jesieni, kiedy dziewczęta mają osiem lub dziewięć lat – ciągnęła pani Wang. – Jednak w tym wypadku sądzę, że wasza córka w szczególny sposób skorzystałaby na jak najszybszym zawarciu związku. Pod wieloma względami jest dziewczynką idealną, ale jej znajomość umiejętności kobiecych i sposób bycia muszą się znacznie wzbogacić, jeśli chcemy myśleć o wprowadzeniu jej do wyżej postawionego domu.

– Moja córka nie jest taka, jak być powinna – zgodziła się mama obojętnie. – Jest uparta i nieposłuszna. Nie jestem pewna, czy to dobry pomysł. Lepiej być jednym niedoskonałym winogronem między wieloma zaprzysiężonymi siostrami niż rozczarować dziewczynę wysokiego rodu...

Moja ogromna radość w jednej chwili przeistoczyła się w bezdenną rozpacz. Chociaż dobrze znałam matkę, byłam jeszcze za mała, by pojąć, że jej surowe słowa na mój temat stanowią część negocjacji; nie wiedziałam też, że kiedy ojciec i swatka zasiądą do ostatecznych targów, podobnych zdań padnie jeszcze wiele. Krytykowanie i czynienie ze mnie osoby niegodnej zabezpieczało rodziców przed wszelkimi ewentualnymi pretensjami ze strony rodziny przyszłego męża lub przyszłej *laotong*. Mogło to także obniżyć koszty, jakie musieliby ponieść na rzecz swatki, a nawet pozwolić na zmniejszenie mojego posagu.

Swatka bynajmniej nie sprawiała wrażenia zbitej z tropu.

– To oczywiste, że myślisz w ten sposób, sama mam wiele podobnych zastrzeżeń. Tak czy inaczej, na dzisiaj chyba wystarczy... – przerwała na moment, jakby nagle popadła w zamyślenie, chociaż wszystkie zdawałyśmy sobie sprawę, że każde jej słowo i każdy ruch zostały starannie zaplanowane i przećwiczone. Sięgnęła do rękawa, wyjęła wachlarz i przywołała mnie. Wręczając mi go, odwróciła głowę i utkwiła wzrok w mojej matce. – Musisz mieć trochę czasu, żeby się zastanowić nad losem córki.

Otworzyłam wachlarz i popatrzyłam na słowa, biegnące w dół jednej z fałd oraz na girlandę z liści, zdobiącą górną krawędź.

– Dajesz to mojej córce, mimo że jeszcze nie omówiłyśmy, ile będziemy ci winni? – odezwała się mama kwaśnym tonem.

Pani Wang lekceważąco machnęła ręką, jakby sam ten pomysł wydał jej się niesmaczny.

– Postąpimy tak samo, jak z jej małżeństwem – rodzina Yi nie wnosi żadnej opłaty. Zapłaci mi rodzina tamtej dziewczyny, a jeżeli podniosę wartość waszej córki teraz, nadając jej status *laotong*, w przyszłości, gdy już będzie narzeczoną, otrzymam za nią jeszcze większą zapłatę od rodziny pana młodego. Takie rozwiązanie całkowicie mnie satysfakcjonuje.

Podniosła się i zrobiła parę kroków w kierunku schodów. Nagle odwróciła się i położyła rękę na ramieniu stryjenki.

– Wszyscy powinniście uświadomić sobie jeszcze jedno. Ta kobieta dobrze spełniła swój obowiązek wobec córki i widzę, że Piękny Księżyc i Lilia są sobie bliskie. Jeżeli zgodzimy się na związek *laotong* dla Lilii, podbudowując jej szanse na małżeństwo w Tongkou, byłoby chyba właściwe, abyśmy się zastanowiły nad znalezieniem odpowiedniego małżonka także i dla Pięknego Księżyca.

Jej propozycja naprawdę nas zaskoczyła. Zapominając o zasadach dobrego wychowania, spojrzałam na Piękny Księżyc, która wyglądała na równie podekscytowaną jak ja.

Pani Wang uniosła dłoń i zgięła ją w kształt półksiężyca.

– Oczywiście nie chcę się wtrącać, bo może już zaangażowaliście panią Gao – powiedziała. – W żadnym razie nie chciałabym ingerować w jej lokalne układy...

Jej ton wyraźnie sugerował, że „lokalne" znaczy „podrzędne, gorsze".

Cała rozmowa wskazywała, że pod względem zdolności negocjacyjnych moja matka nie może równać się z panią Wang. Na koniec swatka zwróciła się bezpośrednio do niej.

– Uważam, że jest to decyzja, która należy do kobiety, jedna z niewielu, jaką możesz podjąć dla dobra córki, a może także dla Pięknego Księżyca. Matko, zostawiam cię z ostatnią radą: wykorzystaj noc na rozważenie tej kwestii.

Gdy mama i stryjenka odprowadzały swatkę do palankinu, starsza siostra, Piękny Księżyc i ja skupiłyśmy się na środku pokoju, obejmując się i gadając w podnieceniu. Czy to możliwe, żeby naprawdę miały mi się przydarzyć wszystkie te wspaniałe rzeczy? Czy Piękny Księżyc także wyjdzie za mąż w Tongkou? Czy będziemy razem do końca życia? Starsza siostra, która mogła mieć żal do losu, szczerze pragnęła, aby wszystko, o czym mówiła swatka, się spełniło, rozumiała bowiem, że skorzysta na tym cała rodzina.

Byłyśmy młodymi, podekscytowanymi dziewczętami, ale wiedziałyśmy, jak należy się zachować. Piękny Księżyc i ja pośpiesznie usiadłyśmy, aby dać odpocząć stopom.

Starsza siostra wdzięcznym ruchem głowy wskazała wachlarz.

– Co tam jest napisane?

– Nie umiem odczytać wszystkiego. Pomóżcie mi.

Rozłożyłam wachlarz. Starsza siostra i Piękny Księżyc zaglądały mi przez ramię. Wszystkie trzy przebiegłyśmy wzrokiem zapisane znaki, odnajdując te, które były nam znane: *dziewczyna, dobry, kobiety, dom, ty, ja.*

Stryjenka świetnie wiedziała, że tylko ona zdoła mi pomóc, i szybko wróciła do nas na górę. Przeczytała wiadomość, wskazując palcem każdy znak, a ja natychmiast nauczyłam się słów na pamięć.

Słyszałam, że w waszym domu mieszka dziewczyna dobrego charakteru i dużej wiedzy w zakresie kobiecych umiejętności. Ty i ja urodziłyśmy się tego samego roku i dnia. Czy nie mogłybyśmy zostać takie same?

Zanim pozwolono mi odpowiedzieć dziewczynie imieniem Kwiat Śniegu, rodzina musiała rozważyć i przemyśleć wiele poważnych kwestii. Chociaż starsza siostra, Piękny Księżyc i ja nie miałyśmy najmniejszego wpływu na decyzję starszych, całymi godzinami słuchałyśmy, jak mama i stryjenka dyskutują o prawdopodobnych konsekwencjach związku *laotong*. Matka była przebiegła, ale stryjenka pochodziła z lepszej rodziny niż nasza i posiadała znacznie głębszą wiedzę. A jednak, jako kobieta o najniższej pozycji w domu, musiała działać w sposób bardzo ostrożny i wyważony, zwłaszcza teraz, kiedy matka miała absolutną władzę nad jej życiem.

– Związek *laotong* jest równie istotny jak dobre małżeństwo – mówiła zwykle stryjenka na początek. Powtarzała wiele argumentów swatki, lecz zawsze wracała do elementu, który uważała za najważniejszy. – Zawiera się go z wyboru, z dobrej woli, w celu zapewnienia sobie towarzystwa duchowego i wiecznie wiernej przyjaźni. Małżeństwa nie zawiera się z wyboru, a jedynym celem tego związku jest wydanie na świat synów...

Gdy powiedziała o synach, mama usiłowała ją pocieszyć.

– Masz przecież Piękny Księżyc. To dobra dziewczyna, daje radość wszystkim, którzy z nią przebywają...

– Ale opuści mnie na zawsze, kiedy wyjdzie za mąż, natomiast twoi dwaj synowie zostaną przy tobie do końca życia.

Dzień w dzień obie dochodziły do tego samego smutnego wniosku i codziennie matka starała się skierować rozmowę na bardziej praktyczne tory.

– Jeżeli Lilia zostanie *laotong*, nie będzie miała zaprzysiężonych sióstr. Wszystkie kobiety z naszej rodziny...

...zawsze je miały, zamierzała zapewne dokończyć mama, ale stryjenka weszła jej w słowo:

– ...mogą występować w roli jej zaprzysiężonych sióstr, kiedy będzie to konieczne. Jeżeli uważasz, że będziemy potrzebować jeszcze kilku dziewcząt, gdy przyjdzie czas Siedzenia i Śpiewania w izbie dla kobiet przed ślubem Lilii, zawsze możesz zaprosić niezamężne córki naszych sąsiadów, aby jej towarzyszyły.

– Te dziewczęta nie znają jej dobrze – powiedziała mama.

– Ale jej *laotong* będzie wiedziała o niej wszystko, co trzeba. Zanim obie wyjdą za mąż, poznają się lepiej niż ty i ja znamy swoich mężów.

Stryjenka zamilkła na chwilę.

– Lilia ma możliwość pójść ścieżką inną niż ta, która nas obie doprowadziła do punktu, w jakim obecnie się znajdujemy – podjęła. – Związek *laotong* przyda jej wartości w oczach ludzi i pokaże mieszkańcom Tongkou, że w pełni zasługuje na dobre małżeństwo w ich wiosce. A ponieważ taka więź jest wieczna i nie zmienia się mimo zawarcia małżeństwa przez obie strony, związki z ludźmi z Tongkou zostaną mocniej scementowane, a twój mąż i my wszyscy będziemy mogli liczyć na lepszą ochronę. To wszystko pomoże Lilii zdobyć odpowiednią pozycję w przeznaczonej dla kobiet części domu jej męża. Lilia nie będzie kobietą upośledzoną przez brzydką twarz czy okaleczone nogi, będzie kobietą o doskonałych złocistych liliach, która już przed ślubem wykazała się lojalnością, wiernością i umiejętnością pisania w naszym sekretnym języku w tak wysokim stopniu, że została *laotong* dziewczyny z ich własnej wioski.

Istniała nieskończona liczba wariantów tej rozmowy. Słuchałam ich codziennie, lecz nigdy się nie dowiedziałam, w jaki sposób mama przekazywała to wszystko tacie, kiedy razem udawali się na spoczynek. Ten związek miał dużo kosztować mojego ojca – potrzebne były pieniądze na stałą wymianę podarunków między takimi samymi i ich rodzinami, jedzenie i wodę na czas wizyt Kwiatu Śniegu w naszym domu, a także moje podróże do Tongkou. Ojciec nie miał tych pieniędzy, ale jak powiedziała pani Wang, to mama powinna przekonać go do jej propozycji. Stryjenka pomagała jak mogła, szepcząc słowa zachęty do ucha stryja, ponieważ przyszłość Pięknego Księżyca była związana z moją. Ci, którzy twierdzą, że kobiety nie mają wpływu na decyzje mężczyzn, popełniają ogromny i głupi błąd.

Wreszcie moja rodzina podjęła decyzję, jakiej pragnęłam. Teraz nadszedł czas, aby się zastanowić, jak powinnam odpowiedzieć na list Kwiatu Śniegu. Mama pomogła mi wyhaftować bogatszy wzór na bucikach, nad którymi pracowałam, aby wysłać je jako pierwszy podarunek, nie była jednak w stanie pomóc mi w sformułowaniu listu. Zwykle odpowiedź przesyłana była na nowym wachlarzu, który stawał się częścią wymiany prezentów „ślubnych", lecz ja miałam inny plan, plan, który kompletnie zrywał z dotychczasową tradycją. Kiedy przyglądałam się splecionej girlandzie, zdobiącej górną krawędź wachlarza Kwiatu Śniegu, przyszło mi do głowy stare powiedzenie: „Hiacyntowa fasola i papaje, długie pędy winorośli, głębokie korzenie. Palmy w otoczonym murem ogrodzie, które głęboko zapuszczają korzenie, potrafią przetrwać nawet tysiąc lat". Wydawało mi się, że jest to jak najbardziej odpowiednie podsumowanie pragnień, jakie żywiłam w związku z naszą rodzącą się przyjaźnią: głęboka, spleciona, na zawsze. Chciałam, żeby ten jeden, jedyny wachlarz stał się symbolem naszego związku. Miałam zaledwie siedem i pół roku, ale już wyobrażałam sobie wachlarz, zapisany niezliczonymi wiadomościami w sekretnym języku.

Kiedy już postanowiłam, że napiszę odpowiedź na wachlarzu Kwiatu Śniegu, poprosiłam stryjenkę, aby pomogła mi ją ułożyć. Przez wiele dni omawiałyśmy rozmaite możliwości. Skoro odważyłam się być radykalnie śmiała w wyborze prezentu dla Kwiatu Śniegu, powinnam być jak najbardziej konwencjonalna w stylu odpowiedzi. Stryjenka zapisała mi uzgodnione słowa, potem sama ćwiczyłam ich pisanie tak długo, aż moja kaligrafia stała się nie najgorsza. Gdy doszłam do wniosku, że mogę odważyć się na wypisanie wiadomości własną ręką, rozcierałam tusz z wodą na kamienej płytce aż do osiągnięcia głębokiej czerni. Ujęłam pędzelek między kciuk, palec wskazujący i środkowy, i zanurzyłam go w tuszu. Zaczęłam od namalowania maleńkiego kwiatu śniegu w girlandzie liści u góry wachlarza. Na odpowiedź wybrałam fałdę sąsiadującą z tą, na której Kwiat Śniegu pięknie wypisała swój krótki list do mnie. Po tradycyjnym początku nakreśliłam kilka odpowiadających tej okazji zdań:

Piszę do ciebie. Posłuchaj mnie, proszę. Chociaż jestem biedna i nieobyta, niegodna przekroczyć wysoki próg twojego rodzinnego domu, piszę dziś, aby powiedzieć ci, że to sam los przewidział nasz związek. Twoje słowa przepełniają moje serce. Jesteśmy parą kaczek mandarynek. Jesteśmy mostem przerzuconym nad rzeką. Ludzie ze wszystkich stron będą nam zazdrościć naszego związku. Tak, moje serce naprawdę pragnie podążyć tą ścieżką razem z tobą.

Oczywiście nie wszystkie zwroty wypływały z mojego serca. Jakie można mieć pojęcie o głębokiej miłości, przyjaźni i wieczystym związku, kiedy skończyło się zaledwie siedem lat? W dodatku jeszcze się nie poznałyśmy, ale nawet gdybyśmy zdążyły się już poznać, i tak nie rozumiałybyśmy tych uczuć. Wypisywałyśmy te poważne, wielkie słowa w nadziei, że pewnego dnia staną się prawdą.

Położyłam wachlarz i parę własnoręcznie uszytych bucików na kawałku płótna. Miałam teraz wolne ręce, lecz moje myśli niespokojnie krążyły wokół rozmaitych spraw. Może jestem za nisko urodzona dla rodziny Kwiatu Śniegu? Może wystarczy im tylko spojrzeć na moją kaligrafię, żeby się zorientować, o ile jestem od nich gorsza? Może dojdą do wniosku, że mój brak posłuszeństwa dla tradycji świadczy o złym wychowaniu? I uznają, że lepiej nie dopuścić do tego związku? Te myśli (moja matka nazywała je lisimi duchami umysłu) wciąż mnie prześladowały, mogłam jednak tylko czekać, pracować w izbie dla kobiet i relaksować stopy, aby kości zrastały się jak należy.

Kiedy pani Wang zobaczyła, co zrobiłam z wachlarzem,

z dezaprobatą wydęła wargi, lecz po dłuższej chwili ze zrozumieniem skinęła głową.

– To jest naprawdę idealny związek. Te dziewczęta są takie same nie tylko w ośmiu znakach, lecz takze w duchu. Łączy je duch Konia, słowo daję. Wygląda mi to... interesująco... – Ostatniemu słowu nadała pytającą intonację, co sprawiło, że zaczęłam się zastanawiać, jaka naprawdę jest Kwiat Śniegu. – Teraz musimy dopełnić wszystkich formalnych stron umowy. Proponuję następujące rozwiązanie – obie dziewczynki pod moją opieką udadzą się do świątyni Gupo w Shexia, aby podpisać kontrakt. Zajmę się organizacją transportu, matko. Będą musiały przejść krótki fragment drogi pieszo.

Z tymi słowami pani Wang ujęła cztery rogi płótna, w które zawinęła wachlarz i buciki, i zabrała podarunek, aby ofiarować go mojej przyszłej *laotong*.

Kwiat Śniegu

Przez następne kilka dni trudno było mi siedzieć spokojnie i pozwolić stopom goić się powoli, ponieważ wciąż myślałam o czekającym mnie spotkaniu z Kwiatem Śniegu. Podniecenie ogarnęło nawet mamę i stryjenkę – obie podpowiadały, co Kwiat Śniegu i ja powinnyśmy zawrzeć w kontrakcie, chociaż żadna z nich nigdy nie widziała podobnej umowy. Kiedy palankin pani Wang pojawił się przed naszymi drzwiami, byłam czysta i schludnie ubrana w prosty, wiejski strój. Mama zniosła mnie na dół i wyniosła na zewnątrz. Dziesięć lat później, gdy wychodziłam za mąż, odbyłam podobną drogę do palankinu. Wtedy bałam się nowego życia i czułam głęboki smutek, że muszę zostawić za sobą wszystko, co tak dobrze znałam, ale teraz, przed spotkaniem z Kwiatem Śniegu, kręciło mi się w głowie z radości i ekscytacji. Wiele bym dała, żeby się dowiedzieć, czy przyszła *laotong* zdoła mnie polubić.

Pani Wang przytrzymała drzwi palankinu, mama podsadziła mnie i ostrożnie, z mocno bijącym sercem weszłam do małej kabiny. Kwiat Śniegu była dużo ładniejsza, niż sobie wyobrażałam. Jej oczy przypominały doskonałe w kształcie migdały, skórę miała bardzo jasną, co świadczyło, że w mlecznych latach spędziła mniej czasu na świeżym powietrzu niż ja. Obok niej zwisała czerwona zasłona i jej czar-

68

ne włosy lśniły różowawym blaskiem. Miała na sobie błękitną jedwabną tunikę haftowaną w chmury, a spod spodni w tym samym kolorze wyglądały buciki, które dla niej uszyłam. Nie odezwała się, możliwe, że była równie zdenerwowana jak ja. Uśmiechnęła się, odpowiedziałam uśmiechem. Palankin miał tylko jedno siedzenie, musiałyśmy więc mocno się stłoczyć. Pani Wang usiadła pośrodku, żeby nie zaburzyć równowagi. Tragarze podnieśli nas i ruszyli truchtem przez most, którym wyjeżdżało się z Puwei. Nigdy wcześniej nie podróżowałam w palankinie, a nawet w nim nie siedziałam. Miałyśmy czterech tragarzy, którzy próbowali zachować taki rytm biegu, aby zminimalizować kołysanie się kabiny, ale w upale, nasilającej się przy zaciągniętych zasłonach duchocie i przy rytmicznym ruchu szybko zrobiło mi się niedobrze. Nigdy nie wyjeżdżałam z domu, więc nawet gdybym mogła wyjrzeć, i tak nie wiedziałabym, gdzie jestem i jak długą drogę mam jeszcze przed sobą. Oczywiście słyszałam o świątyni Gupo, bo kto o niej nie słyszał... Kobiety co roku dziesiątego dnia piątego miesiąca wybierały się tam, aby modlić się o narodziny synów, podobno przybywały do niej tysiące ludzi. Nie potrafiłam sobie tego wszystkiego wyobrazić. Kiedy zza zasłony zaczęły docierać do mnie rozmaite odgłosy – podzwanianie dzwonków przytroczonych do zaprzężonych w konie wozów, okrzyki naszych tragarzy, domagających się, aby ludzie usunęli się z drogi i nawoływania ulicznych handlarzy, zachęcających klientów do kupna kadzidełek, świec i innych przedmiotów, składanych w darze w świątyni – zrozumiałam, że dotarłyśmy na miejsce.

Palankin zatrzymał się i tragarze postawili go na ziemi z ciężkim tąpnięciem. Pani Wang przechyliła się nad moimi kolanami, pchnęła drzwi, kazała nam zostać na miejscu i wysiadła. Zamknęłam oczy, wdzięczna, że chwilowo się nie ruszam i mogę uspokoić żołądek, kiedy panującą w kabinie ciszę przerwał cichy głos:

– Tak się cieszę, że wreszcie się zatrzymałyśmy... Bałam

się, że zaraz zwymiotuję. Co byś sobie wtedy o mnie pomyślała?

Otworzyłam oczy i spojrzałam na Kwiat Śniegu. Jej jasna skóra przybrała zielonkawy odcień, pewnie tak jak i moja, ale oczy błyszczały ciekawością. Poruszyła ramionami, uśmiechnęła się w sposób, który, jak szybko się nauczyłam, sygnalizował, że ma jakiś diabelski pomysł i poklepała poduszkę obok siebie.

– Popatrzmy, co dzieje się na zewnątrz – powiedziała.

Kluczem pasującym do naszych ośmiu znaków był fakt, że obie przyszłyśmy na świat w Roku Konia. Oznaczało to, że czujemy głęboką potrzebę przygód. Spojrzała na mnie znowu, szacując wzrokiem zasoby mojej odwagi, muszę przyznać, że niewielkie. Wzięłam głęboki oddech i przysunęłam się do niej. Kwiat Śniegu odchyliła zasłonę. Teraz mogłam już połączyć twarze ze słyszanymi przed chwilą głosami, poza tym moje oczy wypełniły się zdumiewającymi obrazami. Ludzie z plemienia Yao rozstawili stoiska, na których powiewały szerokie pasma tkanin, znacznie bardziej kolorowych niż te wytwarzane przez mamę i stryjenkę. Obok przeszła trupa muzykantów w kostiumach o intensywnych kolorach, zmierzając na przedstawienie do opery, potem minął nas mężczyzna ciągnący na sznurku świnię. Nigdy nie przyszło mi do głowy, że ktoś może przyprowadzić swoją świnię na targ, aby ją sprzedać. Co parę sekund wymijały nas palankiny, najprawdopodobniej niosące kobiety zdążające do świątyni Gupo. Wiele innych kobiet, ubranych w najlepsze spódnice i bogato haftowane nakrycia głowy, szło pieszo – niektóre z nich były pewnie zaprzysiężonymi siostrami, które po wyjściu za mąż rozjechały się do nowych wiosek, a teraz spotkały się tutaj w ten szczególny dzień. Chwiejnym, pełnym wdzięku krokiem posuwały się ku świątyni na złocistych liliach. Było tu nieogarnione mnóstwo pięknych widoków, których urok podkreślał niewypowiedzianie słodki zapach, przedostający się do palankinu, mile drażniący nos i dziwnie uspokajający żołądek.

– Byłaś tu już kiedyś? – zapytała Kwiat Śniegu.

Potrząsnęłam głową.

– Ja byłam kilka razy z moją matką – podjęła szybko. – Przy okazji zawsze świetnie się bawimy, no i odwiedzamy świątynię. Myślisz, że pójdziemy tam dzisiaj? Prawdopodobnie nie... Musiałybyśmy za dużo chodzić, ale mam nadzieję, że pójdziemy przynajmniej do stoiska z taro. Mama zawsze mnie tam zabiera. Czujesz ten zapach? Stary Zuo, właściciel kramu, robi najlepsze słodycze w okręgu.

A więc była tu wiele razy...

– Robi to tak: smaży kostki taro, aż stają się miękkie w środku, lecz twarde i chrupiące z zewnątrz. Potem topi cukier w dużym woku, na ostrym ogniu. Próbowałaś już cukru, Lilio? To najpyszniejsza rzecz na świecie. Stary Zuo topi cukier, a potem wrzuca do niego usmażone kostki taro i miesza, aż dokładnie oblepią się karmelem. Wygarnia kostki na talerz i stawia je przed tobą na stole, obok zaś miseczkę z zimną wodą. Nie wyobrażasz sobie, jakie gorące jest taro w cukrze! Gdybyś włożyła kostkę do ust, wypaliłabyś sobie dziurę w podniebieniu, trzeba więc chwycić ją pałeczkami i zanurzyć w wodzie. Trzask, trzask, trzask! Taki dźwięk wydaje twardniejący cukier. Kiedy wbijasz zęby w kostkę, cukrowa polewa cudownie trzeszczy, zewnętrzna warstwa taro jest chrupiąca, a środek zupełnie mięciutki... Ciocia musi nas zabrać na taro, prawda?

– Ciocia?

– Ach, jednak mówisz! Myślałam, że może umiesz tylko pisać piękne słowa!

– Na pewno nie mówię tak dużo jak ty – odparłam cicho.

Kwiat Śniegu zraniła moje uczucia. Była prawnuczką cesarskiego pisarza, wiedziała o świecie znacznie więcej niż córka zwyczajnego rolnika.

Ujęła moją rękę. Skórę miała suchą i gorącą, jej *qi* płonęło wysokim płomieniem.

– Nie martw się, wcale mi nie przeszkadza, że jesteś milcząca. Moja gadanina zawsze wpędza mnie w kłopoty, bo często nie zastanawiam się, tylko mówię, tymczasem ty będziesz idealną żoną, która zawsze ostrożnie dobiera słowa...

Widzicie, jak to było? Od pierwszego dnia świetnie się rozumiałyśmy, ale czy to powstrzymało nas przed popełnianiem błędów?

Pani Wang otworzyła drzwiczki palankinu.

– Chodźcie, dziewczęta! Wszystko jest już załatwione, dziesięć kroków i będziemy na miejscu. Nie może być więcej niż dziesięć, bo inaczej złamałabym obietnicę daną waszym matkom...

Przystanęłyśmy niedaleko kramu z artykułami papierniczymi, udekorowanego czerwonymi wstążkami z bibuły, talizmanami, czerwono-złotymi symbolami szczęścia małżeńskiego i malowanymi wizerunkami bogini Gupo. Na stole z przodu leżały najbardziej kolorowe towary, a korytarzyki z obu stron pozwalały klientom zapuścić się w głąb sklepiku, do części chronionej przed przelewającymi się ulicą tłumami trzema długimi stołami. Na środku sklepiku, na blacie małego stolika przygotowano tusz, pędzelki i dwa krzesła o prostych oparciach. Pani Wang poleciła nam wybrać kawałek papieru na spisanie kontraktu. Jak każde dziecko, wcześniej dokonywałam już skromnych, nieskomplikowanych wyborów, na przykład, jakie warzywo wyjąć z miski po tym, jak tata, stryj, starszy brat i wszyscy inni członkowie rodziny zanurzyli już swoje pałeczki w misce, lecz teraz byłam zupełnie oszołomiona. Miałam ochotę dotknąć wszystkich wystawionych na sprzedaż rzeczy, gdy tymczasem Kwiat Śniegu, też przecież siedmioletnia, przyglądała się towarom krytycznym wzrokiem, wykazując się znacznie większą wiedzą.

– Pamiętajcie, że dziś ja płacę za wszystko – odezwała się pani Wang. – To tylko jedna decyzja, będziecie musiały podjąć jeszcze kilka innych, więc nie grzebcie się tak...

– Oczywiście, ciociu – odpowiedziała za nas obie Kwiat Śniegu, a potem zwróciła się do mnie. – Który ci się podoba?

Wskazałam duży arkusz, który wydał mi się najbardziej odpowiedni na tę okazję, ponieważ był chyba największy. Kwiat Śniegu przesunęła palcem po złoconej krawędzi.

– Jakość złocenia jest bardzo marna – orzekła i podniosła arkusz, aby przyjrzeć mu się pod światło. – Papier jest cienki i przejrzysty jak skrzydła insektów. Widzisz, jak prześwieca przez niego słońce? – Położyła papier na stole i utkwiła w mojej twarzy to swoje poważne, skupione spojrzenie. – Potrzebujemy czegoś, co będzie godnym symbolem wyjątkowego charakteru naszego związku oraz jego trwałości.

Miałam spore kłopoty ze zrozumieniem, o czym mówiła. Posługiwała się dialektem różnym od tego, do którego przywykłam w Puwei, ale, oczywiście, to nie był jedyny powód. Byłam niedouczona i głupia, natomiast ona wykształcona i świetnie wychowana – już wtedy jej wiedza wykraczała daleko poza wszystko, co mogły przekazać mi mama i nawet stryjenka.

Pociągnęła mnie dalej w głąb sklepiku.

– Lepsze rzeczy zawsze trzymają głębiej – szepnęła. – Jak ci się podoba ten papier? – zapytała głośniej.

Pierwszy raz w życiu ktoś poprosił mnie, żebym się czemuś przyjrzała, oceniła to własnymi oczami i rozumem. Spełniłam jej prośbę. Nawet ja, ze swoją znikomą znajomością świata i skąpym wyczuciem, bez trudu dostrzegłam różnicę między kawałkiem papieru, który wybrałam na ulicy a tym. Ten był mniejszy i dużo skromniej zdobiony.

– Dotknij – powiedziała Kwiat Śniegu.

Wzięłam go do ręki – wydał mi się dość ciężki – i uniosłam do światła, naśladując Kwiat Śniegu. Papier był tak gruby, że słońce prawie się przez niego nie przedostawało, dając tylko mroczną, czerwonawą poświatę.

Rozumiejąc się bez słów, podałyśmy papier kramarzowi. Pani Wang zapłaciła za arkusz i za spisanie kontraktu przy stole na środku sklepiku. Kwiat Śniegu i ja usiadłyśmy naprzeciwko siebie.

– Jak myślisz, ile dziewcząt siedziało już na tych krzesłach i spisywało podobne umowy? – zagadnęła Kwiat Śniegu. – Nasza musi być najlepsza, jaką tu kiedykolwiek sporządzono... – Leciutko zmarszczyła brwi. – Co powinnyśmy w niej zawrzeć?

Pomyślałam o wszystkich sugestiach matki i stryjenki.

– Jesteśmy dziewczętami – powiedziałam. – Więc przede wszystkim powinnyśmy przestrzegać zasad...

– Tak, tak, naturalnie – przerwała mi z lekkim zniecierpliwieniem. – Ale chyba ty także chcesz, żeby to było coś, co dotyczy głównie nas obu, prawda?

Nie miałam ani odrobiny pewności siebie, a ona tyle wiedziała o świecie... Była tu już wcześniej, natomiast ja pierwszy raz opuściłam naszą wioskę. Wszystko wskazywało na to, że Kwiat Śniegu rozumie, co powinno się znaleźć w kontrakcie, tymczasem ja mogłam polegać wyłącznie na wyobrażeniach matki i stryjenki. Każda sugestia, z którą ośmielałam się wystąpić, brzmiała jak pytanie.

– Będziemy *laotong* do końca życia? Zawsze będziemy sobie wierne? Będziemy razem wykonywać kobiece prace w izbie na piętrze?

Kwiat Śniegu popatrzyła na mnie uważnie, badawczo, tak samo, jak wcześniej w palankinie. Nie miałam pojęcia, co myśli. Czy powiedziałam coś złego? Czy ujęłam to w niewłaściwy sposób?

Po chwili wzięła pędzelek i zanurzyła go w tuszu. Tego dnia na własne oczy zobaczyła niedostatki w moim wychowaniu i edukacji, lecz naturalnie już wcześniej, na podstawie wiadomości na wachlarzu, zorientowała się, że nie piszę tak pięknie jak ona. Ale kiedy zaczęła pisać, zrozumiałam, że wzięła moje sugestie pod uwagę. Te sugestie i jej zdolność formułowania zgrabnych, płynnych zdań połączyły się, tworząc jedną wspólną ideę.

Wierzyłyśmy, że wyrażone na tym kawałku papieru uczucia i przekonania przetrwają wieki, nie mogłyśmy jednak przewidzieć cierpień i chaosu, jakie czekały na nas w przyszłości. Mimo to wciąż pamiętam większość zapisanych wtedy słów. Jak może być inaczej? Przecież te słowa płynęły prosto z mojego serca.

My, panna Kwiat Śniegu z wioski Tongkou i panna Lilia z wioski Puwei, pozostaniemy sobie wierne. Będziemy pocieszać się nawzajem miłymi słowami. Będziemy łagodzić niepokoje naszych serc. Będziemy razem szeptać i haftować w izbie dla kobiet. Będziemy praktykować zasadę trzech posłuszeństw i cztery cnoty. Będziemy przestrzegać wskazówek, zawartych w *Pouczeniach dla kobiet*, zawsze zachowując się przykładnie, jak przystało kobietom. Dzisiaj my dwie, panna Kwiat Śniegu i panna Lilia, wypowiadamy słowa prawdy. Przysięgamy sobie przyjaźń. Przez dziesięć tysięcy lat będziemy jak dwa strumienie w jednym ogrodzie. Przez dziesięć tysięcy lat będziemy jak dwa kwiaty w jednym ogrodzie. Zawsze blisko, nigdy nierozdzielone choćby jednym ostrym słowem. Będziemy *laotong* aż do śmierci. Nasze serca pełne są radości.

Pani Wang obserwowała nas z powagą, kiedy podpisywałyśmy się w *nu shu*.

– Bardzo cieszy mnie ten związek *laotong* – oznajmiła. – Podobnie jak w przypadku małżeństw między mężczyznami i kobietami, dobrzy łączą się z dobrymi, urodziwi z urodziwymi, a mądrzy z mądrymi. Jednak w przeciwieństwie do małżeństwa, w tym związku jest miejsce wyłącznie dla dwóch osób. Żadnych konkubin... – Tu pozwoliła sobie na cichy chichot. – Rozumiecie, o czym mówię, dziewczęta? To jest związek dwóch serc, których nie może rozdzielić odległość, kłótnia, samotność czy lepsza pozycja dzięki małżeństwu, nie możecie też pozwolić, aby weszły między was inne dziewczęta lub później kobiety.

Odbyłyśmy złożoną z dziesięciu kroków drogę powrotną do palankinu. Przez wiele miesięcy chodzenie było dla mnie najprawdziwszą torturą, ale w tamtej chwili czułam się jak Yao Niang, pierwsza dama o maleńkich stópkach. Kiedy ta legendarna kobieta tańczyła na złocistych lotosach, wyglądała tak, jakby unosiła się na chmurze. Każdy krok, który stawiałam, łagodziło uczucie wielkiego szczęścia.

Tragarze zanieśli nas do centralnej części targu. Tym razem, gdy wysiadłyśmy z palankinu, znalazłyśmy się w samym sercu wielkiego rynku. Na niedużym wzniesieniu widziałam czerwone mury, złocone rzeźby i zielony dach świątyni. Pani Wang wsunęła każdej z nas do ręki pieniądze i powiedziała, żebyśmy kupiły sobie coś dla uczczenia tego dnia. Nie tylko nigdy nie miałam możliwości dokonywania wyboru, ale także nigdy nie obarczono mnie odpowiedzialnością wydawania pieniędzy. W jednej ręce trzymałam monetę, w drugiej ściskałam dłoń Kwiatu Śniegu. Starałam się myśleć o tym, czego mogłaby pragnąć towarzysząca mi dziewczynka, ale dookoła mnie było tyle wspaniałych, cudownych rzeczy, że mój umysł wydawał się kompletnie otępiały.

Na szczęście Kwiat Śniegu znowu przejęła kontrolę nad sytuacją.

– Wiem, co mogłybyśmy kupić! – pisnęła. Zrobiła kilka szybkich kroków, jakby chciała podbiec, lecz zaraz się zatrzymała. – Czasami zapominam o moich stopach.

Na jej twarzy odmalowało się bolesne napięcie. Moje stopy widocznie goiły się szybciej i nagle poczułam leciutkie ukłucie rozczarowania na myśl, że nie będziemy mogły zobaczyć tylu miejsc, ile byśmy chciały, czy raczej, ile ja bym chciała.

– Pójdziemy powoli – odezwałam się. – Nie musimy obejrzeć wszystkiego już teraz...

– Ponieważ do końca życia będziemy tu przyjeżdżać co roku – dokończyła Kwiat Śniegu i lekko ścisnęła mi dłoń.

Jakże zabawnie musiałyśmy wyglądać... Dwie takie same dziewczynki, usiłujące kroczyć na okaleczonych stopach, podtrzymywane tylko ekscytacją i uniesieniem, ze starszą kobietą w jaskrawym stroju, co jakiś czas pokrzykującą gniewnie: „Przestańcie się źle zachowywać, bo inaczej zaraz wrócimy do domu!". Na szczęście nie musiałyśmy iść daleko. Kwiat Śniegu wciągnęła mnie do sklepiku, w którym sprzedawano jedwabie i materiały do haftowania.

– Jesteśmy dwiema dziewczynkami, wciąż jeszcze w Dniach Córki – powiedziała Kwiat Śniegu, ogarniając wzrokiem nici i tkaniny we wszystkich kolorach tęczy. – Dopóki nie wyjdziemy za mąż, będziemy spędzać czas w izbie dla kobiet, składać sobie wizyty, razem haftować i szeptać sobie na ucho rozmaite sekrety. Jeżeli dokonamy dobrego zakupu, będziemy mogły snuć wspomnienia przez wiele lat.

Tym razem byłyśmy całkowicie zgodne. Podobały nam się te same kolory, zdecydowałyśmy się jednak także na kilka takich, które nie przemawiały do naszych serc, ponieważ mogły przydać się do wyhaftowania jakiegoś fragmentu liścia lub cienia kwiatu. Wręczyłyśmy handlarzowi pieniądze i wróciłyśmy do palankinu, niosąc zakupy. Kiedy wsiadłyśmy do kabiny, Kwiat Śniegu poprosiła panią Wang o jeszcze jedną przyjemność.

– Ciociu, proszę, zabierz nas na taro! Proszę, ciociu, bardzo proszę!

Byłam przekonana, że Kwiat Śniegu używa tego czułego określenia, żeby zmiękczyć serce pani Wang i, ośmielona zachowaniem mojej *laotong*, przyłączyłam się do jej błagań.

– Proszę, ciociu, proszę!

Pani Wang po prostu nie mogła odmówić dwóm dziewczynkom, ciągnącym ją za rękawy i proszącym o kolejną ekstrawagancką przyjemność, zupełnie jakby były pierworodnymi synami.

Poddała się więc w końcu, ostrzegając nas, że coś takiego nie może się już powtórzyć.

– Jestem tylko ubogą wdową i wydawanie pieniędzy na was, dwie bezużyteczne gałązki, zaszkodzi mojej opinii w okręgu. Chcecie mnie skazać na nędzę? Chcecie, żebym umarła opuszczona, w samotności?

Mówiła surowym, ostrym tonem, ale kiedy przybyłyśmy na miejsce, okazało się, że wszystko jest przygotowane. Stary Zuo ustawił pod ścianką mały stolik i trzy niewielkie beczułki, na których mogłyśmy przysiąść.

Właściciel przyniósł nam żywego kurczaka i podniósł go wysoko.

– Zawsze wybieram dla pani to, co najlepsze, pani Wang – powiedział.

Po paru minutach postawił na stole garnek ogrzewany ukrytymi w specjalnym pojemniku płonącymi węglami, w którym bulgotała zupa z imbirem, szalotkami i poćwiartowanym kurczakiem, oraz miseczkę sosu z siekanym imbirem, czosnkiem, szalotkami i gorącym olejem. Dodatek do posiłku stanowił gotowany zielony groszek z całymi ząbkami czosnku. Z przyjemnością zabrałyśmy się do jedzenia, wyławiając pałeczkami kawałki pysznego kurczaka, powoli przeżuwając mięso i wypluwając kości na ziemię. Bardzo mi smakowało, zostawiłam sobie jednak trochę miejsca na przysmak z taro, o którym wcześniej wspominała Kwiat Śniegu. Wszystko, co mówiła, okazało się najszczerszą prawdą – gorący cukier z sykiem i trzaskiem zastygał w wodzie, a twarda powłoka chrupała przyjemnie, odsłaniając miękki środek.

Potem sięgnęłam po imbryczek i nalałam herbatę do trzech czarek, tak jak robiłam to w domu. Kiedy odstawiłam imbryk, usłyszałam, jak Kwiat Śniegu z dezaprobatą wciąga powietrze. Najwyraźniej znowu zrobiłam coś nie tak, ale nie miałam pojęcia co. Kwiat Śniegu położyła dłoń na mojej, poprowadziła ją w kierunku imbryka i odwróciła go tak, aby dzióbek nie był wymierzony w panią Wang.

– Nieuprzejmie jest ustawiać imbryk w takiej pozycji – zauważyła łagodnie.

Powinnam się zaczerwienić, ogarnięta falą zawstydzenia, czułam jednak tylko podziw dla wychowania, jakie odebrała moja *laotong*.

Tragarze zasnęli w cieniu palankinu, ale pani Wang klasnęła i głośnym okrzykiem poderwała ich na nogi. Wkrótce byłyśmy już w drodze do domu. Teraz pani Wang pozwoliła nam obu usiąść obok siebie, chociaż zakłóciło to równowagę kabiny i utrudniło pracę tragarzom. Wracam myślami do tamtego dnia i widzę, że byłyśmy bardzo młode – ot, dwie małe dziewczynki, chichoczące z byle powodu, wyglądające przez szpary między zasłonami i łakomie chłonące przesuwający się za oknem świat. Byłyśmy tak zajęte sobą i pochłonięte rozmową, że żadna z nas nie skarżyła się na mdłości, chociaż tragarze biegli nieco nierównym truchtem i ciężko podskakiwali na wyboistej drodze.

Była to nasza pierwsza wyprawa do Shexia i świątyni Gupo. Pani Wang zabrała nas tam rok później i wtedy pierwszy raz złożyłyśmy ofiary. Później już prawie co roku towarzyszyła nam w podróży do Shexia, aż do czasu, kiedy zakończyły się dla nas Dni Córki. Po wyjściu za mąż spotykałyśmy się tam raz do roku, jeżeli pozwalały okoliczności, zawsze składając w świątyni ofiary i prosząc o synów, zawsze odwiedzając handlarza jedwabnymi nićmi, aby nadal przekazywać sobie wiadomości w podobnych zestawach kolorystycznych, zawsze wspominając szczegóły pierwszej wyprawy i zawsze pod koniec dnia wstępując do starego Zuo na taro w karmelowanym cukrze.

Do Puwei dotarłyśmy o zmierzchu. Tamtego dnia zdobyłam przyjaciółkę spoza mojej rodziny, ale w gruncie rzeczy osiągnęłam coś więcej. Podpisałam umowę *laotong* z inną dziewczynką. Pragnęłam, aby ten dzień trwał bez końca, wiedziałam jednak, że gdy znajdziemy się w domu, zaraz zapadnie ciemność. Wyobrażałam sobie, jak wysiadam z palankinu i patrzę na tragarzy unoszących alejką Kwiat Śniegu, która tylko na sekundę rozchyla zasłony i macha mi na pożegnanie, a potem znika za rogiem, szybko odkryłam jednak, że nie nadszedł jeszcze kres mojej radości.

Kiedy się zatrzymaliśmy, wysiadłam. Wtedy pani Wang powiedziała Kwiatowi Śniegu, aby poszła w moje ślady.

– Do widzenia, dziewczęta, za parę dni wrócę po Kwiat Śniegu. – Wychyliła się z palankinu i lekko uszczypnęła moją nową przyjaciółkę w policzki. – Bądź grzeczna – dodała. – Nie narzekaj. Ucz się, poznawaj nowy świat oczami i uszami. I postaraj się, żeby twoja matka mogła być z ciebie dumna.

Jak mogę wyjaśnić, co czułam, kiedy obie stanęłyśmy na progu mojego rodzinnego domu? Byłam więcej niż szczęśliwa, ale wiedziałam, co czeka na nas w środku. Bardzo kochałam rodzinę i dom, lecz nie miałam cienia wątpliwości, że Kwiat Śniegu przywykła do znacznie lepszych warunków życia. Poza tym, nie zabrała ze sobą ubrania na zmianę ani przyborów toaletowych.

Mama wyszła nas przywitać. Pocałowała mnie, Kwiat Śniegu otoczyła ramieniem i wprowadziła do naszego domu. Kiedy nas nie było, mama, stryjenka i starsza siostra ciężko pracowały, sprzątając i porządkując główną izbę. Wyrzuciły wszystkie śmieci, pozbierały wiszące tu i ówdzie ubrania i ustawiły naczynia w jednym miejscu. Zamiotły też klepisko i spryskały je wodą, aby zdusić pył i odświeżyć powietrze.

Kwiat Śniegu poznała wszystkich, nawet starszego brata. Przy kolacji najpierw na moment zanurzyła swoje pałeczki w filiżance z herbatą, żeby je oczyścić, i był to właściwie jedyny gest, który wskazywał na jej lepsze pochodzenie. Poza tym jednym gestem doskonale ukrywała swoje uczucia, ale moje serce zdążyło już dobrze poznać Kwiat Śniegu. Wiedziałam, że robi dobrą minę do złej gry i wydawało mi się, że jest przerażona warunkami, w jakich żyjemy.

Po tak długim dniu obie byłyśmy bardzo zmęczone. Kiedy przyszedł czas udania się na górę, strach ścisnął mnie za gardło, lecz kobiety z mojej rodziny zaprowadziły porządek także w izbie dla kobiet. Pościel została przewietrzona, a wszystkie używane zwykle w czasie codziennych zajęć przedmioty poukładane w równe stosiki. Mama wskazała nam miskę z czystą wodą, w której miałyśmy się umyć, oraz dwa komplety ubrań – moich i starszej siostry, świeżo upranych dla Kwiatu Śniegu, aby miała się w co przebrać w czasie wizyty. Pozwoliłam mojej *laotong* jako pierwszej skorzystać z wody do mycia, ale ona zanurzyła w niej tylko czubki palców, może się obawiając, czy rzeczywiście jest czysta. Ujęła w dwa palce nocny strój, który jej dałam, i odsunęła go od siebie na odległość ramienia, zupełnie jakby była to gnijąca ryba, a nie najnowszy komplet starszej siostry. Potem się rozejrzała, spostrzegła, że wpatrujemy się w nią szeroko otwartymi oczami i bez słowa włożyła podane rzeczy. Weszłyśmy do łóżka. Tej nocy i przez cały czas wizyty Kwiatu Śniegu starsza siostra miała spać z Pięknym Księżycem.

Mama powiedziała nam obu dobranoc. Potem nachyliła się i pocałowała mnie.

– Pani Wang wyjaśniła nam, co mamy robić – szepnęła mi do ucha. – Bądź szczęśliwa, malutka, bądź szczęśliwa...

Leżałyśmy obok siebie, przykryte lekką bawełnianą kołdrą. Byłyśmy małymi dziewczynkami, ale mimo zmęczenia długo nie mogłyśmy przestać szeptać. Kwiat Śniegu wypytywała o moją rodzinę, ja o jej bliskich. Opowiedziałam jej, jak umarła trzecia siostra, a ona powiedziała mi, że jej trzecia siostra umarła na chorobę, której towarzyszy uporczywy kaszel. Gdy zapytała o naszą wioskę, powiedziałam, że w miejscowym dialekcie Puwei znaczy „Wioska Zwyczajnego Piękna", a ona wytłumaczyła mi, że Tongkou znaczy „Wioska Drewnianych Ust", i że kiedy ją odwiedzę, zrozumiem sens tej nazwy.

Blask księżyca wpadał do izby przez okno, oświetlając twarz Kwiatu Śniegu. Starsza siostra i Piękny Księżyc już zasnęły, lecz my wciąż rozmawiałyśmy. Dziewczętom często się powtarza, że nie powinny rozmawiać o swoich skrępowanych stopach, ponieważ ten temat jest niewłaściwy i niegodny ust damy, poza tym rozpala namiętność mężczyzn, ale my byłyśmy małe i jeszcze nie dotarłyśmy do końca procesu krępowania, więc związane z nim przeżycia nie należały do wspomnień, mieściły się w sferze wciąż przeżywanego bólu i cierpienia. Kwiat Śniegu opowiedziała mi, jak ukrywała się przed matką i błagała ojca, żeby zlitował się nad nią, i jak on prawie uległ jej prośbom, co oznaczałoby, że Kwiat Śniegu do końca życia mieszkałaby w domu rodziców jako stara panna albo musiała iść gdzieś na służbę.

– Potem jednak ojciec zaczął palić fajkę i zapomniał o danej mi obietnicy – wyjaśniła Kwiat Śniegu. – Kiedy jego umysł odpłynął, moja matka i ciotka zabrały mnie na górę i przywiązały do krzesła. Właśnie dlatego, tak jak ty, rok później rozpoczęłam proces krępowania...

Oczywiście nie znaczy to, że gdy jej los został już przypieczętowany, poddała mu się z radością. Nie, w pierwszych miesiącach walczyła ze wszystkich sił, a raz udało jej się nawet całkowicie uwolnić stopy z bandaży.

– Później matka skrępowała je jeszcze mocniej i staranniej przywiązała mnie do krzesła – wyznała Kwiat Śniegu.

– Nie można walczyć z losem – powiedziałam. – Wszystko w naszym życiu jest przecież z góry przewidziane...

– Moja matka mówi to samo – odparła Kwiat Śniegu. – Odwiązywała mnie tylko po to, żebym chodziła, bo bez tego nie da się zmiażdżyć kości, no i mogłam skorzystać z nocnika. Całymi dniami wyglądałam przez okno. Patrzyłam na przelatujące ptaki, odprowadzałam wzrokiem pędzące chmury, przyglądałam się, jak księżyc pęcznieje i się kurczy. Za oknem działo się tyle rzeczy, że czasami prawie zapominałam, co dzieje się w izbie...

Jaki lęk budziły w moim sercu jej spostrzeżenia! Kwiat Śniegu posiadała prawdziwą niezależność, charakterystyczną dla znaku Konia, ale podczas gdy jej koń miał skrzydła, które niosły ją wysoko ponad ziemią, mój pracowicie ciągnął swój pług. Jednak pulsujące w dole brzucha uczucie, że mogłabym zdobyć się na gest buntu, obalić granice swojego już zaplanowanego życia, przyśpieszało rytm serca, a z czasem przekształciło się w głębokie pragnienie.

Kwiat Śniegu przysunęła się bliżej, tak że leżałyśmy teraz twarz przy twarzy.

– Cieszę się, że jesteśmy *laotong* – powiedziała, kładąc dłoń na moim policzku.

Potem zamknęła oczy i zasnęła.

Leżąc obok niej i patrząc na jej oświetloną blaskiem księżyca twarz, czując delikatny ciężar małej dłoni na policzku i słuchając coraz głębszego oddechu, zaczęłam się zastanawiać, w jaki sposób mogłabym sprawić, aby pokochała mnie tak, jak pragnęłam być kochana.

Miłość

Od kobiet oczekuje się, że obdarzą swoje dzieci miłością, kiedy tylko ich ciało wyda je na świat, ale która z nas nie poczuła rozczarowania na widok córki lub mrocznego przygnębienia, jakie ogarnia umysł, gdy najcenniejszy na świecie ukochany syn płacze i płacze bez końca, przez co teściowa patrzy na ciebie tak, jakby twoje mleko było kwaśne i gorzkie? Kochamy nasze córki z całego serca, to prawda, ale musimy szkolić je w bólu. Najbardziej na świecie kochamy naszych synów, ale nigdy nie możemy stać się częścią ich świata, zewnętrznej krainy mężczyzn. Każe się nam kochać męża od dnia zawarcia umowy między rodzinami, chociaż jego twarz możemy ujrzeć dopiero sześć lat później. Każe się nam kochać teściów, lecz wchodzimy do rodziny męża jako obce, najniżej postawione osoby w domu, tylko odrobinę lepsze od służącej. Każe się nam kochać i czcić przodków męża, więc wykonujemy zalecone obowiązki, nawet jeśli nasze serca biją wdzięcznością do naszych własnych przodków. Kochamy naszych rodziców, ponieważ zapewniają nam opiekę, lecz w drzewie genealogicznym odgrywamy rolę bezużytecznych gałęzi. Rodzina wydaje na nas pieniądze, chociaż wychowuje nas dla innych. Jesteśmy mniej lub bardziej szczęśliwe w rodzinnym domu, ale wszystkie wiemy, że rozstanie jest nieuniknione. Tak więc kochamy naszych najbliższych, lecz rozumiemy, że miłość ta zakończy się smutkiem rozstania. Każda z tych miłości wywodzi się z poczucia obowiązku, szacunku i wdzięczności, i jak dobrze wiedzą kobiety z mojego okręgu, jest na ogół źródłem rozpaczy, rozdarcia i brutalności.

Jednak miłość między dwiema dziewczynkami w związku *laotong* to coś zupełnie innego. Jak powiedziała pani Wang, taki związek zawiera się z wyboru. Oczywiście prawdą jest, że Kwiat Śniegu i ja nie rozumiałyśmy wszystkich słów zapisanych w naszej pierwszej wymianie wiadomości na wachlarzu, lecz kiedy w palankinie spojrzałyśmy sobie w oczy, poczułam, że stało się między nami coś niepowtarzalnego, jakby ktoś skrzesał iskrę, z której zapłonie ogień, lub wrzucił do ziemi nasionko, z którego wyrośnie ryż. Trzeba jednak pamiętać, że iskra nie ogrzeje izby, a pojedyncze nasionko nie da obfitych zbiorów. Głęboka, prawdziwa miłość musi rosnąć i się rozwijać. W tamtym czasie nie miałam jeszcze pojęcia o istnieniu płomiennej miłości, myślałam więc o polach ryżowych, na które zawsze patrzyłam w czasie wypraw nad rzekę z moim bratem. Wyobrażałam sobie, że może uda mi się dbać o naszą miłość tak, jak doglądający pola rolnik dba o zbiory – poprzez ciężką pracę, niezachwianą siłę woli i błogosławieństwa przyrody. Zabawne, że wciąż pamiętam, co wtedy myślałam... Moja wiedza o życiu była bardzo mała, ale dość duża, żebym myślała jak rolnik.

Tak więc jako dziewczyna przygotowywałam glebę pod siew, prosząc tatę o kawałek papieru lub starszą siostrę o malutki skrawek posagowego płótna. Moimi nasionami były znaki *nu shu*, które układałam w zdania, pani Wang stała się kanałem nawadniającym. Kiedy wstępowała do nas, aby sprawdzić, jak kształtują się moje stopy, dawałam jej wiadomości w postaci listu, kawałka tkaniny lub haftowanej chusteczki, ona zaś przekazywała ją Kwiatowi Śniegu.

Żadna roślina nie wzrośnie bez słońca – jest to jedyna

rzecz, nad którą rolnik nie ma żadnej kontroli. Z czasem uwierzyłam, że tę rolę pełni Kwiat Śniegu. Moim słońcem były jej odpowiedzi na pisane w *nu shu* listy, które do niej wysyłałam. Kiedy dostawałam coś od Kwiatu Śniegu, wszystkie zbierałyśmy się w izbie na górze i starałyśmy się wspólnie odszyfrować znaki, ponieważ już wtedy posługiwała się słowami i obrazami, które wymykały się rozumieniu stryjenki.

Ja pisałam do niej jak mała dziewczynka: „U mnie wszystko w porządku. Jak się czujesz?". Ona zaś odpowiadała: „Dwa ptaki siedzą na najwyższych gałęziach drzewa. Razem wzbijają się w niebo". Pisałam: „Dzisiaj mama pokazała mi, jak robić kleisty ryż, zawijany w liście taro". Kwiat Śniegu odpisywała: „Dzisiaj wyjrzałam przez okno. Myślałam o feniksie, który zrywa się do lotu, aby poszukać towarzysza, a potem myślałam o tobie". Ja pisałam: „Wybrano szczęśliwą datę na ślub starszej siostry". Ona odpowiadała: „Twoja siostra przeżywa drugi etap licznych tradycji ślubnych. Na szczęście jeszcze kilka lat spędzi razem z wami". Pisałam: „Chcę nauczyć się wszystkiego. Jesteś taka mądra. Czy mogę zostać twoją uczennicą?". Kwiat Śniegu odpowiadała: „Ja także uczę się od ciebie. Właśnie dlatego dwie kaczki zakładają wspólne gniazdo". Ja: „Nie używam przenośni o głębokim znaczeniu, a moje pismo jest nieudolne, ale bardzo bym chciała, żebyś była tu ze mną i żebyśmy mogły szeptać do siebie w nocy". Ona: „Dwa słowiki śpiewają w ciemności".

Jej słowa budziły we mnie lęk i uniesienie. Była bystra i mądra, no i dysponowała znacznie szerszą wiedzą niż ja, ale nie to mnie przerażało. W każdym liście pisała o ptakach, o locie, o odległym świecie. Już wtedy próbowała wznieść się ponad to, co dał jej los. Pragnęłam przylgnąć do jej skrzydeł i razem z nią wzbić się wysoko, wysoko, chociaż bardzo się tego bałam.

Poza pierwszym listem Kwiat Śniegu zawsze tylko odpowiadała na moje wiadomości, ale to mi nie przeszkadzało.

Zachęcałam ją, nawadniałam moimi listami, ona zaś reagowała, obdarzając mnie nowym szczepem lub kwiatem. Zastanawiała mnie i niepokoiła jedna przeszkoda – chciałam zobaczyć ją znowu, powinna zaprosić mnie do siebie, lecz zaproszenie nie przychodziło.

Pewnego dnia zjawiła się pani Wang i tym razem przywiozła wachlarz. Nie otworzyłam go jednym ruchem; rozłożyłam tylko trzy fałdy, odsłaniając jej pierwszą wiadomość, moją odpowiedź i teraz nowy list:

Jeżeli twoja rodzina wyrazi zgodę, chciałabym przyjechać do ciebie w jedenastym miesiącu. Usiądziemy razem, nawleczemy igły, wybierzemy kolory i porozmawiamy szeptem.

W girlandzie liści dorysowała jeszcze jeden delikatny kwiat.

Ustalonego dnia czekałam przy oknie, niecierpliwie wypatrując, aż palankin wyłoni się zza rogu. Kiedy tragarze zatrzymali się przed drzwiami, miałam ochotę zbiec na dół, aby przywitać moją *laotong* w progu domu, lecz było to niemożliwe. Mama wyszła na zewnątrz i drzwiczki palankinu się otworzyły. Kwiat Śniegu wysiadła, ubrana w tę samą błękitną tunikę z motywem chmur. Po pewnym czasie doszłam do wniosku, że jest to jej podróżna tunika, którą przywdziewa z okazji każdej wizyty, aby nie wprawiać mojej rodziny w zażenowanie z powodu naszego niedostatku.

Zgodnie ze zwyczajem nie przywiozła ze sobą ani jedzenia, ani ubrań. Pani Wang udzieliła jej tych samych napomnień, co za pierwszym razem. Kwiat Śniegu powinna dobrze się zachowywać, nie narzekać, poznawać nowy świat oczami i uszami, i starać się, aby matka była z niej dumna.

– Tak, ciociu – odpowiedziała posłusznie Kwiat Śniegu.

Widziałam jednak, że jej myśli skupione są na czymś innym, ponieważ stojąc na ulicy, patrzyła prosto w okno na piętrze naszego domu i najwyraźniej szukała wśród cieni mojej twarzy.

Mama wniosła Kwiat Śniegu na górę. Od chwili, gdy moja *laotong* dotknęła stopami podłogi w izbie dla kobiet, usta jej się nie zamykały. Gawędziła, szeptała, drażniła się, zwierzała, pocieszała, podziwiała. Nie była tą dziewczyną, która niepokoiła mnie swoimi myślami o poderwaniu się do lotu. Chciała się tylko bawić, miło spędzać czas, chichotać i gadać, gadać, gadać, gadać i gadać o dziewczęcych sprawach.

Wcześniej powiedziałam, że chcę zostać jej uczennicą, więc już w dniu przyjazdu zaczęła uczyć mnie rozmaitych rzeczy z *Pouczeń dla kobiet*, między innymi nigdy nie odsłaniać zębów w uśmiechu i nie podnosić głosu w rozmowie z mężczyzną. W odpowiedzi na moją prośbę napisała jednak, że ona także chce się uczyć ode mnie, więc teraz zapytała, czy mogłabym pokazać jej, jak piecze się ciasteczka z kleistego ryżu. Zaczęła też zadawać dziwne pytania na temat wyciągania wody ze studni i przygotowywania karmy dla świń. Śmiałam się, bo przecież każda dziewczyna wie, jak się robi takie rzeczy, ale Kwiat Śniegu przysięgała, że nie ma o nich pojęcia. Doszłam do wniosku, że drażni się ze mną, a ona wciąż powtarzała, że naprawdę nie wie. I wtedy inne kobiety zaczęły sobie ze mnie pokpiwać.

– A może to ty nie wiesz, jak nabiera się wodę ze studni! – zawołała starsza siostra.

– Może już nie pamiętasz, jak karmi się świnie – dodała stryjenka. – Może wyrzuciłaś tę wiedzę razem ze starymi butami...

Tego już było za dużo. Zerwałam się z miejsca. Byłam tak wściekła, że oparłam zaciśnięte pięści na biodrach i zmierzyłam je wszystkie gniewnym spojrzeniem, ale kiedy zobaczyłam ich pogodne twarze, mój gniew stopniał w jednej chwili i zapragnęłam dostarczyć im jeszcze więcej powodów do śmiechu.

Wszystkie z rozbawieniem obserwowały, jak kołysząc się,

chodzę na wciąż jeszcze niezagojonych stopach po izbie, udając, że wyciągam wodę ze studni i dźwigam wiadro do domu albo zrywam garściami trawę i mieszam ją z kuchennymi odpadkami. Piękny Księzyc śmiała się tak bardzo, że w końcu zachciało jej się siusiu. Nawet starsza siostra, tak poważna i zawsze skoncentrowana na pracy nad przeznaczonymi na posag płótnami, teraz chichotała w rękaw. Popatrzyłam na Kwiat Śniegu – jej oczy lśniły wesołością, z zapałem klaskała w dłonie. Właśnie taka była – wystarczyło, że weszła do izby dla kobiet i powiedziała parę słów, a już robiłam rzeczy, jakie wcześniej nawet nie przyszłyby mi do głowy. Kiedy przebywała w izbie, którą ja odbierałam jako miejsce tajemnic, cierpienia i żałoby, błyskawicznie potrafiła przeistoczyć ją w oazę radości, śmiechu i głupiutkich, dziecinnych rozrywek.

Chociaż pouczała mnie, że do mężczyzn należy zwracać się cichym głosem, sama jak najęta gadała przy kolacji z ojcem i stryjem, ich także rozśmieszając niemal do łez. Młodszy brat wspinał się na jej kolana i zeskakiwał z nich niczym małpka, która wreszcie znalazła ulubione legowisko. Miała w sobie tyle życia... Wszyscy byli nią oczarowani, w każdym budziła uczucie radości. Była kimś lepszym od nas, wiedzieliśmy o tym od samego początku, lecz uczyniła z tego doświadczenia przygodę dla mojej rodziny. Odbieraliśmy ją jak rzadko spotykany, egzotyczny ptak, który uciekł z klatki i radośnie podskakuje na podwórku pełnym zwyczajnych kurcząt. Byliśmy rozbawieni, ale ona także.

Przyszedł czas na umycie twarzy przed snem. Pamiętając, jak nieswojo czułam się w czasie pierwszej wizyty Kwiatu Śniegu, wskazałam jej miskę z wodą, aby umyła się pierwsza, ona jednak odmówiła. Nie wiedziałam, co zrobić – gdybym to ja pierwsza opłukała twarz, woda nie byłaby już czysta. Kiedy Kwiat Śniegu zaproponowała, żebyśmy umyły się razem, zrozumiałam, że wszystkie moje „rolnicze" zabiegi i upór w dążeniu do celu wydały pożądane owoce.

Razem pochyliłyśmy się nad miską, nabrałyśmy wody w stulone dłonie i umyłyśmy twarze. Lekko trąciła mnie łokciem w bok. Spojrzałam w dół i zobaczyłam nasze odbicia. Krople ściekły po jej skórze tak samo jak po mojej. Zachichotała i oblała mnie odrobiną wody. W tej chwili dzielenia się wodą nie miałam wątpliwości, że moja *laotong* także mnie kocha.

Nauka

Podczas następnych trzech lat Kwiat Śniegu odwiedzała mnie co parę miesięcy. Po pewnym czasie błękitna tunika z motywem chmur, w której zwykle przyjeżdżała, została zamieniona na komplet z lawendowego jedwabiu z białymi obszyciami. Była to dziwna kombinacja barw jak dla tak młodej dziewczyny, ale Kwiat Śniegu wyglądała w tym naprawdę ładnie. Natychmiast po wejściu do izby na górze przebierała się w strój, który uszyła dla niej moja matka – w ten sposób byłyśmy takie same i w głębi serca, i na zewnątrz.

Ani razu nie byłam jeszcze w Tongkou, rodzinnej wiosce Kwiatu Śniegu. Nie kwestionowałam tego i nigdy nie słyszałam rozmów o dziwaczności tego układu, które toczyli dorośli członkowie mojej rodziny. Dopiero kiedy skończyłam dziewięć lat, pewnego dnia przypadkiem usłyszałam, jak mama próbuje zapytać o to panią Wang. Stały tuż za progiem, a ja, słysząc ich głosy, szybko podeszłam do okna.

– Mój mąż mówi, że zawsze karmimy Kwiat Śniegu – odezwała się przyciszonym głosem mama, starając się, aby nie usłyszał jej nikt poza rozmówczynią. – Jej wizyty wymagają większej ilości wody do picia, dodatkowego gotowania i prania. Mąż chce wiedzieć, kiedy Lilia wybierze się do Tongkou. Przecież tak to się zwykle robi, prawda?

– Zwykle dba się o dokładne dopasowanie wszystkich ośmiu cech – przypomniała mamie pani Wang. – Obie jednak wiemy, że z jedną z nich, bardzo ważną, było inaczej. Kwiat Śniegu przybyła do rodziny, która stoi w hierarchii niżej od jej własnej... – na chwilę znacząco zawiesiła głos – i jakoś nie słyszałam, żebyś skarżyła się na to, kiedy wystąpiłam z propozycją zawarcia *laotong*...

– Tak, ale...

– Najwyraźniej nie rozumiesz, jak to wszystko naprawdę wygląda – ciągnęła z oburzeniem pani Wang. – Od początku mówiłam, że mam nadzieję wyswatać Lilię z kimś z Tongkou, ale małżeństwo byłoby niemożliwe, gdyby potencjalny pan młody ujrzał waszą córkę przed dniem ślubu. Co więcej, rodzina Kwiatu Śniegu cierpi z powodu społecznych różnic, dzielących obie dziewczynki. Powinniście być wdzięczni, że nie zażądali rozwiązania umowy *laotong*. Oczywiście nigdy nie jest za późno na zmianę, jeżeli twój mąż rzeczywiście tego pragnie. Dla mnie byłoby to trochę niewygodne, to wszystko.

Cóż mogła powiedzieć na to moja matka?

– Odezwałam się w niewłaściwy sposób, pani Wang – szepnęła. – Proszę wejść do środka, bardzo proszę... Może ma pani ochotę napić się herbaty?

Tamtego dnia słyszałam wstyd i lęk w głosie mamy. Nie mogła wystawić na szwank żadnego aspektu mojego związku, nawet jeżeli był on dodatkowym ciężarem dla rodziny.

Czy zastanawiacie się, co czułam, słysząc, że rodzina Kwiatu Śniegu nie uważa mnie za równą sobie? Nie przeszkadzało mi to, ponieważ wiedziałam, że nie zasługuję na uczucia mojej *laotong*. Codziennie ze wszystkich sił starałam się obudzić w niej taką miłość do mnie, jaką sama czułam do niej. Było mi bardzo przykro ze względu na matkę, czułam wielkie zażenowanie. Mama w dużym stopniu straciła twarz w rozmowie z panią Wang. Jeśli jednak mam być całkowicie szczera, to muszę przyznać, że nic nie obchodziły mnie kłopoty taty, wstyd mamy, upór pani Wang czy szczególny fizyczny układ mojego związku z Kwiatem Śniegu, bo nawet gdybym mogła wybrać się do Tongkou bez obaw, że może zobaczy mnie mój przyszły mąż, i tak nie czułabym takiej potrzeby. Nie musiałam odwiedzać Tongkou, aby poznać życie mojej *laotong*. Kwiat Śniegu opowiedziała mi o swojej wiosce, rodzinie i pięknym domu więcej, niż kiedykolwiek dowiedziałabym się, oglądając to wszystko na własne oczy. Nie był to jednak koniec nieprzyjemnej sprawy.

Panie Wang i Gao zawsze walczyły o terytorium. Jako pośredniczka mieszkańców Puwei, pani Gao wynegocjowała dobre małżeństwo dla starszej siostry i znalazła odpowiednią dziewczynę z innej wioski dla starszego brata. Spodziewała się, że zostanie zatrudniona do negocjacji w sprawie małżeństwa Pięknego Księżyca i mojego, jednak pani Wang wizją mojego losu odmieniła nie tylko życie moje i Pięknego Księżyca, ale także pani Gao. Pieniądze przeleciały obok jej kieszeni i wylądowały w innej. Prawdziwe jest stare powiedzenie, które utrzymuje, że zubożała kobieta zawsze nosi w sercu pragnienie zemsty.

Pani Gao wyruszyła do Tongkou, aby zaoferować swoje usługi rodzinie Pięknego Kwiatu. W krótkim czasie wiadomość o tym dotarła do uszu pani Wang. Chociaż samo nieporozumienie nie miało z nami nic wspólnego, do konfrontacji doszło w naszym domu, kiedy pani Wang przybyła po Kwiat Śniegu i zastała panią Gao w głównej izbie, pogryzającą pestki dyni i omawiającą z tatą szczegóły ceremonii ustalenia daty zaślubin, przez którą wkrótce miała przejść starsza siostra. W obecności taty nie padło ani jedno nieprzyjazne słowo, żadna z kobiet nie była aż tak źle wychowana. Pani Gao mogła była uniknąć kłótni, gdyby po zakończeniu rozmowy z tatą po prostu opuściła nasz dom, ale ona poszła na górę, ciężko usiadła na krześle i zaczęła przechwalać się swoimi umiejętnościami swatania. Była jak palec, który raz po raz dźga bolesny wrzód. W końcu pani Wang nie wytrzymała.

– Tylko suka w rui może być tak szalona, aby przychodzić do mojej wioski i próbować podkraść mi jedną z moich małych siostrzenic – warknęła.

– Tongkou nie jest *twoją* wioską, stara ciociu – gładko odparła pani Gao. – Gdybyś sprawowała niepodzielną władzę nad Tongkou, po co przyjeżdżałabyś węszyć w Puwei? Sama dobrze wiesz, że Lilia i Piękny Księżyc powinny być moje, ale czy ja płaczę nad stratą jak rozkapryszone dziecko?

– Zaaranżuję doskonałe małżeństwa dla tych dziewcząt, podobnie jak dla Kwiatu Śniegu. Na pewno nie zaproponowałabyś im lepszych związków.

– Nie bądź taka pewna! O ile wiem, wcale nie poradziłaś sobie tak dobrze z małżeństwem jej starszej siostry! Biorąc pod uwagę okoliczności, ja mam większe szanse znaleźć dobrego męża dla Kwiatu Śniegu!

Czy wspomniałam już, że Kwiat Śniegu była wtedy w izbie i słuchała tego wszystkiego? Że była świadkiem rozmowy swatek, które traktowały ją i jej siostrę jak dwa worki marnej jakości ryżu, o których cenę targują się pozbawieni skrupułów kupcy? Stała obok pani Wang i czekała, aż swatka zabierze ją do domu. W rękach trzymała kawałek płótna, które sama wcześniej wyhaftowała i wciąż obracała w palcach, mocno naciągając nici. Nie podniosła wzroku, ale widziałam, że jej twarz i uszy przybrały intensywny odcień czerwieni. W tej chwili kłótnia mogła się jedynie nasilić, lecz pani Wang podniosła pokrytą nabrzmiałymi żyłami dłoń i delikatnie oparła ją na plecach Kwiatu Śniegu. Do tej pory nie przyszło mi nawet do głowy, że swatka może być zdolna do litości czy ustąpienia pola.

– Nie rozmawiam z przekupkami – rzuciła ostro. – Chodź, Kwiecie Śniegu. Mamy przed sobą długą podróż do domu.

Całkiem możliwe, że szybko zapomnielibyśmy o tym epizodzie, gdyby nie to, że odtąd obie swatki przy każdej okazji skakały sobie do gardła. Kiedy tylko pani Gao się dowiedziała, że palankin pani Wang pojawił się w Puwei, natychmiast przywdziewała swoje przesadnie barwne stroje, różowiła policzki i zaczynała węszyć dookoła naszego domu jak... No, cóż, jak suka w rui. Trudno byłoby znaleźć trafniejsze określenie jej zachowania.

Kiedy Kwiat Śniegu i ja skończyłyśmy jedenaście lat, nasze stopy zupełnie się zagoiły. Moje były silne, idealnie ukształtowane i długie na przepisowe siedem centymetrów. Stopy Kwiatu Śniegu były nieco większe, a Pięknego Księżyca jeszcze odrobinę większe, ale za to także pięknie uformowane, co przy jej wiedzy i znajomości obowiązków domowych czyniło z mojej kuzynki bardzo pożądaną przyszłą żonę. Po zakończeniu procesu krępowania stóp pani Wang zajęła się fazą negocjacji i szukania podobieństw. Naszych osiem cech dopasowano do cech naszych przyszłych mężów i określono daty zaręczyn.

Zgodnie z przewidywaniami pani Wang, doskonały kształt i wielkość moich złocistych lilii zaowocowały szczęśliwymi zaręczynami. Znalazła dla mnie męża z najlepszej rodziny Lu w Tongkou. Stryj mojego narzeczonego był uczonym *jinshi*, który otrzymał duże nadania ziemskie od cesarza. Stryj Lu, jak go nazywano, nie miał dzieci, mieszkał w stolicy i zarządzanie majątkiem powierzył bratu. Ponieważ mój przyszły teść był naczelnikiem wioski, co znaczy, że dzierżawił rolnikom drogi i pobierał opłaty za dzierżawę, wszyscy zakładali, że mój mąż odziedziczy to stanowisko po ojcu. Piękny Księżyc miała wyjść za młodego człowieka z gorzej postawionej rodziny Lu, zamieszkałej w pobliżu. Jej narzeczony był synem rolnika, który gospodarował na posiadłości cztery razy większej od działki taty i stryja. Wydawało nam się to wielkim bogactwem, lecz i tak było prawie niczym w porównaniu z majątkiem, którym mój przyszły teść zarządzał w imieniu brata.

– Piękny Księżycu, Lilio – przemówiła pani Wang. – Jesteście sobie tak bliskie jak siostry, a teraz będziecie jak moja siostra i ja. Obie wyszłyśmy za mąż za mężczyzn z Tongkou i chociaż dotknął nas wielki smutek, mamy szczęście, bo całe życie spędziłyśmy razem...

Piękny Księżyc i ja byłyśmy naprawdę wdzięczne, że nadal będziemy dzielić wszystko, od Dni Ryżu i Soli, jako żony i matki, po spokojne życie wdów.

Kwiat Śniegu miała poślubić mężczyznę z miejscowości położonej w pobliżu Tongkou, Jintian – Wioski Otwartego Pola. Pani Wang obiecywała, że Piękny Księżyc i ja będziemy mogły dostrzec Jintian, a może nawet okno Kwiatu Śniegu z naszych okien. Nie dowiedziałyśmy się dużo o rodzinie, do której wchodziła Kwiat Śniegu, pani Wang powiedziała nam tylko, że narzeczony mojej *laotong* przyszedł na świat w Roku Koguta. Zaniepokoiło nas to, ponieważ każdy wie, że nie jest to idealny związek – Kogut zawsze próbuje usiąść na grzbiecie Konia.

– Nie martwcie się, dziewczęta – uspokajała nas pani Wang. – Wróżbita szczegółowo przestudiował aspekty wody, ognia, ziemi i drewna. Daję słowo, że nie jest to przypadek grożący wieczną walką wody z ogniem. Wszystko będzie dobrze.

Uwierzyłyśmy jej.

Rodziny naszych narzeczonych przysłały pierwsze dary, na które składały się pieniądze, słodycze i mięso. Stryjenka i stryj otrzymali wieprzowy udziec, natomiast mama i tata całego pieczonego wieprzka, który później został pokrojony na porcje i rozesłany do domów naszych krewnych z Puwei. Rodzice odwzajemnili te dary, wysyłając rodzinom naszych narzeczonych jaja i ryż, symbole płodności. Potem czekaliśmy na rozpoczęcie drugiego etapu, kiedy to nasi przyszli teściowie mieli dokonać ustalenia daty ceremonii ślubnych.

Wyobraźcie sobie, jakie byłyśmy szczęśliwe – miałyśmy zabezpieczoną przyszłość, nasze nowe rodziny stały wyżej niż te, z których pochodziłyśmy, i byłyśmy jeszcze na tyle młode, aby wierzyć, że nasze dobre serca przezwyciężą wszelkie trudności, jakie mogło nastręczać życie z teściowymi. Z zapałem zajęłyśmy się ręcznymi robótkami, ciesząc się także i tym, że mamy siebie nawzajem.

Stryjenka dalej dawała nam lekcje *nu shu*, ale uczyłyśmy się także od Kwiatu Śniegu, która przy każdej wizycie zapoznawała nas z nowymi znakami. Niektóre podpatrywała u swojego brata, jako że wiele znaków *nu shu* to po prostu delikatniej zapisane znaki z męskiego pisma, lecz inne przekazywała jej matka, która doskonale znała sekretne pismo kobiet. Uczyłyśmy się ich całymi godzinami, ćwicząc pociągnięcia palcami na otwartych dłoniach. Stryjenka ostrzegała nas zawsze, abyśmy bardzo ostrożnie traktowały słowa, ponieważ znaki fonetyczne, w przeciwieństwie do piktograficznych znaków pisma mężczyzn, można z łatwością mylnie zinterpretować.

– Każde słowo należy umieścić w kontekście – przypominała nam na koniec codziennych lekcji. – Z błędnego odczytania znaków wynikła już niejedna tragedia...

Kiedyś opowiedziała nam romantyczną historię wiejskiej kobiety, która wynalazła sekretne pismo.

– Dawno temu, w czasach dynastii Song, przed tysiącem lat, a może jeszcze dawniej, cesarz Zhezong szukał w całym państwie nowej konkubiny. Wyruszył w długą i daleką podróż, aż w końcu przybył do naszego okręgu. Już wcześniej słyszał o rolniku imieniem Hu, człowieku rozważnym i dość wykształconym, który mieszkał w wiosce Jintian – tak, tej samej, w której po ślubie zamieszka nasza Kwiat Śniegu... Pan Hu miał syna, który był pisarzem, z doskonałym wynikiem zdał cesarskie egzaminy i zajmował wysokie stanowisko, lecz cesarza najbardziej intrygowała najstarsza córka rolnika. Miała na imię Yuxiu. Nie była całkowicie bezużyteczną gałązką, ponieważ ojciec zadbał o jej wykształcenie. Umiała recytować klasyczne utwory poetyckie i poznała pismo mężczyzn. Potrafiła śpiewać i tańczyć, haftowała pięknie i delikatnie. Wszystko to razem wzbudziło w sercu cesarza przekonanie, że dziewczyna będzie doskonałą konkubiną. Odwiedził pana Hu, złożył mu propozycję i wkrótce Yuxiu znalazła się w drodze do stolicy. Szczęśliwe zakończenie? Pod pewnymi względami. Pan Hu otrzymał wiele podarunków, a Yuxiu czekało życie na cesarskim dworze, wśród luksusów, nefrytu i jedwabiu. Musicie jednak pamiętać, że nawet osoba tak mądra i wykształcona jak Yuxiu nie była w stanie uniknąć smutnej chwili rozstania z rodziną. Och, jakie wielkie łzy płynęły po policzkach jej matki! Och, jak głośno szlochały siostry! Jednak żadna z nich nie była tak smutna jak Yuxiu.

Dobrze znałyśmy tę część opowieści. Rozstanie Yuxiu z rodziną było dopiero początkiem jej nieszczęść. Nawet ona, ze wszystkimi swoimi talentami, nie mogła zbyt długo skupić na sobie uwagi cesarza. Po pewnym czasie znudziła mu się jej piękna twarz w kształcie księżyca, oczy w kształcie migdałów i usta jak wiśnie, a zdolności i umiejętności, sławione jako wybitne w okręgu Yongming, okazały się skromne w porównaniu z zaletami innych dam dworu. Biedna Yuxiu... Nie umiała snuć pałacowych intryg, a inne żony i konkubiny gardziły wiejską dziewczyną. Była samotna i smutna, i nie wiedziała, jak potajemnie skontaktować się z matką i siostrami. Jedno nieostrożne słowo mogło oznaczać ścięcie lub wrzucenie do jednej z pałacowych studni.

– Dzień i noc Yuxiu starannie skrywała swoje uczucia – ciągnęła stryjenka. – Złe damy dworu i eunuchowie nie spuszczali jej z oka, kiedy spokojnie haftowała lub pracowała nad kaligrafią. Ciągle wykpiwali jej dokonania. „Jakież to niechlujne", mówili. Albo: „Patrzcie, jak ta wiejska małpa próbuje naśladować pismo mężczyzn!". Każde słowo, które padało z ich ust, przesączone było okrucieństwem, lecz Yuxiu wcale nie próbowała kopiować męskich znaków. Zmieniała je, pisała nieco skośnie i czyniła coraz bardziej kobiecymi, aż wreszcie stworzyła nowe znaki, które nie miały prawie nic wspólnego z pismem mężczyzn. Spokojna i cicha, wynalazła sekretny kod, aby móc pisać do matki i sióstr.

Kwiat Śniegu i ja często pytałyśmy, w jaki sposób matka i siostry Yuxiu zdołały odczytać sekretne znaki, więc tego dnia stryjenka wplotła odpowiedź w swoje opowiadanie.

Może było tak, że tknięty współczuciem eunuch przemycił list, w którym Yuxiu wyjaśniała znaczenie pisma, ale jej siostry, nie zrozumiawszy zapisanej nieznanymi znakami wiadomości, rzuciły papier w kąt, lecz po pewnym czasie wróciły do niego i zinterpretowały przesłanie, któż może wiedzieć, jak było naprawdę... Później kobiety z rodziny Yuxiu wynalazły nowe fonetyczne znaki, które zaczęły tłumaczyć na podstawie kontekstu, tak jak wy uczycie się to robić. Tak czy inaczej, są to detale, które mogą interesować raczej mężczyzn niż kobiety – zakończyła krótko, karcącym tonem, przypominając nam, że zadawanie takich pytań to nie nasza sprawa. – Oto nauka, jaką należy wynieść z historii Yuxiu – młoda kobieta znalazła sposób, aby powiedzieć innym, co dzieje się pod pozornie szczęśliwą powłoką jej życia i przekazała ten szczególny dar niezliczonym pokoleniom...

Długą chwilę siedziałyśmy w milczeniu, myśląc o samotnej konkubinie. Stryjenka zaczęła śpiewać jako pierwsza, my trzy przyłączyłyśmy się po paru sekundach. Mama słuchała. Była to smutna pieśń, której słowa wyszły podobno bezpośrednio z ust Hu Yuxiu. W naszych głosach brzmiał smutek, jaki musiała odczuwać:

Moje pismo przesiąknięte jest łzami serca,
Jest wyrazem niewidzialnego buntu.
Niech historie naszego życia staną się tragiczną sztuką.
O, mamo, o, moje siostry, usłyszcie mnie, usłyszcie, proszę...

Ostatnie nuty wypłynęły przez okno i zabrzmiały w alejce.

– Pamiętajcie, dziewczęta, nie wszyscy mężczyźni są cesarzami, ale wszystkie kobiety wychodzą za mąż i opuszczają rodzinny dom – powiedziała stryjenka. – Yuxiu wynalazła *nu shu* dla kobiet z naszego okręgu, aby mogły podtrzymać więzi, które łączą je z rodzinami...

Sięgnęłyśmy po igły i wróciłyśmy do haftowania. Wiedziałyśmy, że następnego dnia stryjenka znowu opowie nam historię Yuxiu.

W roku, kiedy Kwiat Śniegu i ja skończyłyśmy trzynaście lat, uczyłyśmy się wyjątkowo dużo i musiałyśmy pomagać starszym kobietom w codziennych zajęciach domowych. Kobiety z rodziny Kwiatu Śniegu nauczyły ją wielu subtelnych, wyrafinowanych rzeczy, ale zupełnie zaniedbały edukację w zwyczajnych pracach domowych, więc moja *laotong* towarzyszyła mi niczym wierny cień. Wstawałyśmy o świcie i rozpalałyśmy ogień w kuchni. Po umyciu naczyń przygotowywałyśmy karmę dla świń. W południe wychodziłyśmy na parę minut na dwór, aby zebrać świeże warzywa w ogrodzie warzywnym, a potem przygotowywałyśmy wczesny obiad. Dawniej wszystkim tym zajmowały się mama i stryjenka, teraz sprawdzały, jak pracujemy. Popołudnia spędzałyśmy w izbie dla kobiet, wieczorem natomiast gotowałyśmy i podawały kolację.

Z każdej minuty każdego dnia płynęła jakaś lekcja. Dziewczęta z naszego domu – mówię tu także o Kwiecie Śniegu – starały się być dobrymi uczennicami. Piękny Księżyc najlepiej radziła sobie z przędzeniem i tkaniem, do czego Kwiat Śniegu i ja nie miałyśmy cierpliwości. Lubiłam gotować, ale znacznie mniej interesowało mnie tkanie, szycie i robienie butów. Żadna z nas nie przepadała za sprzątaniem, lecz Kwiat Śniegu sprzątała najgorzej z nas wszystkich. Mama i stryjenka nie karciły jej tak jak moją kuzynkę i mnie, jeżeli marnie zamiotłyśmy podłogę czy źle wytrzepałyśmy lub uprałyśmy tuniki naszych ojców. Myślałam, że traktują ją inaczej, ponieważ wiedzą, że w przyszłości będzie miała służbę i nie będzie musiała wykonywać takich prac sama. Natomiast ja patrzyłam na to inaczej. Byłam przekonana, że Kwiat Śniegu nie musi się uczyć porządnie sprzątać, bo jest jakby ponad praktycznymi aspektami życia.

Uczyłyśmy się także od mężczyzn z naszej rodziny, chociaż nie tak, jak sądzicie. Tata i stryj nigdy nie mogliby uczyć nas czegoś wprost, bo to byłoby głęboko niewłaściwe. Naszą nauką była obserwacja, w jaki sposób zachowuje się Kwiat Śniegu i jak na to reaguje ojciec oraz stryj. *Congee* to jedna z najłatwiejszych potraw – sam ryż z dużą ilością wody plus długie i dokładne mieszanie, dlatego pozwalałyśmy Kwiatowi Śniegu przygotowywać go na śniadanie. Kiedy się zorientowała, że tata lubi szalotki, zawsze dbała, aby w jego misce znalazła się dodatkowa porcja smakowitych cebulek. Przed kolacją mama i stryjenka zawsze w milczeniu stawiały półmiski na stole i czekały, aż ojciec i stryj sami się obsłużą, natomiast Kwiat Śniegu krążyła dookoła stołu z pochyloną głową i podsuwała każde danie najpierw tacie, potem stryjowi, potem starszemu bratu i wreszcie drugiemu bratu. Przystawała dość daleko, aby nie zakłócać ich prywatności, ale jednocześnie promieniała wdziękiem i cichą radością. Odkryłam, że dzięki jej drobnym uprzejmościom powstrzymywali się od wpychania sobie do ust wielkich porcji jedzenia, spluwania na podłogę i drapania się po pełnych brzuchach. Wręcz przeciwnie, uśmiechali się i miło z nią rozmawiali.

Moje pragnienie wiedzy sięgało znacznie poza to, czego nauczyłam się w izbie dla kobiet, w dolnej części domu czy nawet w ramach lekcji *nu shu*. Chciałam poznać moją przyszłość. Na szczęście Kwiat Śniegu uwielbiała gawędzić i często opowiadała o Tongkou. Wiele razy odbyła podróż między naszymi dwiema wioskami i dobrze znała całą trasę.

– Kiedy będziesz jechała do męża, przedostaniesz się na drugą stronę rzeki, miniesz mnóstwo pól ryżowych i skierujesz się ku niskim wzgórzom, które dobrze widać z obrzeży Puwei. Tongkou leży w ramionach tych wzgór. Ta osłona nigdy nas nie zawiedzie, jak mówi mój ojciec. W Tongkou jesteśmy bezpieczni, nie grozi nam trzęsienie ziemi, głód ani włóczędzy. *Fengshui* tego miejsca jest doskonałe.

Gdy słuchałam Kwiatu Śniegu, Tongkou rozrastało się

w mojej wyobraźni, ale i tak było to nic w porównaniu z uczuciem, jakie mnie ogarniało, kiedy mówiła o moim przyszłym mężu i teściach. Ani Piękny Księżyc, ani ja nie byłyśmy obecne podczas dyskusji, jaką pani Wang odbyła z naszymi ojcami, lecz znałyśmy podstawowe fakty – wszyscy mieszkańcy Tongkou należeli do rodu Lu i obie rodziny były zamożne. Naszych ojców interesowały przede wszystkim takie informacje, ale my chciałyśmy się dowiedzieć jak najwięcej o naszych mężach, teściowych i innych kobietach, z których obecnością w izbie na piętrze musiałyśmy się liczyć. Tylko Kwiat Śniegu mogła zaspokoić naszą ciekawość.

– Masz szczęście, Lilio – powiedziała pewnego dnia Kwiat Śniegu. – Widziałam tego chłopca Lu, to mój dalszy kuzyn. Włosy ma czarne i lśniące granatem nocy, i uprzejmie traktuje dziewczęta. Kiedyś podzielił się ze mną ryżowym ciastkiem, chociaż wcale nie musiał tego robić.

Wyjaśniła mi, że mój mąż urodził się w Roku Tygrysa, pod znakiem, który daje nie mniejszą siłę ducha i odwagę niż mój, dzięki czemu jesteśmy świetnie dopasowani. Zdradziła mi też kilka rzeczy, które powinnam wiedzieć, żeby nie popełnić jakiegoś błędu na początku życia w domu rodziny Lu.

– Jako naczelnik wioski, pan Lu podejmuje wielu gości z wioski i spoza niej. W jego domu mieszka dużo osób. Nie ma córek, ale z czasem przybędą synowe. Ty będziesz pierwszą, najważniejszą z nich, więc twoja pozycja od początku będzie wysoka, a jeżeli twoim pierworodnym dzieckiem okaże się syn, umocnisz ją jeszcze bardziej. Nie wyobrażaj sobie jednak, że to pozwoli ci uniknąć problemów podobnych do tych, jakie miała Yuxiu, cesarska konkubina. Chociaż żona pana Lu dała mu czterech synów, ma on trzy konkubiny. Musi je mieć, ponieważ jest naczelnikiem – ich obecność dodaje mu prestiżu.

Powinnam była wykazać się większą czujnością. Jeśli ojciec bierze sobie konkubiny, syn najprawdopodobniej pójdzie w jego ślady. Tak czy inaczej, byłam wtedy bardzo młoda i niewinna, i po prostu nie przyszło mi to do głowy, zresztą, nawet gdyby przyszło, i tak nie potrafiłabym wyobrazić sobie konfliktów i komplikacji, jakimi grozi taka sytuacja. Mój świat wciąż ograniczał się do mamy i taty oraz stryjenki i stryja, i był prosty, tak dziecinnie prosty...

Kwiat Śniegu odwróciła się do Pięknego Księżyca, która jak zwykle spokojnie przysłuchiwała się naszej rozmowie i czekała, byśmy ją do niej dopuściły.

– Piękny Księżycu, twoja przyszłość napełnia mnie radością – powiedziała. – Bardzo dobrze znam tę rodzinę Lu. Twój przyszły mąż, jak wiesz, urodził się w Roku Świni. Jego cechy to wytrwałość, odwaga, uprzejmość i wyrozumiałość, a twoja natura pozwoli ci opiekować się nim czule i troskliwie. To kolejny doskonale dobrany związek.

– A moja teściowa? – spytała ostrożnie Piękny Księżyc.

– Pani Lu codziennie odwiedza moją matkę. Ma dobre serce, nie potrafię nawet wyrazić, jak dobre...

Oczy Kwiatu Śniegu wezbrały nagle łzami. Było to tak dziwne, że Piękny Księżyc i ja zachichotałyśmy, pewne, że chodzi o jakiś dowcip. Moja *laotong* szybko zamrugała powiekami.

– Jakiś duch dostał mi się do oczu! – zawołała i już po chwili śmiała się razem z nami. – Będziesz bardzo szczęśliwa, Piękny Księżycu – podjęła. – Rodzice twojego męża pokochają cię całym sercem, a najcudowniejsze jest to, że codziennie będziesz mogła odwiedzać Lilię. Zamieszkacie bardzo blisko siebie, czy to nie wspaniałe?

Kwiat Śniegu przeniosła spojrzenie na mnie.

– Twoja teściowa jest wielką tradycjonalistką – rzekła. – Pilnie przestrzega wszystkich zasad postępowania dla kobiet. Bardzo zważa na słowa, dobrze się ubiera. Kiedy przychodzą do niej goście, zawsze ma w pogotowiu gorącą herbatę...

Ponieważ Kwiat Śniegu nauczyła mnie wielu rzeczy, nie bałam się, że popełnię błąd.

– W ich domu jest więcej służby niż w moim – ciągnęła. –

Nie będziesz musiała gotować niczego poza specjalnymi daniami dla pani Lu, ani karmić swojego dziecka, jeżeli nie będziesz chciała tego robić.

Kiedy to usłyszałam, pomyślałam, że chyba oszalała. Poprosiłam ją jeszcze, żeby powiedziała mi coś więcej o ojcu mojego męża.

– Pan Lu jest szczodry i wyrozumiały, ale także bardzo bystry – odparła po chwili namysłu. – To dzięki bystrości umysłu został naczelnikiem wioski. Wszyscy go szanują i będą szanować także jego syna wraz z żoną... – Popatrzyła na mnie przenikliwie. – Masz wielkie szczęście – powtórzyła.

Łatwo chyba można zrozumieć, że na podstawie tego, co mówiła Kwiat Śniegu, widziałam siebie u boku kochającego męża, z gromadką wspaniałych synów.

Moja wiedza zaczęła wybiegać poza naszą wioskę. Kwiat Śniegu i ja już pięć razy byłyśmy w świątyni Gupo w Shexia. Co roku wspinałyśmy się po prowadzących do świątyni schodach, składałyśmy ofiary na ołtarzu i zapalałyśmy kadziełka, następnie szłyśmy na targ, gdzie kupowałyśmy nici do haftowania i papier. Dzień zawsze kończyłyśmy w lokaliku starego Zuo, który podawał nam kostki taro w karmelu. Podróżując w tę i z powrotem, wyglądałyśmy przez szczelinę między zasłonami, podczas gdy pani Wang spokojnie spała. Często widziałyśmy wąskie ścieżki, zbaczające z głównej drogi do innych wsi, rzeki i kanały. Od tragarzy dowiedziałyśmy się, że ta woda zapewnia naszemu okręgowi kontakt z pozostałymi częściami państwa. W izbie na piętrze widziałyśmy tylko cztery ściany, ale mężczyźni z naszego okręgu nie byli tak odizolowani od świata. Jeżeli tylko chcieli, mogli wybrać się prawie wszędzie drogą wodną.

Przez wszystkie te lata pani Wang i pani Gao wpadały do naszego domu i wypadały z niego jak rozgdakane kwoki. No, jak to? Naprawdę myślicie, że po naszych zaręczynach te dwie damy zostawiły nas w spokoju? Musiały przecież obserwować, czekać, spiskować, knuć i zachęcać, pełne nie-strudzonej dbałości o swoje inwestycje. Coś przecież mogło pójść nie tak jak trzeba, cokolwiek. Najwyraźniej trochę nie-pokoiła je myśl o czterech małżeństwach z jednego domu, obawiały się też, czy ojciec zdoła wypłacić obiecaną cenę za żonę starszego brata, odpowiednie posagi dla trzech dziew-cząt i, co najważniejsze, należności dla swatek. Kiedy skoń-czyłam trzynaście lat, wojna między dwiema kobietami nagle się nasiliła.

Zaczęło się od dość zwyczajnej sytuacji. Byłyśmy w izbie na piętrze, kiedy pani Gao napomknęła, że okoliczne rodzi-ny nie płacą jej na czas, insynuując, iż nasza rodzina jest jedną z nich.

– Powstanie chłopów w górach utrudnia nam wszystkim życie – oświadczyła pani Gao. – Nie dostajemy stamtąd żadnych produktów i nie możemy wysyłać własnych. Lu-dzie nie mają pieniędzy. Podobno niektóre dziewczęta mu-siały wycofać się z zaręczyn, ponieważ ich rodzin nie stać już na posag. Te biedaczki zostaną teraz małymi synowymi.

Trudna sytuacja w kraju nie była dla nas nowiną, ale na-stępne słowa pani Gao zupełnie nas zaskoczyły.

– Nawet mała panna Kwiat Śniegu nie jest bezpieczna. Nie jest jeszcze za późno, żebym to ja poszukała dla niej ko-goś bardziej odpowiedniego.

Byłam naprawdę szczęśliwa, że Kwiat Śniegu tego nie słyszy.

– Mówisz o rodzinie, która należy do najwyżej posta-wionych w okręgu – odparła pani Wang głosem twardym i ostrym jak ocierające się o siebie kamyki.

– Może stosowniej byłoby powiedzieć „należała", stara ciociu. Ten pan odwiedził za dużo domów gry i miał za dużo konkubin.

– Robi tylko to, czego ludzie spodziewają się po człowie-ku o jego pozycji. Oczywiście trzeba wybaczyć ci ignorancję, bo po prostu nie masz pojęcia o życiu dobrze urodzonych.

– Nie rozśmieszaj mnie – parsknęła pani Gao. – Gadasz

kłamstwa w taki sposób, jakby były prawdą. Cały okręg wie, co dzieje się z tą rodziną. Kłopoty z chłopami, marne zbiory oraz zaniedbania – to wystarczy, aby słaby człowiek szukał ucieczki w fajce...

Moja matka gwałtownie podniosła się z miejsca.

– Pani Gao, jestem szczerze wdzięczna za to, co zrobiła pani dla moich dzieci, ale to wciąż są dzieci i nie powinny tego słuchać. Odprowadzę panią do progu, bo na pewno czekają panią jeszcze inne wizyty...

Mama nieomal postawiła panią Gao i prawie zawlokła ją do schodów. Kiedy wyszły, stryjenka nalała herbaty pani Wang, która siedziała nieruchomo, pogrążona w głębokim zamyśleniu, zapatrzona w przestrzeń. Wreszcie zamrugała trzy razy, rozejrzała się po izbie i przywołała mnie do siebie. Miałam trzynaście lat i nadal się jej bałam. Nauczyłam się nazywać ją „ciocią" w jej obecności, ale w myślach wciąż była dla mnie imponującą i trochę przerażającą panią Wang. Kiedy się zbliżyłam, przyciągnęła mnie, przytrzymała udami i chwyciła za ramiona jak wtedy, gdy spotkałyśmy się po raz pierwszy.

– Nigdy, ale to nigdy nie powtarzaj Kwiatowi Śniegu tego, co usłyszałaś. To niewinna dziewczyna, nie wolno dopuścić, aby błoto, które wypluwa z siebie ta kobieta, skaziło jej czysty umysł.

– Tak, ciociu.

Potrząsnęła mną bardzo mocno.

– Nigdy, pamiętaj!

– Obiecuję.

Nie rozumiałam wtedy przynajmniej połowy z tego, co zostało powiedziane, zresztą, nawet gdyby było inaczej, dlaczego miałabym powtarzać mojej *laotong* te zjadliwe plotki? Kochałam Kwiat Śniegu. Nigdy bym jej nie zraniła, przytaczając jadowite uwagi pani Gao.

Dodam tylko, że mama musiała coś powiedzieć ojcu, bo pani Gao nigdy więcej nie przekroczyła progu naszego domu. Od tej chwili rodzice wszystkie sprawy z miejscową swatką załatwiali przed domem. Oto, jak bardzo zależało im na Kwiecie Śniegu. Była moją *laotong*, ale oni kochali ją równie mocno jak mnie.

Przyszedł dziesiąty miesiąc trzynastego roku mojego życia. Za oknem rozgrzane do białości letnie niebo powoli przybierało głęboki, typowy dla jesieni błękit. Do ślubu starszej siostry pozostał już tylko miesiąc. Rodzina pana młodego dostarczyła ostatnie podarunki. Zaprzysiężone siostry starszej siostry sprzedały jedną z porcji zgromadzonego ryżu i kupiły prezenty. Dziewczęta zbierały się w naszej izbie dla kobiet na Siedzenie i Śpiewanie, inne kobiety z wioski odwiedzały nas, aby towarzyszyć w tych chwilach, udzielać rad i okazywać współczucie. Przez dwadzieścia osiem dni śpiewałyśmy pieśni i opowiadałyśmy historie. Zaprzysiężone siostry pomogły starszej siostrze uszyć ostatnie kołdry i zapakować buty, które już wcześniej zrobiła dla członków swojej nowej rodziny. Wspólnie pracowałyśmy nad ślubnymi książkami trzeciego dnia, które miała dostać starsza siostra – zapisane w nich zdania miały przedstawić ją kobietom z nowej rodziny, więc wszystkie starałyśmy się znaleźć jak najwłaściwsze słowa, aby opisać jej zalety, cechy charakteru i umiejętności.

Trzy dni przed przeprowadzką starszej siostry do nowego domu odprawiłyśmy wszystkie ceremonie Dnia Smutku i Niepokoju. Mama usiadła na czwartym stopniu schodów, oparła stopy na trzecim i zaczęła lamentować.

– Starsza córko, byłaś perłą w mojej dłoni – zaśpiewała. – Z moich oczu płyną strumienie łez, podwójnie wartkie. Wkrótce zostanie tu po tobie puste miejsce.

Starsza siostra, jej zaprzysiężone siostry i wioskowe kobiety zaczęły szlochać i zawodzić.

– *Ku, ku, ku* – powtarzały ze smutkiem.

Potem zaśpiewała stryjenka, podejmując ustalony przez matkę rytm. Jak zawsze, próbowała doszukać się czegoś optymistycznego nawet w smutku.

– Jestem brzydka i niezbyt mądra, ale zawsze starałam się zachować pogodę ducha. Kocham mojego męża, a on kocha mnie. Jesteśmy parą brzydkich i niezbyt bystrych kaczek mandarynek. Zawsze dobrze bawiliśmy się w łóżku i mam nadzieję, że ty także będziesz szczęśliwa z mężem... Kiedy przyszła moja kolej, zaśpiewałam głośniej.

– Starsza siostro, moje serce opłakuje twoje odejście. Gdybyśmy przyszły na świat jako synowie, nigdy nie musiałybyśmy się rozstawać. Zawsze byłybyśmy razem, jak tata i stryj, starszy brat i drugi brat. Nasza rodzina jest pogrążona w smutku. Izba na piętrze będzie pusta bez ciebie.

Pragnęłam ofiarować jej najlepszy podarunek, więc wyśpiewałam to, czego nauczyłam się od Kwiatu Śniegu.

– Każdy potrzebuje ubrania, niezależnie od tego, jak chłodne jest lato czy ciepła zima, więc szyj je dla wszystkich i nie czekaj, aż cię poproszą. Nawet jeżeli stół jest bogato zastawiony, pozwól najpierw nasycić się teściom. Pracuj ciężko i pamiętaj o trzech rzeczach: musisz być dobra dla teściów i zawsze okazywać im szacunek, dobra dla męża i zawsze tkać dla niego, dobra dla dzieci i zawsze służyć im za przykład dobrego wychowania. Jeżeli będziesz posłuszna tym zasadom, nowa rodzina na pewno dobrze cię potraktuje. Zachowaj więc spokój serca w nowym pięknym domu.

Po mnie śpiewały zaprzysiężone siostry. Mówiły, że kochają starszą siostrę, która jest zdolna, dobra i czuła. Kiedy ostatnia z dziewcząt wyjdzie za mąż, ich cenny siostrzany związek ulegnie rozwiązaniu, zostaną im tylko wspomnienia o miłych godzinach wspólnego haftowania i tkania. W nadchodzących latach pociechą będą im tylko słowa zawarte w ślubnych księgach trzeciego dnia. Obiecywały sobie, że gdy jedna z nich umrze, pozostałe przybędą na pogrzeb i spalą księgi, aby słowa popłynęły na tamten świat razem ze zmarłą. Siostry były zrozpaczone rozstaniem ze starszą siostrą, ale miały nadzieję, że będzie szczęśliwa.

Kiedy już wszystkie zaśpiewałyśmy i wypłakałyśmy mnóstwo łez, do starszej siostry zwróciła się Kwiat Śniegu.

– Nie zaśpiewam dla ciebie – powiedziała. – Podzielę się jednak z tobą czyms, co zdaniem twojej siostry i mnie samej zatrzyma cię przy nas na zawsze... – Z rękawa wyciągnęła nasz wachlarz, rozłożyła go i odczytała prosty wiersz, który razem napisałyśmy. – *Starsza siostro i dobra przyjaciółko, cicha i miła. Jesteś szczęśliwym wspomnieniem w naszych sercach.*

Potem wskazała malutki różowy kwiatek, który domalowała do coraz bogatszej girlandy na krawędzi wachlarza. Kwiat ten miał symbolizować starszą siostrę.

Następnego dnia wszyscy nazrywaliśmy liści bambusa i napełniliśmy wiadra wodą. Kiedy przybyła nowa rodzina starszej siostry, obrzuciliśmy ich liśćmi, aby zgodnie z tradycją podkreślić, że miłość nowożeńców będzie wiecznie świeża i żywa jak bambus, a potem oblaliśmy ich wodą, by wiedzieli, że panna młoda jest czysta jak ten przejrzysty, życiodajny płyn. Zabawom tym towarzyszyło mnóstwo śmiechu i żartów.

Mijały godziny, wypełnione posiłkami i lamentami. Wystawiono na widok publiczny posag i wszyscy wychwalali niezrównaną jakość robótek ręcznych starszej siostry. Panna młoda przez cały dzień i noc wyglądała bardzo pięknie, a jej oczy były pełne łez. Następnego ranka wsiadła do palankinu, aby udać się do nowej rodziny.

– Wydać za mąż córkę to jak wylać wodę z wiadra! – wołali ludzie, polewając odjeżdżających wodą.

Odprowadziliśmy starszą siostrę aż do granicy wioski i przyglądaliśmy się, jak procesja przechodzi przez most i opuszcza Puwei. Trzy dni później rodzice wysłali do nowej wioski starszej siostry kleiste ryżowe ciasteczka, podarunki i wszystkie księgi ślubne trzeciego dnia, które miały zostać odczytane na głos w jej nowej izbie na piętrze. Następnego dnia, zgodnie z obowiązującym zwyczajem, starszy brat pojechał wozem po naszą siostrę i przywiózł ją do domu. Poza małżeńskimi wizytami kilka razy w roku, miała teraz mieszkać z nami aż do końca pierwszej ciąży.

Ze wszystkich wydarzeń po ślubie starszej siostry najwyraźniej pamiętam dzień, kiedy następnej wiosny wróciła do domu po wizycie w domu męża. Zawsze była taka spokojna – w milczeniu siedziała na stołeczku w kącie izby, szyła, nigdy z nikim się nie spierała i zawsze była posłuszna – lecz teraz uklękła na podłodze i ukryła twarz na kolanach mamy, zanosząc się płaczem. Jej teściowa ciągle obrzucała ją wyzwiskami, narzekała na nią i krytykowała wszystko, co starsza siostra zrobiła. Mąż był szorstkim, źle wychowanym ignorantem. Teściowie spodziewali się, że będzie nosiła wodę i prała ubrania całej rodziny, o, proszę, knykcie ma starte do krwi po wczorajszej pracy... Mieli jej za złe, że muszą ją karmić, obmawiali naszą rodzinę i wciąż powtarzali, że rodzice nie przysyłają dość jedzenia dla niej, kiedy przyjeżdża w odwiedziny.

Piękny Księżyc, Kwiat Śniegu i ja skupiłyśmy się przy mamie, cmokając ze współczuciem, ale chociaż było nam szczerze żal starszej siostry, w głębi serca mocno wierzyłyśmy, że nam się coś podobnego nigdy nie przytrafi. Mama gładziła starszą siostrę po włosach i delikatnie poklepywała po rozdygotanych ramionach. Myślałam, że powie, iż to tylko przejściowe problemy i każe jej przestać się martwić, ale milczała. Po długiej chwili odwróciła głowę i bezradnie popatrzyła na stryjenkę.

– Mam trzydzieści osiem lat – odezwała się stryjenka, a w jej głosie brzmiało nie współczucie, lecz rezygnacja. – Moje życie nie było wesołe. Urodziłam się w dobrej rodzinie, ale stopy i twarz zadecydowały o moim losie. Nawet kobieta taka jak ja – ani mądra, ani ładna – może znaleźć męża, bo nawet upośledzony mężczyzna potrafi spłodzić syna. Aby to mu się udało, potrzebne jest tylko naczynie. Ojciec znalazł dla mnie męża z najlepszej rodziny, z jakiej mógł. Płakałam tak jak ty teraz, lecz los okazał się jeszcze bardziej okrutny. Nie urodziłam synów. Byłam ciężarem dla teściów. Pragnęłabym z całego serca mieć syna i szczęśliwe życie. I żeby moja córka nigdy nie wyszła za mąż, bym nie musiała patrzeć na jej łzy i słuchać skarg, ale tak to już jest w życiu kobiety... Nie da się uniknąć losu, wszystko jest z góry przeznaczone.

Takie słowa z ust stryjenki, jedynej osoby w domu, która zawsze potrafiła powiedzieć coś zabawnego, często podkreślała, jak szczęśliwą czynią ją zabawy w łóżku ze stryjem, i zawsze dodawała nam odwagi i zachęcała do nauki, bardzo nas przygnębiły. Piękny Księżyc ujęła mnie za rękę i mocno ścisnęła. Jej oczy napełniły się łzami, bo oto usłyszałyśmy prawdę, której nigdy nie wypowiadano na głos w izbie dla kobiet. Wcześniej nie zastanawiałam się nad tym, jakie trudne musiało być życie stryjenki, i oto teraz nagle zrozumiałam, że zawsze musiała ukrywać pod uśmiechniętą maską głęboki smutek i rozczarowanie życiem.

Nie muszę chyba mówić, że wyznanie stryjenki nie pocieszyło starszej siostry. Rozszlochała się jeszcze głośniej i zasłoniła uszy dłońmi. Mama wreszcie przemówiła, ale nie miałyśmy wątpliwości, że jej słowa wydobyły się z najgłębszej części *yin* – negatywnej, mrocznej i kobiecej.

– Wyszłaś za mąż – powiedziała głosem, który wydał nam się dziwnie obojętny. – Przeprowadziłaś się do innej wioski. Twoja teściowa jest okrutna, mąż wcale o ciebie nie dba. Wiele byśmy dały, żebyś nie musiała wyjeżdżać, ale wszystkie córki wychodzą za mąż. Wszyscy zgadzają się na to i podporządkowują temu prawu. Możesz płakać i błagać, żeby wrócić do domu, a my możemy rozpaczać z powodu rozstania z tobą, lecz nie mamy wyboru, ani ty, ani my. Znasz przecież to stare powiedzenie: „Jeżeli córka nie wyjdzie za mąż, nie ma żadnej wartości; jeżeli pożar nie strawi lasu na górze, ziemia nigdy nie stanie się żyzna". I tak to właśnie jest...

Dni Upinania Włosów

Chwytanie Chłodnych Podmuchów

Kwiat Śniegu i ja skończyłyśmy piętnaście lat. Nosiłyśmy teraz włosy upięte na podobieństwo feniksów, co miało oznaczać, że wkrótce wyjdziemy za mąż. Coraz więcej czasu poświęcałyśmy na przygotowanie posagów. Odzywałyśmy się miękkim, przyciszonym głosem i wdzięcznie stąpałyśmy na naszych maleńkich liliach. Dobrze znałyśmy *nu shu* i kiedy nie byłyśmy razem, prawie codziennie pisywałyśmy do siebie. Co miesiąc krwawiłyśmy. Pomagałyśmy w domu, zamiatając, zbierając warzywa w ogrodzie, gotując posiłki, zmywając naczynia, piorąc, tkając i szyjąc. Uważano nas za kobiety, ale nie zostałyśmy jeszcze obarczone obowiązkami mężatek. Nadal cieszyłyśmy się pewną swobodą, mogłyśmy odwiedzać inne dziewczęta i spędzać miłe godziny w izbie na górze, szepcząc do siebie i haftując. Kochałyśmy się tak, jak marzyłam o tym, gdy byłam małą dziewczynką.

Tamtego roku Kwiat Śniegu przyjechała do nas na całe święta Chwytania Chłodnych Podmuchów, co ma miejsce w najbardziej upalnej porze roku, kiedy zapasy z poprzedniego sezonu są już wyczerpane, a nowe zbiory pozostają jeszcze na polach. W tym okresie kobiety, które poślubiły synów domu, najniżej postawione w rodzinnej hierarchii, są na kilka dni, a czasem nawet tygodni wysyłane do swoich domów. Nazywamy to świętami, ale w gruncie rzeczy chodzi tu o ten niedługi czas, gdy niechciane gęby do wykarmienia znikają z domu teściów. Starsza siostra dopiero niedawno na stałe przeniosła się do domu męża. Jej pierwsze dziecko miało się wkrótce narodzić, więc nie mogła wrócić na święta do rodziny. Mama wybrała się w odwiedziny do swoich krewnych i zabrała ze sobą drugiego brata. Stryjenka także udała się do rodzinnego domu, natomiast Piękny Księżyc przebywała u swoich zaprzysiężonych sióstr na drugim końcu wioski. Żona i mała córeczka starszego brata obchodziły święta u jej rodziny. tata, stryj i starszy brat wydawali się zupełnie zadowoleni z tej sytuacji i nie chcieli od Kwiatu Śniegu i ode mnie nic poza gorącą herbatą, tytoniem i pokrojonym w plastry arbuzem. Przez całe trzy noce Kwiat Śniegu i ja byłyśmy same w izbie na górze.

Pierwszego wieczoru położyłyśmy się obok siebie, nie zdejmując bandaży, nocnych pantofelków oraz spodnich i wierzchnich ubrań. Przysunęłyśmy łóżko tuż pod okno z nadzieją, że wpadnie przez nie świeży podmuch, ale powietrze trwało w upalnym, dusznym bezruchu. Księżyc miał wkrótce osiągnąć pełnię i jego blask wydobywał z mroku nasze spocone twarze. Następna noc okazała się jeszcze gorętsza i Kwiat Śniegu zaproponowała, żebyśmy zdjęły wierzchnie ubrania.

– Nikogo tu nie ma – powiedziała. – Nikt się o tym nie dowie.

Przyniosło nam to pewną ulgę, ale nadal pragnęłyśmy ochłody.

Trzeciego wieczoru na niebie ukazał się księżyc w pełni i obmył izbę na piętrze jasnobłękitnym blaskiem. Kiedy nabrałyśmy pewności, że mężczyźni już zasnęli, zdjęłyśmy wierzchnie i spodnie ubrania, i zostałyśmy tylko w bandażach i nocnych pantofelkach. Czułyśmy, jak powietrze przemyka po naszej skórze, lecz wiatr wciąż się nie zrywał i nadal było nam za gorąco.

– To nie wystarczy – odezwała się Kwiat Śniegu, wypowiadając myśl, która dosłownie sekundę wcześniej narodziła się w moim umyśle. Usiadła i sięgnęła po nasz wachlarz. Rozłożyła go powoli i zaczęła poruszać nim nade mną. Wciąż było mi gorąco, ale dużo przyjemniej. Po chwili Kwiat Śniegu zmarszczyła brwi, zamknęła wachlarz i odłożyła go. Utkwiła spojrzenie w mojej twarzy, potem przeniosła je na moją szyję, piersi i płaski brzuch. Powinnam była zawstydzić się pod jej skupionym wzrokiem, ale przecież Kwiat Śniegu była moją *laotong*. Nie miałam powodu się wstydzić.

Patrzyłam, jak przykłada palec do ust i wysuwa czubek języka. W jasnym świetle księżyca jej język był lśniący i różowy. Najbardziej delikatnym gestem przesunęła palcem po wilgotnej powierzchni języka i oparła palec na moim brzuchu. Narysowała nim linię w lewo, potem drugą, w przeciwnym kierunku, aby na koniec nakreślić coś przypominającego dwa krzyżyki. Wilgoć jej skóry była tak chłodna, że natychmiast dostałam gęsiej skórki. Zamknęłam oczy i pozwoliłam, aby dreszcz przeszył mnie całą. Później, równie szybko, uczucie wilgoci znikło. Kiedy podniosłam powieki, Kwiat Śniegu patrzyła mi prosto w oczy.

– No? – zapytała. – To znak – dodała, nie czekając na moją odpowiedź. – Zgadnij, jaki...

Dopiero wtedy zrozumiałam, co zrobiła. Wypisała na moim brzuchu znak *nu shu*. W podobny sposób bawiłyśmy się od wielu lat, rysując znaki patykiem na piasku lub palcami na swoich dłoniach czy plecach.

– Napiszę go jeszcze raz – uśmiechnęła się. – Ale uważaj...

Pośliniła palec i równie płynnym ruchem jak poprzednio narysowała znak. Kiedy wilgoć zetknęła się z moją skórą, po prostu musiałam zamknąć oczy, nie mogłam się powstrzymać. Moje ciało stało się dziwnie ociężałe, jakby nagle zabrakło mi powietrza. Pociągnięcie w lewo, kształt półksiężyca, jeszcze jeden półksiężyc niżej, tym razem odwrócony i dwa pociągnięcia w lewo. Nie otworzyłam oczu, dopóki wilgoć nie wyparowała ze skóry, a potem uniosłam powieki i napotkałam pytające spojrzenie Kwiatu Śniegu.

– Łóżko – powiedziałam.

– Tak jest... – zniżyła głos. – Zamknij oczy, napiszę coś jeszcze...

Tym razem nakreśliła bardziej zwarty i mniejszy znak, tuż obok mojej prawej kości biodrowej. Ten odgadłam natychmiast – był to czasownik „oświetlać".

Kiedy jej to powiedziałam, pochyliła się nisko nade mną.

– Dobrze... – szepnęła do ucha.

Następny znak na moment pojawił się na mojej skórze obok drugiej kości biodrowej.

– Światło księżyca... – wyszeptałam, otwierając oczy. – *Blask księżyca oświetla łóżko...*

Uśmiechnęła się z aprobatą, ponieważ zacytowałam pierwszy wers wiersza z okresu panowania dynastii Tang, wiersza, którego sama mnie nauczyła. Potem zamieniłyśmy się rolami. Podobnie jak wcześniej ona, teraz ja długo patrzyłam na jej ciało – na smukłą szyję, małe wzgórki piersi, płaszczyznę brzucha, która wydawała się gładka jak kawałek jedwabiu, czekający na haft, ostro sterczące kości biodrowe, znajdujący się niżej trójkąt, taki sam jak mój, smukłe nogi i stopy ukryte w czerwonych jedwabnych nocnych pantofelkach.

Pamiętajcie, że nie byłam jeszcze mężatką i nie miałam pojęcia, co dzieje się między mężczyzną i kobietą. Dopiero później się dowiedziałam, że dla kobiety nie ma nic bardziej intymnego niż jej nocne pantofelki, a dla mężczyzny nic bardziej podniecającego niż widok białej skóry nagiej kobiety, kontrastującej z czerwienią jedwabnych pantofelków, lecz tamtej nocy długo wpatrywałam się w stopy Kwiatu Śniegu, ukryte w letnich pantoflach. Wyhaftowała na nich motyw Pięciu Trucizn – stonogi, ropuchy, skorpiony, węże i jaszczurki. Były to tradycyjne symbole, które miały służyć jako ochrona przed letnimi zagrożeniami – cholerą, ospą, malarią i tyfusem. Ściegi Kwiatu Śniegu były doskonałe, podobnie jak jej ciało.

Polizałam palec i spojrzałam na jej białą skórę. Gdy dotknęłam brzucha tuż nad pępkiem, ostro wciągnęła powietrze. Piersi się uniosły, brzuch zapadł, a na całym ciele wystąpiła gęsia skórka.

– Ja... – powiedziała.

Nie pomyliła się. Następny znak napisałam pod pępkiem.

– Myśleć...

Następnie zrobiłam to samo, co wcześniej ona, i nakreśliłam nowy znak obok prawej kości biodrowej.

– Światło...

Teraz lewe biodro.

– Śnieg...

Znała ten wiersz, więc słowa nie skrywały dla niej żadnej tajemnicy, ważne były tylko nasze odczucia. Napisałam znaki na wszystkich miejscach, które ona także wykorzystała, w końcu musiałam jednak znaleźć nowy punkt. Wybrałam płaszczyznę tuż nad brzuchem, tam gdzie schodzą się żebra, dobrze wiedząc, że skóra jest tam szczególnie wrażliwa na dotyk, lęk i miłość. Kwiat Śniegu zadrżała pod dotykiem mojego palca.

– Wcześnie...

Do końca wersu zostały mi już tylko dwa słowa. Wiedziałam, co pragnę uczynić, ale wciąż się wahałam. Długo trzymałam palec nad czubkiem języka, zanim wreszcie, ośmielona upałem, blaskiem księżyca i miękkością jej skóry, pozwoliłam sobie wilgotnym palcem wypisać znak na piersi. Wargi Kwiatu Śniegu rozchyliły się i wyrwało się z nich ni to westchnienie, ni to jęk. Nie odczytała znaku na głos, a ja nie zamierzałam się tego domagać. Aby napisać ostatni znak, ułożyłam się na boku obok mojej *laotong* – chciałam widzieć, jak zareaguje jej skóra. Pośliniłam palec, nakreśliłam znak i przyglądałam się, jak sutek napina się i twardnieje. Długą chwilę leżałyśmy w milczeniu, zupełnie nieruchomo. Potem, nie otwierając oczu, Kwiat Śniegu wyszeptała cały wers: *Wydaje mi się, że to lekki śnieg w zimowy wczesny ranek...*

Odwróciła się twarzą do mnie i z czułością położyła dłoń na moim policzku, jak każdej nocy, kiedy zasypiałyśmy obok siebie. Po pewnym czasie zsunęła dłoń na moją szyję, potem pierś i wreszcie oparła ją na biodrze.

– Mamy jeszcze dwa wersy...

Usiadła, a ja wyciągnęłam się na plecach.

Sądziłam, że było mi gorąco w czasie tych ostatnich kilku nocy, lecz teraz, kiedy leżałam naga w świetle księżyca, byłam pewna, że płonący we mnie ogień jest o wiele gorętszy od tego, którym bogowie dotykają nas latem.

Kiedy uświadomiłam sobie, gdzie Kwiat Śniegu zamierza wypisać pierwszy znak, ze wszystkich sił spróbowałam się skoncentrować. Przesunęła się na koniec łóżka i położyła sobie moje stopy na kolanach. Zaczęła pisać po wewnętrznej stronie lewej kostki, tuż nad krawędzią czerwonego nocnego pantofelka. Gdy skończyła, zrobiła to samo z prawą stopą, następnie pisała raz na jednej, raz na drugiej nodze, zawsze tuż nad bandażami. Moje stopy, te szczególne ogniska bólu i smutku, dumy i piękna, drżały z rozkoszy. Zostałyśmy *laotong* osiem lat wcześniej, lecz nigdy nie byłyśmy sobie tak bliskie. Kiedy zapisała wszystkie słowa, odczytałam cały wers: *Spoglądam w górę i raduje mnie widok księżyca w pełni na nocnym niebie...*

Bardzo mi zależało, żeby przeżyła to samo co ja. Chwilę trzymałam jej złociste lilie w dłoniach, a potem położyłam je sobie na udach. Wybrałam miejsce, które wydawało mi się najbardziej delikatne i wrażliwe na dotyk – małą dolinkę między kostką i ścięgnem, biegnącą z tyłu w górę łydki. Zapisałam znak, który może oznaczać „pochylając się", „składając ukłon" lub „padając na ziemię", na drugiej nodze zaś nakreśliłam słowo „ja".

Opuściłam stopę Kwiatu Śniegu i napisałam kolejny znak

na jej łydce. Potem posunęłam się dalej, do miejsca po wewnętrznej stronie lewego uda, tuż nad kolanem. Ostatnie dwa znaki znalazły miejsce wysoko na jej udach. Pochyliłam się w skupieniu, usiłując napisać je w jak najdoskonalszy sposób. Dmuchałam na skórę, w pełni świadoma, jakie odczucia budzę, i patrzyłam, jak włosy między jej nogami podnoszą się lekko.

Potem wspólnie wyrecytowałyśmy cały wiersz.

Blask księżyca oświetla łóżko.
Wydaje mi się, że to lekki śnieg w zimowy wczesny ranek.
Spoglądam w górę i raduje mnie widok księżyca w pełni na nocnym
niebie.
Pochylając się, czuję tęsknotę za moim rodzinnym miasteczkiem...

Wszyscy wiedzą, że wiersz ten mówi o uczonym, który dużo podróżuje i tęskni za domem, ale i tamtej nocy, i później, wierzyłam, że opowiada on o nas. Kwiat Śniegu była moim domem, a ja jej.

Piękny Księżyc

Piękny Księżyc wróciła następnego dnia i znowu zabrałyśmy się do pracy. Kilka miesięcy wcześniej teściowie ustalili daty naszych ślubnych ceremonii, przysyłając pierwsze raty oficjalnie ustalonych cen za panny młode – wieprzowinę i słodycze, a także puste drewniane skrzynie, które miałyśmy napełnić posagiem. Ostatnią i najważniejszą część opłaty stanowił nadesłany jedwab.

Wspominałam już, że mama i stryjenka tkały materiały dla naszej rodziny; Piękny Księżyc i ja też już dobrze radziłyśmy sobie z tym zadaniem. Mimo usilnych starań, owoce naszych wysiłków mogę dziś określić krótko – było to domowe, szorstkie płótno. Ojciec i stryj uprawiali bawełnę, my, kobiety, oczyszczałyśmy ją, a potem woskiem malowałyśmy wzory na tkaninie i farbowałyśmy ją na niebieski kolor, lecz oczywiście wosku i barwnika używałyśmy bardzo oszczędnie.

Materiał na moje nowe stroje mogłam porównać tylko z tunikami, spodniami i nakryciami głowy Kwiatu Śniegu z pięknych tkanin pokrytych wyrafinowanymi wzorami i doskonale uszytymi. Jednym z jej strojów, które najbardziej lubiłam, był kostium z płótna w kolorze indygo. Wspaniały deseń i krój tuniki o niebo przewyższały wszystko, co wytwarzały lub posiadały mężatki z Puwei, tymczasem Kwiat

Śniegu nosiła ten cudowny ubiór na co dzień, aż wreszcie mankiety zaczęły się strzępić. Próbuję powiedzieć, że materiał i krój tych rzeczy były dla mnie prawdziwą inspiracją. Bardzo chciałam uszyć sobie ładne ubrania, w których mogłabym zacząć nowe życie w Tongkou.

Bawełna przysłana przez moich teściów jako część zapłaty całkowicie odmieniła mój punkt widzenia. Był to mięciutki materiał, bez grudek i węzełków, przyciągający wzrok ciekawymi wzorami i ufarbowany na intensywny błękit indygo, tak ceniony przez ród Yao. Gdy otrzymałam ten prezent, zrozumiałam, ile jeszcze muszę się nauczyć, chociaż nawet taka bawełna była niczym w porównaniu z jedwabiem. Dostałam materiały nie tylko doskonałej jakości, ale także idealnej barwy – czerwony na strój ślubny i na rocznice, fioletowy i zielony, oba odpowiednie dla młodej mężatki, szary błękit koloru nieba przed burzą i niebieskawą zieleń koloru stawu latem na lata dojrzałe i okres wdowieństwa, czarny i ciemnoniebieski dla mężczyzn z mojego nowego domu. Niektóre sztuki jedwabiu były gładkie, inne ozdobione motywami piwonii i chmur, a także wzorami symbolizującymi szczęście małżeńskie.

Bele jedwabiu i bawełny od moich teściów miały być przeznaczone na stroje posagowe, podobnie jak materiały, które dostały Piękny Księżyc i Kwiat Śniegu. Musiałyśmy uszyć tyle kołder, poszewek, butów i ubrań, aby wystarczyły nam na całe życie, ponieważ kobiety z rodu Yao uważają, że nie powinny przyjmować niczego od nowych rodzin. Ach, te kołdry! Szyjąc je, umierałyśmy z nudów i gorąca, ale wszyscy wierzą, że im więcej kołder wniesiemy do domu teściów, tym więcej będziemy miały dzieci, więc ściboliłyśmy je bez końca.

Najwięcej radości czerpałyśmy z szycia butów. Robiłyśmy je dla naszych mężów, teściowych, teściów i wszystkich, którzy mieszkali w naszym nowym domu, wliczając braci, siostry, szwagierki i dzieci. (Miałam dużo szczęścia, bo mój mąż był najstarszym synem i miał tylko trzech braci, a buty dla mężczyzn nie wymagają tylu zdobień, ile buty dla kobiet, więc szyłam je dość szybko. Sytuacja Pięknego Księżyca była znacznie gorsza – w jej nowym domu był jeden syn, jego rodzice, pięć sióstr, stryjenka, stryj oraz troje ich dzieci). Poza tym musiałyśmy uszyć szesnaście par butów dla siebie, po cztery na każdą porę roku. Wiedziałyśmy, że nasze obuwie będzie przedmiotem wyjątkowo badawczych spojrzeń, ale nie przeszkadzało nam to, bo naprawdę bardzo się starałyśmy, od chwili wykrojenia podeszwy aż po ostatni ścieg haftu. Szycie butów pozwalało nam wykazać się nie tylko zdolnościami artystycznymi, lecz także technicznymi, no i nasuwało rozmaite radosne skojarzenia, ponieważ w naszym dialekcie wyraz „but" brzmi dokładnie tak samo jak „dziecko". Wierzyłyśmy, że im więcej uszyjemy butów, tym więcej dzieci urodzimy, tak samo jak z kołdrami, tyle że robienie obuwia wymaga delikatności, gdy tymczasem szycie kołder jest naprawdę ciężką pracą. Pracowałyśmy we trzy i rywalizowałyśmy ze sobą w najbardziej przyjacielskim duchu, starając się projektować najpiękniejsze wzory oraz służąc sobie nawzajem radą i zachętą.

Wszyscy członkowie naszych przyszłych rodzin przysłali wycięte wzory swoich stóp. Nie znałyśmy naszych mężów i nie wiedziałyśmy, czy są wysocy, czy ospowaci, ale znałyśmy wielkość ich stóp. Byłyśmy młodymi dziewczętami, wielkimi romantyczkami, co typowe dla tego wieku, i patrząc na te wzory, wyobrażałyśmy sobie najrozmaitsze rzeczy na temat naszych mężów. Niektóre okazały się zgodne z prawdą, lecz większość nie.

Posługując się szablonami, wycinałyśmy podeszwy z bawełny, potem kleiłyśmy je po trzy, aby były wystarczająco grube, następnie układałyśmy na parapecie, żeby wyschły. W upalne dni świąt Chwytania Chłodnych Podmuchów płótno schło bardzo szybko. Po wysuszeniu zszywałyśmy je, tworząc solidną podeszwę. Tę część buta zwykle tylko obszywa się ryżowym ściegiem, ale my chciałyśmy zrobić jak najlepsze wrażenie na nowych rodzinach, więc ozdabiałyśmy je haftami – rozkładający skrzydła motyl dla męża, rozkwitła chryzantema dla teściowej, świerszcz na gałęzi dla teścia. Tyle pracy włożonej tylko w same podeszwy! Dziś nie chce mi się o tym myśleć, ale wtedy wierzyłyśmy, że jest to przesłanie dla ludzi, którzy, jak miałyśmy nadzieję, obdarzą nas szczerym uczuciem.

Jak już mówiłam, tego lata święta przypadły na okres nieznośnych upałów. Codziennie zlewałyśmy się potem w izbie na piętrze, a na dole było tylko trochę lepiej. Piłyśmy dużo herbaty, licząc, że odświeżymy w ten sposób nasze ciała, lecz nawet w najlżejszych letnich tunikach i spodniach wciąż było nam potwornie gorąco. Pewnie dlatego często przywoływałyśmy przyjemne wspomnienia z lat dziecinnych. Ja opowiadałam, jak brodziłam w rzece, Piękny Księżyc wspominała, że późną jesienią biegła przez pole, czując, jak ostre powietrze szczypie ją w policzki. Kwiat Śniegu była kiedyś na północy razem z ojcem i poznała wtedy tchnienie lodowatego wiatru, który uderza w nasz kraj od Mongolii. Szybko się okazało, że te wspomnienia wcale nie niosą ukojenia, wręcz przeciwnie, jeszcze pogarszają samopoczucie.

W końcu ojciec i stryj zlitowali się nad nami. Najlepiej wiedzieli, jak wyczerpująca jest taka pogoda, bo razem z moimi braćmi codziennie pracowali w polu, w promieniach brutalnie palącego słońca. Byliśmy ubodzy, więc nie mieliśmy wewnętrznego dziedzińca, na którym można by poszukać ochłody, ani ogrodu czy lasu, dokąd mogliby nas zanieść tragarze i gdzie byłybyśmy całkowicie zasłonięte przed oczami obcych. Ojciec wyjął z kufra mamy sztukę płótna i z pomocą stryja rozpiął dla nas baldachim przy lewej ścianie domu, a potem rozłożył na ziemi kilka pikowanych zimowych kołder, żebyśmy miały na czym usiąść.

– W ciągu dnia mężczyźni są na polach – powiedział. –

Więc nie zobaczą was tutaj. Dopóki pogoda się nie zmieni, możecie tu pracować, nie mówcie tylko nic waszym matkom...

Piękny Księżyc była przyzwyczajona do przebywania poza domem, bo dość często odwiedzała domy swoich zaprzysiężonych sióstr, uczestnicząc w spotkaniach hafciarek, lecz ja od dziecięcych lat niewiele czasu spędzałam na dworze. Oczywiście, wychodziłam z domu, żeby wsiąść do palankinu pani Wang i zebrać warzywa w ogródku, ale poza tym wolno mi było tylko wyglądać przez okno, wychodzące na biegnącą w pobliżu alejkę. Od dawna nie czułam rytmu wioski.

Byłyśmy bardzo szczęśliwe – nadal spocone, ale szczęśliwe. Siedziałyśmy w cieniu, czułyśmy na skórze lekki powiew chłodnego wiatru, zgodnie z obietnicą zawartą w nazwie świąt, i wyszywałyśmy wierzchnią część butów albo wykańczałyśmy całość. Piękny Księżyc szyła czerwone ślubne pantofelki, najważniejsze ze wszystkich. Na jedwabiu rozkwitały różowe i białe kwiaty lotosu, symbole niewinności i płodności panny młodej. Kwiat Śniegu właśnie skończyła błękitne jak niebo buciki z motywem chmur, przeznaczone dla teściowej i postawiła je obok nas na kołdrze. Były wykwintne i eleganckie, i samym wyglądem przypominały, że we wszystkich naszych pracach zawsze będziemy się starały osiągnąć najlepszy wzór. Patrzyłam na nie z przyjemnością, ponieważ kojarzyły mi się z tuniką, którą moja *laotong* miała na sobie w dniu pierwszego spotkania. Ale nostalgiczne wspomnienia nie interesowały Kwiatu Śniegu, która od razu zabrała się do szycia następnej pary, tym razem dla siebie, z fioletowego jedwabiu z białymi lamówkami. Kiedy zapiszemy obok siebie znaki „fioletowy" i „biały", można je odczytać jako „dużo dzieci". Jak zwykle w przypadku Kwiatu Śniegu, inspiracją dla motywów jej zdobień było niebo – tym razem na niewielkich skrawkach jedwabiu zrywały się do lotu ptaki i inne latające stworzenia. Sama kończyłam buty dla teściowej. Jej stopy były trochę większe od moich i byłam bardzo dumna, że będzie musiała uznać mnie za godną swojego syna, choćby tylko ze względu na wielkość stóp. Nie poznałam jeszcze przyszłej teściowej i nie miałam pojęcia, jakie ma upodobania, ale w te upalne dni mogłam myśleć wyłącznie o chłodzie. Zaprojektowany przeze mnie wzór obejmował całą wierzchnią część buta, tworząc obraz przedstawiający kobiety odpoczywające w cieniu wierzb nad strumieniem. Była to fantazja, tak samo jak mityczne stworzenia na bucikach Kwiatu Śniegu.

Ładnie wyglądałyśmy, siedząc na kołdrach z podwiniętymi nogami – trzy młode panny, wszystkie zaręczone z synami z dobrych domów, pogodnie pracujące nad posagiem i okazujące uprzejmość wszystkim, którzy się zbliżali. Mali chłopcy przystawali na chwilę, chcąc porozmawiać, a potem biegli dalej, żeby nazbierać chrustu lub zaprowadzić bawołu nad rzekę. Opiekujące się rodzeństwem dziewczynki pozwalały nam potrzymać malutkich braci czy siostrzyczki. Wyobrażałyśmy sobie wtedy, jak to będzie, kiedy przyjdzie nam zajmować się własnymi dziećmi. Stare wdowy o zabezpieczonej pozycji podchodziły, aby trochę poplotkować, obejrzeć hafty i pochwalić naszą jasną skórę.

Piątego dnia pojawiła się pani Gao. Właśnie wróciła z wioski Getan, gdzie negocjowała warunki jakiegoś małżeństwa, a ponieważ przy okazji dostarczyła nasze listy starszej siostrze, teraz przywiozła odpowiedź. Żadna z nas nie lubiła pani Gao, ale wychowano nas w szacunku dla starszych. Zaproponowałyśmy jej herbatę, lecz odmówiła. Nie mogła już liczyć, że zarobi na naszej rodzinie, więc tylko wręczyła mi list i wsiadła do palankinu. Patrzyłyśmy w ślad za nią, dopóki nie znikła za rogiem, a gdy to się stało, natychmiast chwyciłam igłę do haftu i podważyłam nią pieczęć z pasty ryżowej. Z powodu wydarzeń, jakie miały miejsce jeszcze tego samego dnia, a także dlatego, że starsza siostra użyła tylu podstawowych zwrotów *nu shu*, sądzę, iż mogę dość dokładnie odtworzyć jej list:

Rodzino,

Sięgam dziś po pędzelek, a serce na skrzydłach leci do domu.
Piszę do mojej rodziny, z wyrazami szacunku dla drogich rodziców, stryjenki i stryja.
Kiedy wracam myślami do minionych dni, łzy nie mogą przestać płynąć.
Wciąż jest mi smutno, że odeszłam z domu.
Noszę w brzuchu dziecko, jest mi ciężko i przy tej pogodzie okropnie gorąco.
Teściowie są złośliwi.
Wykonuję wszystkie domowe prace.
W ten upał niepodobna nikogo zadowolić.
Siostro, kuzynko, dbajcie o mamę i tatę.
Jedyna nadzieja dla nas, kobiet, leży w tym, że nasi rodzice będą długo żyli.
Dopóki żyją, mamy gdzie wracać na święta.
W naszym rodzinnym domu zawsze są ludzie, którym jesteśmy drogie.
Proszę, bądźcie dobre dla naszych rodziców.

Wasza córka, siostra i kuzynka

Skończyłam czytać list i zamknęłam oczy. Zamyśliłam się. Tyle łez w życiu starszej siostry, tyle radości w moim... Cieszyłam się, że przestrzegamy zwyczaju, zgodnie z którym kobieta na stałe przenosi się do domu męża dopiero tuż przed narodzinami pierwszego dziecka. Miałam przed sobą jeszcze dwa lata do ślubu, a później prawdopodobnie jakieś dwa, może nawet trzy do ostatecznej przeprowadzki.

Z zamyślenia wyrwał mnie dźwięk podobny do cichego szlochu. Szybko otworzyłam oczy i spojrzałam na Kwiat Śniegu, która wpatrywała się w coś po prawej stronie z wyrazem zdziwienia na twarzy. Podążając za jej wzrokiem, popatrzyłam na Piękny Księżyc, która dziwnym gestem omiatała dłonią szyję i ciężko oddychała.

– Co się dzieje? – zapytałam.

Klatka piersiowa Pięknego Księżyca unosiła się z wyraźnym trudem, jakby przygniatał ją jakiś ogromny ciężar, a towarzyszył temu chropowaty poświst, którego brzmienia nigdy nie zapomnę.

Spojrzała na mnie pięknymi oczami. Jej dłoń przestała się poruszać i przywarła do boku szyi. Nie próbowała się podnieść. Nadal siedziała z podwiniętymi nogami, nadal wyglądała jak młoda dama, która odpoczywa w cieniu w gorące popołudnie, trzymając robótkę na kolanach, dostrzegłam jednak, że szyja pod dłonią zaczyna puchnąć.

– Kwiecie Śniegu, biegnij po pomoc! – powiedziałam. – Sprowadź tatę i stryja, tylko szybko!

Kątem oka widziałam, jak Kwiat Śniegu biegnie chwiejnie na drobniutkich stópkach. Jej głos, nienawykły do ostrych, zdecydowanych tonów, brzmiał drżąco i niepewnie.

– Pomocy! Pomocy!

Pośpiesznie przysunęłam się do Pięknego Księżyca. Na kawałku materiału, który haftowała, zobaczyłam konającą pszczołę. Jej żądło musiało utkwić w szyi kuzynki. Chwyciłam jej drugą dłoń i przytrzymałam ją. Otworzyła usta. Wewnątrz język puchł, wzdymał się jak balon.

– Co mam zrobić? – zapytałam. – Chcesz, żebym spróbowała wyjąć żądło?

Obie wiedziałyśmy, że już na to za późno.

– Podać ci wody?

Piękny Księżyc nie była w stanie odpowiedzieć. Wciągała powietrze tylko nosem, za każdym razem z większym trudem.

Gdzieś z wioski dobiegał głos Kwiatu Śniegu.

– Ojcze! Stryju! Starszy bracie! Ludzie, na pomoc!

Te same dzieci, które odwiedzały nas w ostatnich kilku dniach, teraz zgromadziły się dookoła kołdry, z szeroko otwartymi ustami patrząc, jak szyja, język, powieki i ręce Pięknego Księżyca puchną coraz bardziej. Skóra straciła przyrodzoną jasną barwę, której dziewczynka zawdzięczała swoje imię, i przybrała najpierw odcień różu, potem czerwieni, fioletu i wreszcie ciemnego błękitu. Wyglądała jak istota z historii o duchach. Przyszło kilka wdów z Puwei, zatrzymały się w odległości kilku kroków, współczująco trzęsąc głowami.

Piękny Księżyc patrzyła mi prosto w oczy. Ręka spuchła jej tak bardzo, że palce przypominały kiełbaski, skóra była błyszcząca i napięta, wydawało się, iż lada chwila zacznie pękać. Wciąż trzymałam tę potworną łapę w dłoni.

– Posłuchaj mnie, zaraz będzie tu twój ojciec – błagałam. – Zaczekaj na niego! On cię tak kocha! Wszyscy cię kochamy, Piękny Księżycu, słyszysz mnie?

Stare kobiety zaczęły płakać, dzieci tuliły się do siebie. Życie na wsi jest naprawdę trudne i ciężkie. Kto z nas nie widział śmierci? Ale z pewnością rzadko można było zobaczyć taką odwagę, spokój i piękno skupienia w ostatnich chwilach życia...

– Zawsze byłaś dobrą kuzynką – powiedziałam. – Zawsze cię kochałam. Będę cię czcić do śmierci...

Piękny Księżyc wzięła jeszcze jeden oddech, powoli, z dziwnym, skrzypiącym odgłosem. Jej ciało nie wchłaniało już powietrza.

– Piękny Księżycu, Piękny Księżycu...

Przerażający dźwięk ustał. Jej oczy przeistoczyły się w wąziutkie szparki w straszliwie zniekształconej twarzy, ale patrzyła na mnie trzeźwo i przytomnie. Słyszała każde słowo, które mówiłam. W ostatniej chwili życia, kiedy nie mogła ani wciągnąć powietrza, ani go wypuścić, próbowała przekazać mi wiele wiadomości, w każdym razie tak mi się wydawało. „Powiedz mamie, że ją kocham. Powiedz tacie, że go kocham. Powiedz swoim rodzicom, że jestem im wdzięczna za wszystko, co dla mnie zrobili. Nie pozwól, żeby mężczyźni mnie opłakiwali". Potem głowa opadła jej na piersi.

Nikt się nie poruszył. Wszyscy zastygli, zupełnie jak na obrazku, który haftowałam na bucikach. Tylko łkanie i ciche zawodzenie świadczyły, że wydarzyło się coś strasznego.

Stryj biegiem pokonał alejkę i przepchnął się pomiędzy

ludźmi do kołdry, na której siedziałam z Pięknym Księżycem. Wyglądała tak spokojnie, że to chyba na sekundę obudziło nadzieję w jego sercu, niestety, wyraz malujący się na mojej twarzy i twarzach innych natychmiast mu ją odebrał. Z piersi wydarł mu się okropny krzyk. Osunął się na kolana. Kiedy z bliska ujrzał twarz Pięknego Księżyca, zawył przerażająco. Niektóre mniejsze dzieci rzuciły się do ucieczki. Stryj był tak spocony po pracy w polu i biegu, że wyraźnie czułam jego ostry zapach. Łzy spływały mu po policzkach, nosie i brodzie, i znikały pod mokrą od potu tuniką.

Po chwili obok mnie ukłąkł tata. Parę sekund później przez tłum przedarł się zdyszany starszy brat, niosący na plecach Kwiat Śniegu.

Stryj wciąż przemawiał do Pięknego Księżyca.

– Obudź się, malutka. Obudź się... Zaraz poślę po twoją mamę, ona cię potrzebuje... Obudź się. Obudź się.

Jego brat, a mój ojciec, chwycił go za ramię.

– Nie możemy już jej pomóc...

Stryj przybrał pozę dziwnie podobną do pozy Pięknego Księżyca – opuścił głowę na piersi, podkulił nogi, złożył dłonie na kolanach. Wyglądał naprawdę podobnie, zasadniczą różnicą była jednak rozpacz, która łzami spływała po twarzy i szarpała ciałem.

– Chcesz wziąć ją sam, czy ja mam to zrobić? – zapytał tata.

Stryj potrząsnął głową. Bez słowa wyprostował jedną nogę, żeby złapać równowagę, potem wziął Piękny Księżyc w ramiona i zaniósł do domu. Nikt z nas nie myślał przytomnie, tylko Kwiat Śniegu zachowała jasność umysłu. Szybko podeszła do stołu w głównej izbie i zestawiła z niej filiżanki, które zostawiłyśmy dla mężczyzn, by mogli napić się herbaty po powrocie z pola. Stryj położył na stole Piękny Księżyc. Dopiero teraz wszyscy zobaczyli, jak pszczeli jad zeszpecił jej twarz i ciało. Nie mogłam pozbyć się myśli, że trwało to najwyżej pięć minut, nie więcej.

Kwiat Śniegu znowu przejęła kontrolę nad sytuacją.

– Przepraszam, ale trzeba zgromadzić w domu całą rodzinę – przypomniała.

Stryj uświadomił sobie, że oznacza to konieczność powiadomienia stryjenki o śmierci córki i zapłakał jeszcze rozpaczliwiej. Nie mogłam myśleć o stryjence, nie wyobrażałam sobie jej reakcji. Piękny Księżyc była jej jedynym prawdziwym szczęściem. Byłam tak wstrząśnięta śmiercią kuzynki, że wcześniej niewiele czułam. Teraz nogi ugięły się pode mną, a oczy wezbrały łzami smutku i litości nad stryjenką i stryjem. Kwiat Śniegu otoczyła mnie ramieniem i podprowadziła do krzesła, przez cały czas wydając innym polecenia.

– Starszy bracie, biegnij do rodzinnej wioski stryjenki. Masz tu trochę pieniędzy, wynajmij dla niej palankin. Potem biegnij do wioski twojej matki i sprowadź ją tutaj. Będziesz musiał przynieść ją na plecach, tak jak mnie, więc może poproś o pomoc drugiego brata. Tak czy inaczej, pośpiesz się, bo stryjenka będzie jej potrzebowała...

Potem czekaliśmy. Stryj usiadł przy stole, ukrył twarz w tunice Pięknego Księżyca i rozpłakał się tak żałośnie, że na tkaninie pojawiły się ciemniejsze plamy, podobne do chmur. Ojciec starał się go pocieszyć, ale nie miało to najmniejszego sensu. Nic nie mogło go pocieszyć. Wszyscy, którzy twierdzą, że ludzie z plemienia Yao mają swoje córki za nic, są kłamcami. Możliwe, że jesteśmy bezwartościowe i że rodzice wychowują nas dla innej rodziny, ale jakże często obdarzają nas miłością i czułością, nawet jeśli usiłują stłumić w sobie te uczucia. Gdyby było inaczej, dlaczego w naszym sekretnym piśmie tak często powtarzałyby się takie zwroty, jak: „Byłam perłą w dłoni mojego ojca"? Może jako rodzice usiłujemy nie przywiązywać się do córek. Może... Wiem, że i ja ze wszystkich sił starałam się nie kochać mojej córki, ale co mogłam na to poradzić? Karmiłam ją piersią tak samo jak synów, ocierałam łzy, a ona przyniosła mi chlubę, wyrastając na dobrą, utalentowaną kobietę, płynnie posługującą się *nu shu*. Perła stryja na zawsze opuściła jego dłoń.

Wpatrywałam się w twarz Pięknego Księżyca, wspominając, jak bardzo byłyśmy sobie bliskie. W tym samym czasie skrępowano nam stopy. Zaręczyłyśmy się z mężczyznami z tej samej wioski. Jej życie i moje były od początku złączone, a teraz los rozdzielił nas z okrutną gwałtownością. Kwiat Śniegu zajęła się nami. Zaparzyła herbatę, której nikt nie wypił, obeszła cały dom, szukając niebarwionych żałobnych ubrań, wytrzepała je i przygotowała. Potem stanęła przy drzwiach i witała wszystkich, którzy dowiedzieli się o nieszczęściu i przybyli do naszego domu. Pani Wang przyjechała w palankinie i Kwiat Śniegu wpuściła ją do głównej izby. Obawiałam się, że swatka zacznie narzekać z powodu straty pieniędzy za wyswatanie Pięknego Księżyca, lecz ona zapytała tylko, czy może jakoś pomóc. Przyszłość mojej kuzynki spoczywała w jej rękach, więc teraz czuła się zobowiązana do przeprowadzenia jej przez to ostatnie doświadczenie. Na widok zniekształconej twarzy Pięknego Księżyca i tych potwornych palców z przerażeniem podniosła rękę do ust. Na dworze i w domu panował straszny upał, nie mieliśmy do dyspozycji żadnego chłodnego miejsca, w którym można by złożyć ciało. Dla Pięknego Księżyca wydarzenia potoczyły się bardzo szybko.

– Ile czasu upłynie, nim powróci jej matka? – zapytała pani Wang.

Nie potrafiliśmy odpowiedzieć na to pytanie.

– Kwiecie Śniegu, owiń jej twarz muślinem i ubierz w wieczny strój. Zrób to od razu. Żadna matka nie powinna oglądać córki w takim stanie... – Kwiat Śniegu odwróciła się w kierunku schodów, ale pani Wang chwyciła ją za rękaw. – Pojadę do Tongkou i przywiozę twój żałobny strój. Nie opuszczaj tego domu, dopóki ci nie powiem.

Puściła Kwiat Śniegu, rzuciła ostatnie spojrzenie na Piękny Księżyc i wyśliznęła się na zewnątrz.

Kiedy przyjechała stryjenka, ojciec, stryj, moi bracia i ja byliśmy już odziani w pozbawione wszelkich ozdób stroje z surowego płótna. Ciało Pięknego Księżyca, od stóp do głów owinięte w muślin, zostało przysposobione do podróży na tamten świat. Tego dnia w naszym domu wylano wiele łez, lecz ani jedna nie popłynęła z oczu stryjenki. Chwiejąc się na swoich liliach, poszła prosto do córki. Wygładziła jej ubranie, położyła dłoń tam, gdzie znajdowało się serce Pięknego Księżyca, i stała tak kilka godzin.

Stryjenka zrobiła wszystko, co w tej sytuacji należało zrobić. Poszła na pogrzeb na kolanach. Spaliła papierowe pieniądze i ubrania przy grobie, aby Piękny Księżyc mogła użyć ich na tamtym świecie. Zebrała wszystkie zapisane ręką córki kawałki papieru i także spaliła. Potem zbudowała w domu mały ołtarzyk, na którym codziennie składała ofiary. Nie płakała w naszej obecności, ale nigdy nie zapomnę dźwięków, jakie rozlegały się w całym domu w nocy, kiedy stryjenka była już w łóżku. Wydawała jęki, wydobywające się z najgłębszego zakamarka jej duszy. Nikt z nas nie mógł zasnąć i nikt nie był w stanie jej pocieszyć. Moi bracia i ja staraliśmy się zachowywać jak najciszej; szczerze mówiąc, udawaliśmy, że w ogóle nas nie ma, ponieważ wiedzieliśmy, że nasze głosy i twarze będą tylko przypominać stryjence o okropnej stracie. Rano, gdy mężczyźni szli na pole, stryjenka zamykała się w swoim pokoju i nie chciała wyjść. Kładła się na boku, twarzą do ściany, nie jadła nic poza miseczką ryżu, którą przynosiła jej mama, i milczała przez cały dzień, aż do nocy, kiedy to w domu znowu rozbrzmiewały jej straszne jęki.

Każde dziecko wie, że część ducha odchodzi w zaświaty, a część zostaje z rodziną, lecz my w naszym regionie wierzymy też, iż duch młodej kobiety, zmarłej przed ślubem, wraca, aby prześladować inne niezamężne dziewczęta – nie po to, by je straszyć, ale by zabrać ze sobą na tamten świat i dzięki temu mieć towarzystwo. Kwiat Śniegu i ja czułyśmy, jak nieszczęście Pięknego Księżyca wraca do nas co noc w niesamowitych jękach stryjenki i szybko się zorientowałyśmy, że jesteśmy w niebezpieczeństwie.

Kwiat Śniegu wymyśliła plan.

— Trzeba zbudować wieżę z kwiatów – powiedziała pewnego ranka.

Wieża z kwiatów niewątpliwie była tym, co mogło uspokoić ducha mojej kuzynki. Zdawałyśmy sobie sprawę, że jeśli podarujemy jej dość dobrą wieżę, by mogła tam chodzić i się bawić, to będzie zadowolona i szczęśliwa, a wtedy Kwiat Śniegu i ja będziemy bezpieczne.

Niektórzy ludzie, głównie ci bogatsi, udają się do profesjonalnego budowniczego wież z kwiatów, ale my postanowiłyśmy ją zbudować same. Oczami wyobraźni widziałyśmy wielopoziomową wieżę, coś w rodzaju siedmiopiętrowej pagody. U wejścia postawiłyśmy parę psów foo, a na ścianach od wewnątrz naszym sekretnym pismem namalowałyśmy wiersze. Jeden poziom przeznaczony był na tańce, drugi na unoszenie się w powietrzu. Skonstruowałyśmy izbę sypialną, z gwiazdami i księżycem na suficie. Na kolejnym poziomie urządziłyśmy izbę dla kobiet z okienkami przesłoniętymi wycinanymi papierowymi roletami, przez otwory w nich można było wyglądać na wszystkie strony. Zbiłyśmy z deseczek stolik, na którym ułożyłyśmy kawałki nici w naszych ulubionych kolorach, trochę tuszu, papier i pędzelek, żeby Piękny Księżyc mogła haftować lub pisać w *nu shu* listy do swoich nowych przyjaciółek ze świata duchów. Z poskręcanych kawałków kolorowego papieru zrobiłyśmy figurki służących i animatorów rozmaitych gier i zabaw, aby na każdym poziomie mogła znaleźć towarzystwo i rozrywkę. Kiedy nie pracowałyśmy nad wieżą, układałyśmy lament, który chciałyśmy zaśpiewać, aby przynieść mojej kuzynce spokój i ukojenie. Gdyby wieża z kwiatów spodobała się Pięknemu Księżycowi na tyle, że zdecydowałaby się bawić w niej przez całą wieczność, nasze słowa byłyby ostatecznym pożegnaniem, przekazanym ze świata ludzi żyjących.

W dniu, kiedy wreszcie załamała się pogoda, Kwiat Śniegu i ja poprosiłyśmy o pozwolenie udania się na grób Pięknego Księżyca i otrzymałyśmy je. Nie była to duża odległość – znacznie mniejsza niż ta, którą pokonała Kwiat Śniegu w poszukiwaniu ojca i stryja w dzień śmierci mojej kuzynki. Kilka minut siedziałyśmy w milczeniu przy grobie, następnie Kwiat Śniegu podpaliła wieżę. Obserwowałyśmy płomienie, wyobrażając sobie, jak wieża trafia w zaświaty i jak Piękny Księżyc z zachwytem ogląda wszystkie jej poziomy. Wreszcie wyciągnęłam kawałek papieru, na którym napisałyśmy w *nu shu* nasze przesłanie do zmarłej, i zaczęłyśmy śpiewać.

Piękny Księżycu, mamy nadzieję, że wieża z kwiatów przyniesie ci spokój.
Mamy nadzieję, że zapomnisz o nas, lecz my nigdy nie zapomnimy o tobie.
Będziemy czcić twoją pamięć i uprzątać twój grób w Święto Wiosny.
Nie pozwól, aby twoje myśli błąkały się bezładnie.
Żyj w wieży z kwiatów i bądź szczęśliwa.

Wróciłyśmy do domu i w izbie na piętrze zapisałyśmy lament na fałdach naszego wachlarza, kreśląc znaki na zmianę – jeden ja, drugi Kwiat Śniegu. Gdy skończyłyśmy, domalowałam w girlandzie na górnej krawędzi niewielki półksiężyc, smukły i skromny jak Piękny Księżyc.

Wieża z kwiatów ochroniła Kwiat Śniegu i mnie, obdarzając spokojem ducha Piękny Księżyc, ale nie pomogła stryjence i stryjowi, których naprawdę nic nie mogło pocieszyć. Nie miałyśmy wątpliwości, że tak to miało być. Wszyscy jesteśmy zdani na łaskę i niełaskę pięciu żywiołów i możemy tylko kroczyć ścieżką wytyczoną przez los. Najpełniej można to wyjaśnić przez *yin* i *yang*: na świecie istnieją kobiety i mężczyźni, ciemność i światło, smutek i radość. Przeciwieństwa tworzą równowagę. Przeżywamy chwile najwyższego szczęścia, jak ta, którą los dał Kwiatowi Śniegu i mnie na początku świąt, potem zaś nadchodzi moment wielkiego cierpienia – śmierć Pięknego Księżyca. Widzimy dwoje szczęśliwych ludzi jak stryjenka i stryj, a już w krótkim czasie stają się oni rozbitkami, którzy nie mają po co żyć, a po śmierci mojego ojca będą zdani na litość i wielkoduszność starszego brata... Wyobraźcie sobie niezamożną rodzinę, taką jak moja, która żyje w napięciu wywołanym zbyt wieloma planowanymi ślubami i... Wszystko to zakłóciło równowagę we wszechświecie, więc bogowie uporządkowali powstały nieład, zadając śmiertelny cios dobrej dziewczynie. Nie ma życia bez śmierci – takie jest prawdziwe znaczenie *yin* i *yang*.

Ślubny palankin

Dwa lata po śmierci Pięknego Księżyca moje włosy, upinane od dnia piętnastych urodzin, zostały uczesane w kształt smoka, fryzurę jak najbardziej odpowiednią dla młodej kobiety, która wkrótce wychodzi za mąż. Moi teściowie przysłali więcej materiałów, pieniądze na moje własne wydatki oraz biżuterię – kolczyki, pierścienie i naszyjniki, wszystko ze srebra i nefrytu. Ofiarowali także moim rodzicom trzydzieści woreczków kleistego ryżu, co całkowicie wystarczało na wyżywienie rodziny oraz przyjaciół, którzy mieli składać nam wizyty w nadchodzących dniach, a także połowę wieprzka – ojciec podzielił mięso, a moi bracia roznieśli je mieszkańcom Puwei, aby wiedzieli, że trwające miesiąc obchody ślubne oficjalnie się rozpoczęły. Najbardziej jednak zaskoczył i uradował tatę dar w postaci młodego bawołu, oczywisty dowód, że opłaciła się ciężka praca, jaką rodzina włożyła w przygotowanie mnie na wyjątkową przyszłość. Dzięki temu prezentowi ojciec stał się jednym z trzech najzamożniejszych ludzi w wiosce.

Kwiat Śniegu przyjechała na cały miesiąc Siedzenia i Śpiewania w izbie na górze. W ciągu tych ostatnich czterech tygodni końcowych prac nad posagiem dużo mi pomagała i stałyśmy się sobie jeszcze bliższe. Obie nadal miałyśmy mętne i bardzo naiwne wyobrażenie na temat życia w małżeństwie, wiedziałyśmy jednak, że nic nie może się równać z ukojeniem i pociechą, a takie uczucia ogarniały nas, gdy obejmowałyśmy się mocno – nic nie mogło być tak cudowne jak ciepło naszych ciał, miękkość skóry i delikatne zapachy. Nic nie mogło odmienić naszej wzajemnej miłości – patrząc w przyszłość, byłyśmy przekonane, że będziemy przeżywać ją wspólnie.

Siedzenie i Śpiewanie w izbie na górze było początkiem głębszego związku między nami. Po dziesięciu latach nasza przyjaźń miała wkroczyć w nowe, ważniejsze stadium. Za dwa, trzy lata, po przeprowadzce do nowych domów, miałyśmy często składać sobie wizyty. Nie wątpiłam, że nasi małżonkowie, obaj zamożni i cieszący się ogromnym szacunkiem, przydzielą nam palankiny specjalnie w tym celu.

Ponieważ nie miałam zaprzysiężonych sióstr, które mogłyby towarzyszyć mi w czasie tych ceremonii, moja matka, stryjenka, bratowa, starsza siostra (przyjechała do domu, znowu w ciąży) oraz kilka niezamężnych dziewcząt z Puwei świętowały wraz ze mną moje wielkie szczęście. Co jakiś czas przyłączała się też do nas pani Wang. Recytowałyśmy ulubione historie, czasem jedna z nas wybierała opowieść i zaczynała ją śpiewać. Zdarzało się też, że śpiewałyśmy o swoim życiu. Moja matka, dość zadowolona ze swojego losu, snuła *Opowieść o Dziewczynie Kwiecie*, natomiast stryjenka, wciąż w żałobie, doprowadzała nas do łez żałobnymi pieśniami.

Któregoś popołudnia, kiedy wyszywałam pasek do ślubnego stroju, przybyła pani Wang, aby zabawić nas *Opowieścią o żonie pana Wanga*. Usiadła na taborecie obok Kwiatu Śniegu, która z głębokim namysłem układała zdania do mojej księgi ślubnej trzeciego dnia, szukając najbardziej odpowiednich słów, jakimi mogłaby opowiedzieć o mnie moim przyszłym teściom. Chwilę rozmawiały cicho; słyszałam, jak Kwiat Śniegu mówi: „Tak, ciociu" i „Nie, ciociu". Kwiat Śniegu zawsze okazywała swatce dużo serca. Usiłowałam ją w tym naśladować, chociaż nie zawsze mi się udawało.

Kiedy pani Wang zobaczyła, że wszystkie czekamy, usadowiła się wygodnie, i rozpoczęła opowieść.

– Była raz cnotliwa kobieta o mocno ograniczonych możliwościach... – zaczęła.

W ostatnich latach pani Wang poważnie przybrała na wadze, co spowolniło jej ruchy i przydało aury pewnego dostojeństwa, także w mowie.

– Rodzina wydała ją za rzeźnika, najgorszy wybór dla kobiety, żarliwej wyznawczyni buddyzmu. Ponieważ przede wszystkim była jednak kobietą, wyszła za mąż i urodziła kilkoro dzieci, synów i córki. Tylko nadal nie chciała jeść mięsa zwierząt ani ryb. Codziennie godzinami recytowała sutry, zwłaszcza *Diamentową Sutrę*, a kiedy nie recytowała, błagała męża, aby przestał mordować zwierzęta. Ostrzegała go, że jeśli nie odstąpi od swego zawodu, w następnym życiu czeka go zła karma...

Swatka uspokajającym gestem położyła rękę na udzie Kwiatu Śniegu. Ja uznałabym tę poufałość za zbyt daleko posuniętą, ale moja przyjaciółka nie odepchnęła dłoni.

– Mąż Wang powiedział żonie, i ktoś może uznać to za słuszne, że jego rodzina para się tą profesją od niezliczonych pokoleń – ciągnęła pani Wang. – Recytuj dalej *Diamentową Sutrę*, rzekł, na pewno otrzymasz nagrodę w przyszłym życiu, tymczasem ja będę nadal zabijał zwierzęta i kupował ziemię, a w następnym życiu zostanę ukarany. Żona pana Wanga wiedziała, że jest skazana na potępienie, ponieważ dzieli łoże z małżonkiem. Kiedy ten postanowił sprawdzić jej znajomość *Diamentowej Sutry* i odkrył, że umie wyrecytować ją bez zająknienia, przydzielił jej własną izbę, aby mogła trwać w celibacie do końca ich małżeństwa. W tym samym czasie – dłoń pani Wang spoczęła na karku Kwiatu Śniegu – Władca Zaświatów rozesłał duchy na poszukiwanie ludzi wielkiej cnoty. Duchy wypatrzyły panią Wang i poddały ją obserwacji, a gdy przekonały się o jej czystości, zaprosiły kobietę, by odwiedziła zaświaty i tam recytowała *Diamentową Sutrę*. Pani Wang wiedziała, co to oznacza – duchy nakłaniały ją, aby umarła. Zaczęła je błagać, żeby pozostawiły ją na świecie ze względu na dzieci, niestety, duchy nie chciały słuchać próśb. Powiedziała więc mężowi, aby poślubił inną i pouczyła dzieci, żeby były grzeczne i posłuszne nowej żonie pana Wanga. Kiedy tylko wypowiedziała te słowa, padła martwa na podłogę. Pani Wang musiała przejść wiele prób, zanim wreszcie stanęła przed Władcą Zaświatów, który obserwował ją, pełen uznania dla jej cnotliwości i pobożności. Podobnie jak wcześniej mąż, on też kazał kobiecie wyrecytować *Diamentową Sutrę* i chociaż opuściła dziewięć słów, był tak zachwycony efektem jej wysiłków, i tych ziemskich, i pośmiertnych, że w nagrodę pozwolił jej wrócić do świata żyjących pod postacią małego chłopca. Tym razem kobieta narodziła się w domu uczonego urzędnika, ale na podbiciu stopy miała wypisane prawdziwe imię. Pani Wang wiodła przykładne życie, ale była tylko kobietą – przypomniała nam swatka. – Teraz, jako mężczyzna, odnosiła sukcesy we wszystkich dziedzinach. Osiągnęła najwyższą pozycję jako uczony, zdobyła bogactwo, zaszczyty i prestiż, jednak wciąż tęskniła za rodziną i pragnęła znowu być kobietą. W końcu została przedstawiona samemu cesarzowi. Opowiedziała mu swoją historię i poprosiła, by pozwolił jej wrócić do wioski męża. Cesarz, podobnie jak Władca Zaświatów, był głęboko poruszony odwagą i cnotą kobiety, ale dostrzegł w niej coś więcej – miłość do rodziny, i wysłał ją do wioski rzeźnika Wanga jako dworskiego urzędnika. Pani Wang przybyła na miejsce w aurze dostojeństwa i sławy. Kiedy mieszkańcy wioski zebrali się, aby oddać jej pokłon, zaskoczyła zgromadzenie, zdejmując męskie buty i ujawniając swoje prawdziwe imię. Powiedziała mężowi, który teraz był już bardzo stary, że chce znowu być jego żoną. Pan Wang wraz z dziećmi pośpieszył do jej grobu i otworzył go, a wtedy ukazał im się Nefrytowy Cesarz i oznajmił, że cała rodzina Wang przejdzie z tego świata w stan nirwany. I tak się stało...

Sądziłam, że pani Wang opowiada tę historię, aby przestrzec mnie, że mój mąż i jego rodzina, chociaż tak szanowani w okręgu, mogą robić rzeczy, które ktoś uznałby za niewłaściwe czy wręcz nieczyste. W naturze mężczyzny urodzonego pod znakiem Tygrysa leży też ognista gwałtowność i impulsywność, a to mogło znaczyć, że będzie lekceważył społeczność i gardził krępującymi nas tradycjami (przyznaję, że nie jest to tak fatalne jak wykonywanie zawodu rzeźnika, niemniej niebezpieczne). Ja, urodzona pod znakiem Konia, mogłam pomóc mężowi w zwalczaniu tych złych cech. Kobieta Koń powinna bez lęku przejmować kontrolę i wydobywać partnera z kłopotów – takie, moim zdaniem, było prawdziwe znacznie *Opowieści o żonie pana Wanga*. Może żona Wanga nie mogła skłonić męża, aby postępował tak, jak sobie życzyła, ale dzięki swojej świątobliwości i dobrym uczynkom uratowała od potępienia nie tylko jego, pomogła też osiągnąć nirwanę całej rodzinie. Jest to jedna z nielicznych dydaktycznych opowieści, które mają szczęśliwe zakończenie i tamtego późnojesiennego dnia na parę tygodni przed ślubem jej morał naprawdę poprawił mi nastrój.

Poza tym ceremonię Siedzenia i Śpiewania przeżywałam z mieszanymi uczuciami. Smuciło mnie zbliżające się rozstanie z rodziną, ale podobnie jak w przypadku krępowania stóp, również teraz starałam się widzieć mój ślub z pewnej perspektywy, nie tylko jako malutki widoczek z naszego okienka na piętrze, ale jako całą panoramę, rozległy widok, rozciągający się z okna palankinu pani Wang. Byłam przekonana, że czeka mnie nowa, lepsza przyszłość. Może wynikało to z mojego charakteru – Koń chętnie wędruje po świecie, jeśli tylko ma taką możliwość. Byłam szczęśliwa, że zobaczę nowe miejsca. Chciałabym oczywiście powiedzieć, że Kwiat Śniegu i ja podążałyśmy za naszą końską naturą jak za wytyczoną w horoskopie linią prostą, ale konie, podobnie jak ludzie spod tego znaku, nie zawsze są posłuszne. Często mówimy jedno, a robimy drugie. Czujemy coś, ale już zaraz nasze serca otwierają się w innym kierunku. Widzimy coś, ale nie rozumiemy, że klapki na oczach ograniczają nam pole widzenia. Dostojnie podążamy przed siebie dobrze znaną i lubianą ścieżką, gdy nagle kątem oka dostrzegamy drogę, aleję czy rzekę, które kuszą nas urokliwym wyglądem...

Tak właśnie sądziłam i myślałam, że Kwiat Śniegu, moja *laotong*, czuje dokładnie to co ja, ale ona wciąż była dla mnie tajemnicą. Ślub Kwiatu Śniegu miał się odbyć w miesiąc po moim, tymczasem nie sprawiała ona wrażenia ani podekscytowanej, ani zasmuconej. Wydawała się tylko dziwnie nieswoja i zamyślona, nawet kiedy w czasie rytualnych ceremonii śpiewała i pilnie pracowała nad księgą ślubną trzeciego dnia, którą miała otrzymać moja nowa rodzina. W końcu przyszło mi do głowy, że może bardziej niż ja denerwuje się nocą poślubną.

– Nie boję się tego – rzuciła lekko, kiedy składałyśmy i pakowałyśmy moje kołdry.

– Ja także nie – odparłam, ale bez wewnętrznego przekonania, że mówimy szczerze.

W dzieciństwie, kiedy jeszcze wolno mi było bawić się na dworze, wiele razy widziałam, jak robią to zwierzęta. Zdawałam sobie sprawę, że będę musiała robić coś podobnego, nie miałam jednak pojęcia, jak ma do tego dojść, ani jak powinnam się zachować, a Kwiat Śniegu, która zwykle wiedziała duzo więcej ode mnie, tym razem nie mogła mi pomóc. Obie czekałyśmy, aż wytłumaczy nam to jedna lub druga matka albo choćby swatka, wszak to one uczyły nas wszystkiego, co umiałyśmy i wiedziałyśmy.

Ponieważ obie czułyśmy się skrępowane tym tematem, usiłowałam skierować rozmowę na nasze plany w najbliższych tygodniach. Wyobrażałam sobie, że zaraz po ślubie, zamiast wracać do domu, udam się prosto do domu Kwiatu Śniegu na jej miesiąc Siedzenia i Śpiewania – musiałam przecież pomóc jej w przygotowaniach do ślubu, tak jak teraz ona służyła mi pomocą. Dziesięć lat czekałam na szansię odwiedzenia domu mojej *laotong* i teraz ta perspektywa podniecała mnie bardziej niż wizja spotkania z mężem, pewnie dlatego, że tyle słyszałam o domu i rodzinie przyjaciółki, gdy tymczasem o człowieku, którego miałam poślubić, nie wiedziałam prawie nic. Ale chociaż serce biło mi radością – w końcu miałam przekroczyć próg rodzinnego domu Kwiatu Śniegu! – ona sama traktowała tę sprawę z dziwnym roztargnieniem.

– Ktoś z domu twoich teściów na pewno cię do mnie przyprowadzi – powiedziała.

– Myślisz, że moja teściowa także weźmie udział w twoim Siedzeniu i Śpiewaniu? – zapytałam.

Bardzo cieszyłabym się, gdyby matka mojego męża zobaczyła mnie w towarzystwie *laotong*.

– Pani Lu jest osobą zbyt zajętą, ma wiele obowiązków. Kiedyś przejdą one na ciebie...

– Ale poznam twoją matkę, starszą siostrę i... Kto jeszcze będzie zaproszony?

Spodziewałam się, że mama i stryjenka też wezmą udział w obchodach Siedzenia i Śpiewania w domu Kwiatu Śniegu. Wszyscy traktowaliśmy ją jak najbliższą krewną, więc myślałam, że będzie jej zależało, aby przyjechały na przedślubny miesiąc.

– Będzie także ciocia Wang – powiedziała Kwiat Śniegu.

Sądziłam, że swatka zjawi się kilka razy w czasie ceremonii, podobnie jak w moim domu. Dla pani Wang wydanie nas za mąż było ukoronowaniem długich lat ciężkiej pracy, a to oznaczało zapłatę za cenne usługi. Nie wyobrażałam sobie, aby pominęła jakąkolwiek szansę, by zademonstrować innym kobietom – matkom potencjalnych klientek – wspaniałe rezultaty, jakie udało jej się osiągnąć.

– Nie wiem, co jeszcze zaplanowała moja matka, oczywiście poza obecnością cioci Wang – dodała Kwiat Śniegu. – Wszystko ma być niespodzianką...

W milczeniu złożyłyśmy kolejną kołdrę. Zerknęłam na twarz przyjaciółki, dziwnie napiętej, i po raz pierwszy od paru lat pozwoliłam znowu ogarnąć się fali przykrej niepewności. Czyżby Kwiat Śniegu nadal uważała, że jestem jej niegodna? Czy wstydziła się znajomości z moją matką i stryjenką? Nagle przypomniałam sobie, że to przecież jej Siedzenie i Śpiewanie... Wszystko powinno przebiegać zgodnie z życzeniami matki Kwiatu Śniegu, wszystko, co do najdrobniejszego szczegółu, to było oczywiste.

Ujęłam pasmo jej pięknych włosów i założyłam za drobne ucho.

– Nie mogę się już doczekać, kiedy poznam twoją rodzinę. Tak się na to cieszę...

Westchnęła.

– Martwię się, że może cię spotkać rozczarowanie. Tyle opowiadałam ci o mamie i tacie...

– I o Tongkou, i o twoim domu...

– A teraz nie wiem, czy wszystko to okaże się takie, jak sobie wyobraziłaś...

Roześmiałam się.

– Nie martw się, głuptasie. Wszystkie te obrazy zostały przecież namalowane twoimi pięknymi słowami.

Trzy dni przed ślubem rozpoczęły się ceremonie związane z Dniem Smutku i Niepokoju. Mama usiadła na czwartym schodku, kobiety z wioski przyszły słuchać lamentów i wszystkie zawodziły: *ku, ku, ku*, szlochając boleśnie. Kiedy mama i ja skończyłyśmy płakać i śpiewać, powtórzyłam cały rytuał z moim ojcem, stryjem, stryjenką oraz braćmi. Byłam odważna i niecierpliwie czekałam na rozpoczęcie nowego życia, to prawda, ale bardzo osłabiona głodówką, ponieważ pannie młodej nie wolno nic jeść przez ostatnie dziesięć dni przed ślubem. Czy przestrzegamy tego zwyczaju, aby odczuwać tym większy smutek przy rozstaniu z rodziną, być bardziej ustępliwymi i łagodnymi w nowych domach, czy może po to, żeby wydać się bardziej czystymi i niewinnymi naszym małżonkom? Jakże mogę odpowiedzieć na to pytanie? Wiem tylko, że mama,

145

podobnie jak większość matek, ukryła dla mnie kilka ugoto-
wanych na twardo jajek w izbie dla kobiet, niestety, dieta ta
nie podbudowała moich sił, a duch słabł z każdym nowym
wydarzeniem.

Następnego ranka obudziłam się drżąca ze zdenerwowania, lecz Kwiat Śniegu czuwała, gładząc mnie delikatnie po
policzku i uspokajając czułymi słowami. Tego dnia miałam
zostać przedstawiona teściom i bałam się tak bardzo, że nie
przełknęłabym ani kęsa, nawet gdyby mi pozwolono. Kwiat
Śniegu pomogła mi przywdziać ślubny strój, który sama
uszyłam – krótką, pozbawioną kołnierza kurtkę, ściągniętą
pasem, i długie spodnie. Wsunęła mi na ręce przysłane
przez rodzinę męża srebrne bransoletki, wpięła kolczyki
w uszy, spinki we włosy i wybrała naszyjnik. Bransoletki
brzęczały dźwięcznie, a srebrne amulety, które przyszyłam
do kurtki, cicho podzwaniały. Na nogach miałam czerwone
ślubne buciki, perełki i srebrne błyskotki, które były częścią
mojego nakrycia głowy, poruszały się przy każdym moim
kroku lub gdy drżałam ze wzruszenia. Ze stroiku na głowie
zwisały czerwone chwaściki, tworząc zasłonę przed moją
twarzą. Jeżeli chciałam w ogóle coś widzieć i stąpać z godnością, musiałam patrzeć prosto przed siebie.

Kwiat Śniegu sprowadziła mnie na dół. To, że nie widziałam zbyt dobrze, co się dookoła mnie dzieje, nie znaczyło, że moje serce i ciało były wolne od gwałtownych
uczuć. Słyszałam nierówne kroki matki, ciche głosy stryjenki i stryja, i zgrzyt nóg krzesła o podłogę, kiedy ojciec podniósł się z miejsca. Razem poszliśmy do świątyni przodków
w Puwei, gdzie podziękowałam przodkom za życie, które
otrzymałam od nich w darze. Przez cały czas Kwiat Śniegu
była tuż obok, prowadząc mnie alejkami, szepcząc pocieszające słowa i przypominając, że powinnam się śpieszyć,
bo już niedługo przyjadą teściowie.

Po powrocie do domu obie poszłyśmy na górę. Pragnąc
mnie uspokoić, Kwiat Śniegu mocno ściskała mi dłonie
i usiłowała opisać, co teraz robi moja nowa rodzina.

– Zamknij oczy i wyobraź sobie pięknie ubranych pana Lu i panią Lu. – Nachyliła się ku mnie, a czerwone chwaściki drżały, poruszane jej oddechem. – Wraz z przyjaciółmi i rodziną zdążają już do Puwei... Towarzyszy im orkiestra, która obwieszcza wszystkim, że tego dnia droga należy do nich – zniżyła głos. – A gdzie jest pan młody? Czeka na ciebie w Tongkou. Jeszcze dwa dni i wreszcie go zobaczysz...

Nagle usłyszałyśmy muzykę. Rzeczywiście, byli już prawie na miejscu. Kwiat Śniegu i ja podeszłyśmy do okienka, rozsunęłam chwaściki i wyjrzałam. Orkiestry ani pochodu nie było jeszcze widać, ale razem patrzyłyśmy, jak posłaniec idzie alejką, zatrzymuje się przed naszym progiem i podaje ojcu spisany na czerwonym papierze list, znak, że przybyła po mnie nowa rodzina.

Zaraz potem zza rogu wyłoniła się orkiestra i zbity tłum obcych ludzi. Gdy dotarli do domu, rozpoczęło się zwyczajowe zamieszanie. Wszyscy rzucali w orkiestrę liśćmi bambusa i oblewali jej członków wodą, śmiejąc się i żartując. Zawołano mnie na dół. Kwiat Śniegu znowu wzięła mnie za rękę i poprowadziła. Usłyszałam głosy kobiet, które śpiewały głośno: „Wychowanie córki i wydanie jej za mąż jest jak budowanie drogi, której mają używać inni".

Wyszłyśmy na zewnątrz i pani Wang przedstawiła sobie obie pary rodziców. W chwili gdy oczy teściów miały spocząć na mnie pierwszy raz, musiałam zachować się bez zarzutu, nie mogłam więc nawet szepnąć do Kwiatu Śniegu, aby powiedziała mi, jak wyglądają przybyli, ani jakie zrobiłam na nich wrażenie. Potem moi rodzice ruszyli przodem, prowadząc wszystkich do świątyni przodków, gdzie mieli wydać pierwszy z wielu ceremonialnych posiłków. Kwiat Śniegu i dziewczęta z naszej wioski usiadły wokół mnie. Podano specjalne potrawy oraz alkohol. Twarze gości i gospodarzy zarumieniły się, mężczyźni i stare kobiety rzucali pod moim adresem rozmaite żarty. Przez całe przyjęcie wyśpiewywałam lamenty, a kobiety mi odpowiadały. Ostatni przyzwoity posiłek jadłam siedem dni wcześniej i od zapachu jedzenia kręciło mi się w głowie.

Następnego dnia – Dnia Wielkiej Sali Śpiewania – rodzice wydali oficjalny obiad. Na widok publiczny wystawiono moje robótki ręczne i wszystkie księgi ślubne trzeciego dnia, Kwiat Śniegu, inne kobiety i ja śpiewałyśmy, a mama i stryjenka podprowadziły mnie do centralnego stołu. Kiedy usiadłam, teściowa postawiła przede mną miskę zupy, którą sama przygotowała – był to symbol dobroci mojej nowej rodziny. Gotowa byłam oddać wszystko, byle tylko przełknąć chociaż odrobinę.

Przez zasłonę z czerwonych chwaścików nie widziałam twarzy teściowej, lecz gdy spojrzałam w dół i ujrzałam złociste lilie, które wydawały się prawie tak maleńkie jak moje, ogarnęło mnie przerażenie. Nie włożyła specjalnej pary bucików, którą dla niej uszyłam, i natychmiast się zorientowałam dlaczego – haft na jej pantofelkach był znacznie piękniejszy od mojego. Poczułam się upokorzona. Nie miałam cienia wątpliwości, że moi rodzice są głęboko zawstydzeni, a teściowie rozczarowani.

W tym strasznym momencie Kwiat Śniegu stanęła u mego boku i ujęła mnie za ramię. Zgodnie ze zwyczajem, powinnam opuścić ucztujących, wyprowadziła mnie więc ze świątyni i razem poszłyśmy do domu. Pomogła mi wejść na górę i rozebrać się, zdjęła stroik, podała koszulę nocną i nocne pantofelki. Milczałam. Wspomnienie absolutnej doskonałości bucików mojej teściowej było jak kielich goryczy, ale bałam się ujawnić ze swoimi uczuciami, nawet wobec Kwiatu Śniegu. Nie chciałam, by ona także była mną rozczarowana.

Moja rodzina wróciła późno w nocy. Jeżeli chciałam otrzymać jakąś radę w sprawach łóżkowych, musiało się to stać teraz. Mama weszła do izby, a Kwiat Śniegu wyszła. Mama wyglądała na zmartwioną i nagle przez głowę przemknęła mi myśl, że może teściowie chcą się wycofać z kontraktu. Mama oparła laskę o krawędź łóżka i usiadła obok mnie.

– Zawsze ci powtarzałam, że prawdziwa dama nie pozwala, aby w jej życie wkradł się choćby cień brzydoty – powiedziała. – Mówiłam także, że piękno odnajdziesz tylko poprzez ból...

Skromnie skinęłam głową, chociaż w środku wszystko krzyczało we mnie z przerażenia. Mama rzeczywiście ciągle powtarzała mi te dwie myśli podczas krępowania stóp... Czy sprawy łóżkowe okażą się tak samo okropne? Czy to możliwe?

– Mam nadzieję, Lilio, że będziesz pamiętać, iż czasami nie da się uniknąć tego, co brzydkie. Musisz być dzielna. Obiecałaś komuś związek na całe życie. Bądź damą, na którą cię wychowaliśmy...

Potem wstała i podpierając się laską, niepewnym krokiem opuściła izbę. Jej słowa bynajmniej nie przyniosły mi ulgi, wręcz przeciwnie! Odwaga, siła i pragnienie przygód opuściły mnie w jednej chwili. Dopiero teraz naprawdę poczułam się jak panna młoda – wystraszona, smutna i bardzo przygnębiona myślą o opuszczeniu rodziny.

Kiedy Kwiat Śniegu wróciła i zobaczyła, że jestem blada z przerażenia, usiadła tam, gdzie wcześniej siedziała matka, i zaczęła mnie pocieszać.

– Przez dziesięć lat przygotowywałaś się na tę chwilę – przypomniała mi łagodnie. – Byłaś posłuszna zasadom podanym w *Pouczeniach dla kobiet*. Jesteś delikatna i miękka w mowie, lecz silna sercem. Nie uzywasz różu ani pudru. Umiesz prząść i tkać bawełnę i wełnę, szyć i haftować. Potrafisz gotować, sprzątać, prać, zawsze masz w pogotowiu świeżą herbatę i rozpalony ogień w palenisku. Dbasz o stopy, myjesz je dokładnie i nakładasz na skórę odpowiednią ilość pachnidła, zanim nałożysz czyste bandaże...

– A co ze sprawami łóżkowymi?

– Co masz na myśli? Twoja stryjenka i stryj znajdują w tym radość, a twoi rodzice robili to dość często, aby zapewnić sobie liczne potomstwo. Na pewno nie jest to tak trudne jak haftowanie czy sprzątanie, wierz mi.

Poczułam się odrobinę lepiej, ale Kwiat Śniegu jeszcze nie skończyła. Pomogła mi się wygodnie ułożyć, przytuliła się do moich pleców i dalej mnie chwaliła.

– Będziesz dobrą matką, bo jesteś rozważna i troskliwa – szeptała mi do ucha. – Będziesz też dobrą nauczycielką. Skąd to wiem? Przypomnij sobie, ilu rzeczy mnie nauczyłaś... – przerwała na chwilę, żeby mój umysł i ciało przyjęły jej słowa i ciągnęła: – Poza tym widziałam, jak wczoraj i dzisiaj patrzyli na ciebie ci Lu...

Odwróciłam się twarzą do niej.

– Powiedz mi. Powiedz mi wszystko...

– Pamiętasz, jak pani Lu podała ci zupę?

Oczywiście, że pamiętałam... To był początek doświadczenia, które uznałam za wieczne upokorzenie.

– Drżałaś na całym ciele – powiedziała Kwiat Śniegu. – Jak to zrobiłaś? Wszyscy zauważyli, co się z tobą dzieje, wszyscy mówili, jaka jesteś delikatna, krucha i skromna. Kiedy siedziałaś tak, z pochyloną głową, niczym obraz idealnej dziewicy, pani Lu spojrzała na swojego męża i uśmiechnęła się z aprobatą, a on odpowiedział uśmiechem. Wszystko będzie dobrze, zobaczysz. Pani Lu jest surowa, lecz ma dobre serce.

– Ale...

– I chyba w ogóle nie zauważyłaś, jak patrzyli na twoje stopy! Och, Lilio, jestem pewna, że wszyscy mieszkańcy wioski cieszą się na myśl, że kiedyś zostaniesz nową panią Lu! A teraz spróbuj zasnąć... Masz przed sobą wiele długich dni.

Leżałyśmy nieruchomo, zwrócone twarzami do siebie. Kwiat Śniegu, jak zwykle, delikatnie położyła dłoń na moim policzku.

– Zamknij oczy – poleciła łagodnie.

Posłuchałam jej rady.

Następnego dnia moi teściowie zjawili się w Puwei dość wcześnie, aby razem ze mną późnym popołudniem powrócić do Tongkou. Kiedy usłyszałam orkiestrę na obrzeżach wioski, serce zabiło mi mocno i szybko i nie zdołałam powstrzymać łez napływających do oczu. Mama, stryjenka, starsza siostra i Kwiat Śniegu z płaczem sprowadziły mnie na dół. Wysłannicy pana młodego stanęli przy drzwiach, a moi bracia pomogli im załadować posag do czekających palankinów. Znowu miałam na głowie stroik z zasłoną z czerwonych chwaścików, więc nikogo nie widziałam, słyszałam jednak głosy moich bliskich, gdy wymienialiśmy tradycyjne pożegnania i odpowiedzi.

– Kobieta nigdy nie stanie się naprawdę cenna, jeżeli nie opuści swojej wioski! – zawołała mama.

– Do widzenia, mamo! – zaśpiewałam. – Dziękuję ci, że wychowałaś nic niewartą córkę!

– Do widzenia, córko – powiedział cicho tata.

Na dźwięk głosu ojca strumienie łez popłynęły mi po policzkach. Mocno chwyciłam się poręczy schodów. Nagle byłam gotowa oddać wszystko, byle tylko nie opuszczać domu.

– Jako kobiety rodzimy się, aby prędzej czy później opuścić rodzinną wieś – zaśpiewała stryjenka. – Jesteś jak ptak, który ulatuje prosto w chmurę, już nigdy nie wrócisz tu naprawdę...

– Dziękuję, stryjenko, że mnie rozśmieszałaś. Dziękuję, że pozwoliłaś mi zrozumieć, czym naprawdę jest smutek. Dziękuję, że podzieliłaś się ze mną swoimi wyjątkowymi umiejętnościami...

W wyobraźni wciąż słyszałam szloch i jęki stryjenki po śmierci Pięknego Księżyca. Nie mogłam zostawić jej samej w tym smutku, więc moje łzy popłynęły jeszcze obficiej.

Nagle zobaczyłam, jak stryj łagodnie kładzie opalone dłonie na moich rękach i delikatnie odrywa moje palce od poręczy schodów.

– Twój ślubny palankin już czeka – usłyszałam jego załamujący się głos.

– Stryju...

Potem rozległy się głosy siostry i braci, z których każde

życzyło mi szczęśliwej drogi. Pragnęłam spojrzeć im prosto w oczy, ale czerwone chwaściki zasłaniały widok.

– Starszy bracie, dziękuję za dobroć, jaką mi okazałeś – zaśpiewałam. – Drugi bracie, dziękuję, że pozwoliłeś mi zajmować się tobą, kiedy byłeś niemowlęciem... Starsza siostro, dziękuję ci za cierpliwość...

Orkiestra zagrała głośniej. Wyciągnęłam ręce. Mama i ojciec ujęli moje dłonie i przeprowadzili mnie przez próg. Kiedy go przekraczałam, chwaściki zakołysały się gwałtownie i wtedy ujrzałam ozdobiony kwiatami i czerwonym jedwabiem palankin. Mój *hua jiao* – ślubny palankin – był przepiękny.

Nagle pamięć zaczęła podsuwać mi wszystkie fakty, jakie znałam od chwili, gdy przed sześciu laty zaręczono mnie z moim przyszłym mężem. Wychodziłam za Tygrysa, najlepszego partnera, jakiego mogłabym mieć, w każdym razie według naszych horoskopów. Mój mąż był zdrowy, zdolny i wykształcony. Jego rodzina cieszyła się ogólnym szacunkiem, była bogata i hojna. Wiedziałam o tym wszystkim i znajdowałam potwierdzenie w jakości i liczbie otrzymanych prezentów, a teraz w widoku palankinu. Puściłam dłonie rodziców, oni uwolnili moje palce, zrobiłam dwa kroki do przodu, trochę na ślepo, i przystanęłam. Nie widziałam, dokąd idę. Wyciągnęłam rękę, marząc, aby Kwiat Śniegu poprowadziła mnie dalej, i oczywiście marzenie to natychmiast się spełniło. Moja *laotong* podeszła ze mną do palankinu i otworzyła drzwiczki. Dookoła słyszałam płacz i głębokie westchnienia. Mama i stryjenka nuciły smutną melodię, tę, którą zwykle śpiewa się na pożegnanie córki. Kwiat Śniegu pochyliła się nade mną.

– Pamiętaj, nigdy nie przestaniemy być najlepszymi przyjaciółkami – szepnęła, po czym wyjęła coś z rękawa i wsunęła mi pod tunikę. – Zrobiłam to dla ciebie – powiedziała. – Przeczytaj w drodze do Tongkou. Tam się zobaczymy...

Wsiadłam do palankinu. Tragarze unieśli mnie i tak oto wyruszyłam do Tongkou. Mama, stryjenka, ojciec, Kwiat

Śniegu i parę przyjaciółek z Puwei odprowadzili mnie aż do granicy wioski, wołając głośno ostatnie dobre życzenia. Siedziałam w palankinie i płakałam.

Dlaczego tak się zamartwiałam, skoro za trzy dni miałam wrócić do domu? Wytłumaczę to tak: „wyjście za mąż" w naszym języku brzmi *buluo fujia*, i znaczy „nie zapada się w dom męża od razu". *Luo* to „zapadanie się", „spadanie", jak opadanie liści jesienią lub zapadanie się w śmierć. A w naszym lokalnym dialekcie słowo „żona" i „gość" brzmią identycznie. Tak więc do końca życia miałam być tylko gościem w domu męża, i to wcale nie gościem, którego podejmuje się wspaniałymi daniami, darami, obdarza serdecznościami i miękkim posłaniem, ale takim, którego zawsze traktuje się jak osobę obcą i podejrzaną.

Sięgnęłam pod tunikę i wyjęłam paczuszkę, którą dała mi Kwiat Śniegu. Był to nasz wachlarz, owinięty w jedwab. Otworzyłam go, przekonana, że moja *laotong* zapisała na nim pełne radości życzenia szczęścia. Przebiegłam wzrokiem po kolejnych fałdach, aż wreszcie odnalazłam ostatnią wiadomość: *Dwa ptaki w locie – ich serca biją tym samym rytmem. Słońce opromienia ich skrzydła, kąpiąc je w kojącym cieple. Ziemia rozciąga się pod nimi – cała należy do nich.* W girlandzie na górnej krawędzi pojawiły się dwa ptaki – mój mąż i ja. Bardzo mi się podobało, że Kwiat Śniegu umieściła mojego męża na naszym ukochanym wachlarzu.

Potem rozłożyłam chustkę, w którą zawinęła wachlarz i odgarnąwszy czerwoną zasłonę na bok, spostrzegłam, że Kwiat Śniegu wyszyła na niej list w naszym sekretnym języku, a wszystko to dla uczczenia tego szczególnego dnia.

List rozpoczynał dość tradycyjny adres do panny młodej:

Pisząc do ciebie, czuję, jak moje serce przeszywają noże. Obiecałyśmy sobie, że nic nas nie rozdzieli, że nigdy nie poróżni nas żadne ostre słowo...

Ostatnie zdanie było przypomnieniem naszego kontraktu. Uśmiechnęłam się.

Myślałam, że będziemy razem do końca życia. Nie wierzyłam, że ten dzień naprawdę nadejdzie. Smutno mi, że przyszłyśmy na świat nieszczęśliwie, jako dziewczęta, ale taki jest nasz los. Lilio, byłyśmy jak para kaczek mandarynek, teraz jednak wszystko się zmieni. W nadchodzących dniach usłyszysz o mnie różne rzeczy. Nie mogę się uspokoić, serce mocno bije mi z przerażenia. Gorzko płaczę, ponieważ myślę, że przestaniesz mnie kochać. Proszę, zaufaj, że niezależnie od tego, co sobie o mnie pomyślisz, moja opinia o tobie nigdy nie ulegnie zmianie.

Kwiat Śniegu

Wyobrażacie sobie, jak się poczułam? W ostatnich tygodniach Kwiat Śniegu była dziwnie cicha, ponieważ martwiła się, że przestanę ją kochać. Dlaczego? Z jakiego powodu? Siedząc w swoim ślubnym palankinie, byłam głęboko przekonana, że nic, ale to nic nie zmieni moich uczuć wobec Kwiatu Śniegu. Jednocześnie gnębiły mnie rozmaite okropne przeczucia i miałam ochotę krzyknąć do tragarzy, aby zawrócili do Puwei, do rodzinnego domu, gdzie mogłabym ukoić lęki mojej *laotong*.

Bardzo szybko znaleźliśmy się pod główną bramą Tongkou. Sztuczne ognie błyskały i syczały, orkiestra grała na wszystkich instrumentach. Ludzie zaczęli wyładowywać skrzynie z posagiem. Trzeba było zanieść je prosto do mojego nowego domu, aby mąż mógł się przebrać w uszyty przeze mnie weselny strój. Nagle usłyszałam okropny, choć dobrze znajomy odgłos – skrzek kurczaka, któremu właśnie odrąbano łeb. Ktoś spryskał krwią ziemię przed palankinem, by odstraszyć złe duchy, które mogły przybyć tu razem ze mną.

W końcu rozsunięto drzwi i kobieta, pełniąca rolę głowy wioski, pomogła mi wysiąść. W rzeczywistości głową wioski była moja teściowa, lecz w tym wypadku jej rolę wzięła na siebie kobieta, która miała najwięcej synów. Zaprowadziła mnie do nowego domu, gdzie zostałam jeszcze raz przedstawiona teściom. Uklękłam przed nimi i trzy razy dotknęłam czołem ziemi.

– Będę wam posłuszna – powiedziałam. – Będę dla was pracować.

Potem nalałam im herbaty i zostałam odprowadzona do izby ślubnej, gdzie pozostawiono mnie samą, przy otwartych drzwiach. Wiedziałam, że już za chwilę poznam męża. Czekałam na to od dnia, kiedy pani Wang pierwszy raz przybyła do nas, aby obejrzeć moje stopy, i teraz byłam okropnie zdenerwowana i kompletnie zagubiona. Ten mężczyzna to ktoś zupełnie obcy, nic więc dziwnego, że nie mogłam powściągnąć ciekawości. Miał zostać ojcem moich dzieci, a ja nie wiedziałam, w jaki sposób ma do tego dojść, na dodatek właśnie otrzymałam tajemniczy list od mojej *laotong* i byłam o nią bardzo niespokojna.

Słyszałam, jak jacyś ludzie przesuwają stół, aby zagrodzić drzwi. Leciutko przechyliłam głowę, tylko na tyle, by chwaściki rozsunęły się odrobinę i ujrzałam teściów, którzy właśnie skończyli układać moje ślubne kołdry na blacie stołu i teraz stawiali na tym stosie dwie czarki z winem, jedną przewiązaną zieloną nicią, drugą czerwoną i obie związane razem.

Oblubieniec wszedł do przedpokoju. Wszyscy zaczęli wznosić okrzyki i klaskać. Tym razem nie starałam się podglądać. W czasie pierwszego spotkania pragnęłam zachować się tak konwencjonalnie, jak to tylko możliwe. Mój mąż pociągnął za czerwoną nitkę, stojąc po swojej stronie stołu, ja pociągnęłam za zieloną. Następnie wskoczył na stół, na ułożony z kołder stos, a potem zeskoczył na podłogę. W tej chwili oficjalnie staliśmy się małżeństwem.

Co mogłabym powiedzieć o nim w pierwszej chwili, gdy znaleźliśmy się obok siebie? Węch podpowiadał mi, że przed ceremonią dokładnie się umył. Spojrzałam w dół i zobaczyłam, że buty, które dla niego zrobiłam, dobrze leżą na stopach, i że ślubne czerwone spodnie są idealnej długości. Pierwsza chwila szybko minęła i rozpoczął się czas ceremonialnego harmideru w ślubnej komnacie. Do środka wpadli przyjaciele męża, niezbyt pewnie trzymając się na nogach

155

i wykrzykując coś niewyraźnie, niewątpliwie mocno pod-
ochoceni. Obdarowali nas orzeszkami ziemnymi i daktyla-
mi, żebyśmy mieli dużo dzieci, oraz słodyczmi, żebyśmy
mieli słodkie życie. Nie podali mi jednak słodkiego kluseczka,
tak jak mojemu mężowi, o, nie... Obwiązali go sznu-
reczkiem i kołysali nim tuż nad moimi ustami. Kazali mi
podskakiwać, lecz dbali, abym nie zdołała go dosięgnąć
i oczywiście przez cały czas przekomarzali się i żartowali.
Na pewno znacie tego rodzaju dowcipy – mówili, że tej
nocy mój mąż ma być silny jak byk, a ja potulna jak jagnię,
że moje piersi wyglądają jak dwie brzoskwinie, tak dojrzałe,
iż zaraz rozsadzą materiał tuniki, że mąż będzie miał tyle
nasienia, co owoc granatu, że w konkretnej pozycji bez
wątpienia spłodzimy syna i tak dalej. Ten zwyczaj wszędzie
jest podobny – w noc poślubną goście pozwalają sobie na
używanie dość wulgarnego języka, tak to już jest. Oczywiście ja także włączyłam się w tę grę, chociaż w głębi serca
z każdą chwilą byłam coraz bardziej przerażona.

Przyjechałam do Tongkou zaledwie kilka godzin wcześniej, a teraz była już późna noc. Na ulicy mieszkańcy wioski
pili, jedli, tańczyli i świętowali. Ktoś znowu zaczął puszczać
sztuczne ognie, dając wszystkim znak, że powinni już ro-
zejść się do domów. Wreszcie pani Wang zamknęła drzwi
ślubnej izby i zostałam sam na sam z mężem.

– Witaj – odezwał się.
– Witaj – odpowiedziałam.
– Jadłaś coś?
– Nie powinnam jeść jeszcze przez dwa dni.
– Masz tutaj orzechy i daktyle – zauważył. – Nie powiem
nikomu, jeżeli masz ochotę je zjeść...

Potrząsnęłam głową i dzwoneczki, i amulety przyszyte
do mojego nakrycia głowy wydały przyjemny dźwięk.
Zasłona się rozsunęła i ujrzałam, że mój mąż patrzy w dół,
na moje stopy. Zaczerwieniłam się. Wstrzymałam oddech
z nadzieją, że frędzle opadną i zasłonią moje zarumienione
policzki. Stałam nieruchomo, on także. Byłam pewna, że

wciąż na mnie patrzy. Nie pozostało mi nic innego, jak tylko czekać.

– Mówiono mi, że jesteś bardzo ładna – powiedział w końcu. Czy to prawda?

– Pomóż mi zdjąć nakrycie głowy i sam się przekonaj...

Zabrzmiało to śmielej, niż zamierzałam, ale on po prostu się roześmiał. Po paru chwilach odłożył rytualne nakrycie głowy na niewielki stolik i odwrócił się twarzą do mnie. Dzieliły nas najwyżej dwa kroki. Patrzył mi prosto w twarz, ja również wpatrywałam się w niego uważnie. Wszystko, co mówiły o nim pani Wang i Kwiat Śniegu, było prawdą. Nie miał żadnych śladów po ospie ani blizn, a jego skóra była dużo jaśniejsza niż skóra taty czy stryja, co świadczyło, że niewiele godzin spędzał na rodzinnych polach. Miał wysokie kości policzkowe i podbródek, który mówił o pewności siebie, ale nie zwiastował arogancji. Na czoło opadał niesforny kosmyk włosów, nadając mu beztroski, chłopięcy wygląd. Oczy lśniły wesołością.

Zrobił krok do przodu i ujął moje dłonie.

– Myślę, że możemy być szczęśliwi, ty i ja – rzekł.

Czy siedemnastoletnia dziewczyna z ludu Yao mogłaby mieć nadzieję na lepsze, bardziej przyjazne słowa? Podobnie jak mąż, widziałam przed nami złotą przyszłość. Tej nocy wypełnił wszystkie tradycyjne nakazy, zdjął mi nawet ślubne pantofelki i włożył czerwone, te na noc. Byłam tak przyzwyczajona do delikatnych dłoni Kwiatu Śniegu, że nie potrafiłę opisać, jakie wrażenia wywołał dotyk jego palców na moich stopach; mogę tylko powiedzieć, że akt ten wydał mi się znacznie bardziej intymny niż to, co nastąpiło później. Nie wiedziałam, co robię, ale i on także. Usiłowałam sobie tylko wyobrazić, jak zachowywałaby się Kwiat Śniegu, gdyby to ona leżała na moim miejscu pod obcym mężczyzną.

Drugiego dnia małżeńskiego życia wstałam wcześnie, zostawiłam męża śpiącego i wyszłam na korytarz. Myślę, że wiecie, jak się czuje chory ze zmartwienia człowiek. Ja tak właśnie się czułam od chwili, gdy przeczytałam list od mojej *laotong*, ale nic nie mogłam na to poradzić, ani w czasie ślubu, ani poprzedniej nocy, ani nawet teraz. Musiałam robić, co do mnie należało, i czekać na tę chwilę, kiedy znowu ją zobaczę, lecz było mi ciężko. Byłam głodna, wyczerpana i obolała. Moje stopy były zmęczone i nabrzmiałe, ponieważ w ostatnich dniach dużo chodziłam. Dokuczało mi także uczucie ni to bólu, ni to dyskomfortu w innym miejscu, ale starałam się o tym nie myśleć. Poszłam do kuchni, gdzie w kącie siedziała mniej więcej dziesięcioletnia służąca, najwyraźniej czekająca na moje polecenia. Miałam teraz własną służącą – nikt mi o tym nie powiedział. Nikt w Puwei nie miał służby, zorientowałam się jednak, kim jest ta dziewczyna, ponieważ jej stopy nie były skrępowane. Nosiła imię Yonggang, co znaczy „dzielna i mocna jak żelazo" (okazało się to prawdą). Rozpaliła już ogień i przyniosła wodę, musiałam więc tylko podgrzać ją lekko i zanieść teściom, aby umyli twarze. Przygotowałam też herbatę dla wszystkich w domu, a kiedy gospodarze weszli do kuchni, nalałam napój do czarek, nie rozlewając ani kropli.

Parę godzin później teściowie wysłali mojej rodzinie kolejną solidną porcję wieprzowiny i słodkich ciasteczek, potem zaś wydali wielką ucztę w świątyni przodków, ucztę, na której znowu nie wolno mi było nic jeść. Na oczach wszystkich razem z mężem pokłoniłam się Niebiosom i Ziemi, teściom i przodkom rodu Lu. Na koniec przeszliśmy przez świątynię, kłaniając się starszym od nas, a oni obdarowywali nas pieniędzmi zawiniętymi w czerwony papier, i wróciliśmy do ślubnej komnaty.

Trzeci dzień po ślubie jest tym, na który czekają wszystkie panny młode, ponieważ właśnie wtedy odczytuje się przygotowane przez ich krewnych i przyjaciółki księgi ślubne. Byłam chyba nietypową panną młodą, bo myślałam tylko o Kwiecie Śniegu i o tym, czy zobaczę ją tego dnia.

Przybyły starsza siostra i żona starszego brata z księgami

i potrawami, których w końcu mogłam skosztować. Wiele
kobiet z Tongkou przyłączyło się do kobiet z rodziny mojego męża, aby odczytać księgi, nie pojawiły się jednak ani
Kwiat Śniegu, ani jej matka. Nie mogłam tego pojąć. Byłam
głęboko zraniona i przerażona nieobecnością Kwiatu Śniegu. Czekał mnie rytuał najradośniejszy ze wszystkich związanych ze ślubem, lecz ja nie potrafiłam się nim cieszyć.

Sanzhaoshu zawierały wszystkie zwyczajowe opisy smutku najbliższych oraz listę moich zalet. Powtarzały się w nich
takie zwroty jak: „Gdybyśmy tylko zdołali nakłonić tę sza-
cowną rodzinę, aby zabrała cię nam dopiero za parę lat"
albo: „Cierpimy z powodu rozłąki", a także skierowane
do moich teściów prośby, aby byli wyrozumiali i cierpliwie
uczyli mnie swoich rodzinnych zwyczajów. *Sanzhaoshu*
Kwiatu Śniegu była taka, jak się spodziewałam, z licznymi
odniesieniami do jej ukochanych ptaków. Zaczynała się od
słów: „Feniks łączy się ze złocistą samicą, a temu związkowi błogosławią Niebiosa". Potem następowały zazwyczaj
wyrażane w takich księgach myśli. Nic nowego, nawet od
mojej *laotong*.

Prawda

Gdyby okoliczności były normalne, czwartego dnia po ślubie wróciłabym do rodzinnego domu w Puwei, ale ja postanowiłam udać się prosto do domu Kwiatu Śniegu, na jej miesiąc Siedzenia i Śpiewania. Teraz, kiedy lada chwila miałam znowu ją zobaczyć, denerwowałam się coraz bardziej. Włożyłam jeden z moich porządnych codziennych strojów – niebiesko-zieloną jedwabną kurtkę i spodnie haftowane w pędy bambusa. Chciałam zrobić dobre wrażenie nie tylko na mieszkańcach Tongkou, których mogłam spotkać po drodze, ale także na rodzinie Kwiatu Śniegu. Yonggang, służąca, poprowadziła mnie uliczkami Tongkou. W koszu niosła moje ubrania, nici do haftowania, materiał i księgę ślubną trzeciego dnia, którą zrobiłam dla przyjaciółki. Byłam zadowolona, że Yonggang wskazuje mi drogę, lecz czułam się w jej towarzystwie bardzo nieswojo. Była jednym z wielu aspektów mojego nowego życia, do których nie zdążyłam jeszcze przywyknąć.

Tongkou okazało się dużo większe i zamożniejsze od Puwei. Uliczki były czyste, nie dostrzegłam na nich drobiu ani świń. Zatrzymałyśmy się przed domem, który dokładnie odpowiadał opisowi Kwiatu Śniegu – był jednopiętrowy, prosty i elegancki. Nie znałam jeszcze tutejszych zwyczajów, wiedziałam jednak, że i w Tongkou, podobnie jak w Puwei, nikt nie obwieszcza swego przybycia okrzykami ani pukaniem do drzwi. Yonggang po prostu otworzyła główne drzwi i weszła do środka.

Natychmiast poczułam dziwny zaduch, odór odchodów ludzkich lub zwierzęcych, gnijącego mięsa, podszyty trudnym do opisania, słodkawym i odrażającym zapachem. Nie miałam pojęcia, co może być jego źródłem. Zemdliło mnie, ale jeszcze bardziej zbuntowały się oczy, odmawiając przyjęcia do wiadomości tego, co widziały.

Główna izba była dużo większa od tej, jaką mieliśmy w Puwei, lecz znacznie skromniej umeblowana. Zauważyłam stół bez krzeseł, rzeźbioną balustradę schodów, prowadzących do izby dla kobiet i jeszcze kilka sprzętów, których wykonanie i jakość o niebo przewyższały wszystko, co znajdowało się w moim rodzinnym domu, ale można było policzyć je na palcach jednej ręki. W izbie nie rozpalono ognia, chociaż była już późna jesień, tego roku bardzo chłodna. Podłoga była brudna, wszędzie walały się resztki jedzenia. Z boku dostrzegłam kilka innych drzwi, niewątpliwie do sypialni.

Wygląd wnętrza w żaden sposób nie korespondował z wrażeniem, jakie na przechodniu robiła piękna fasada domu, a tym bardziej ze słowami Kwiatu Śniegu. Nie miałam cienia wątpliwości, że trafiłam pod niewłaściwy adres.

Pod sufitem znajdowało się kilka okienek, z których tylko jedno nie było zabite deskami. Mrok rozpraszał pojedynczy promień światła. W ponurym półmroku zobaczyłam przykuniętą nad miską kobietę, ubraną w podarty i brudny pikowany strój, niczym najuboższa chłopka. Gdy nasze oczy się spotkały, pośpiesznie odwróciła wzrok. Podniosła się powoli, z pochyloną głową, na którą padało światło z okienka pod sufitem. Miała piękną cerę, jasną i przejrzystą jak porcelana. Złożyła ręce i skłoniła się.

– Witam cię, panno Lilio, witam – powiedziała cichym głosem, nie z szacunku dla mojej świeżo nabytej wyższej pozycji, ale chyba ze strachu. – Proszę tu zaczekać, zaraz poproszę Kwiat Śniegu...

Drgnęłam, zaskoczona i wstrząśnięta. Wyglądało na to, że jednak byłam w domu Kwiatu Śniegu... Jak to możliwe? Kiedy kobieta ruszyła w kierunku schodów, zauważyłam, że jej stopy były prawie tak małe jak moje, co w przypadku służącej wydało mi się niezwykłe.

Nasłuchiwałam uważnie, gdy rozmawiała z kimś na górze i wreszcie usłyszałam głos Kwiatu Śniegu i brzmiącą w nim nutę sprzeciwu i uporu. Nie mogłam się otrząsnąć ze zdumienia, nie mogłam w to uwierzyć. Poza tym jednym znajomym dźwiękiem w całym domu panowała niesamowita cisza. Nie wiem dlaczego, ale wyczułam, że w tej ciszy czai się coś złowrogiego, niczym zły duch z zaświatów. Całe moje ciało stawiało opór temu doznaniu, po plecach przebiegł dreszcz obrzydzenia. Zadrżałam w swojej niezbyt ciepłej niebiesko-zielonej kurtce, którą włożyłam, aby zrobić dobre wrażenie na rodzicach Kwiatu Śniegu, lecz która nie zapewniała ochrony przed wilgotnym wiatrem, wpadającym przez okno, ani przed lękiem, jaki owładnął moim sercem w tym dziwnym, mrocznym, cuchnącym i przerażającym miejscu.

U szczytu schodów pojawiła się Kwiat Śniegu.

– Wejdź na górę! – zawołała.

Stałam jak sparaliżowana, niezdolna przyjąć do wiadomości tego, na co patrzyły moje oczy. Gdy coś dotknęło mojego rękawa, podskoczyłam nerwowo.

– Pani chyba nie chce, żebym ją tu zostawiła – powiedziała Yonggang, na której twarzy malował się głęboki niepokój.

– Pan wie, gdzie jestem – odparłam bez zastanowienia.

– Lilio... – W głosie Kwiatu Śniegu brzmiała pełna smutku rezygnacja, ton, którego nigdy wcześniej w nim nie słyszałam.

Nagle pamięć podsunęła mi wspomnienie sprzed kilku dni. Moja matka powiedziała, że jako kobieta nie będę w stanie uniknąć brzydoty i że muszę być dzielna. Powinnam pamiętać, że obiecałam komuś związek na całe życie, i że muszę być damą, na którą mnie wychowała. Mama wcale nie mówiła o sprawach łóżkowych. Mówiła o tej sytuacji. Kwiat Śniegu była moją *laotong* na całe życie. Uświadomiłam sobie, że miłość do niej jest większa i głębsza niż uczucie, którym będę w stanie obdarzyć męża. Takie było prawdziwe znaczenie związku *laotong*.

Zrobiłam krok do przodu i usłyszałam cichutki jęk, który wyrwał się z gardła Yonggang. Nie wiedziałam, co robić. Nigdy wcześniej nie miałam służącej. Niepewnie poklepałam ją po ramieniu.

– Idź już – powiedziałam, starając się nadać głosowi ton stanowczości. – Nic mi nie grozi...

– Gdyby musiała pani z jakiegoś powodu opuścić ten dom, proszę po prostu wyjść na zewnątrz i wezwać pomocy – zasugerowała Yonggang, nadal wyraźnie niespokojna. – Wszyscy tu znają pana Lu i panią Lu. Każdy od razu odprowadzi panią do domu teściów.

Wyjęłam pałąk kosza z jej ręki. Kiedy nawet nie drgnęła, ruchem głowy kazałam jej wyjść. Westchnęła z rezygnacją, skłoniła się szybko i wycofawszy się aż na próg, odwróciła się i wyszła.

Trzymając mocno kosz, ruszyłam na górę. Gdy zbliżyłam się do Kwiatu Śniegu, zobaczyłam, że jej policzki poznaczone są śladami łez. Podobnie jak tamta kobieta, miała na sobie szare, niedopasowane i nieudolnie pocerowane ubranie. Przystanęłam na przedostatnim stopniu.

– Nic się nie zmieniło – odezwałam się. – Wciąż jesteśmy *laotong*...

Chwyciła mnie za rękę, pomogła pokonać ostatni schodek i zaprowadziła do izby dla kobiet. Było oczywiste, że kiedyś było to piękne miejsce, no i co najmniej trzy razy większe od izby w moim domu. Zamiast krat okno zasłaniał bogato rzeźbiony drewniany ekran, lecz poza tym izba była pusta, jeśli nie liczyć koła do przędzenia i łóżka, na którego skraju we wdzięcznej postawie przysiadła ze złożonymi na podołku rękami piękna kobieta z dołu. Jej chłop-

163

ski ubiór nie był w stanie zamaskować szlachetnego pochodzenia.

– Lilio... – powiedziała Kwiat Śniegu. – To moja matka...

Podeszłam do łóżka, złączyłam dłonie i ukłoniłam się kobiecie, która wydała na świat moją *laotong*.

– Musisz wybaczyć nam okoliczności, w jakich się znalazłyśmy – rzekła matka Kwiatu Śniegu. – Niestety, mogę poczęstować cię tylko herbatą... – Podniosła się. – Wiem, że macie sobie dużo do powiedzenia...

Z tymi słowami opuściła izbę z wysublimowaną gracją, której podstawą są idealnie skrępowane stopy.

Gdy cztery dni wcześniej wyjeżdżałam z rodzinnego domu, łzy płynęły mi po twarzy. Byłam jednocześnie smutna, szczęśliwa i przerażona. Teraz, siedząc na łóżku obok Kwiatu Śniegu, widziałam na jej policzkach łzy żalu, poczucia winy, wstydu i zażenowania. Miałam ochotę krzyknąć: „Powiedz mi prawdę!", spokojnie czekałam jednak na jej słowa, świadoma, że gdy przyjaciółka wyjawi mi, co się stało, do końca straci twarz.

– Na długo przed naszym pierwszym spotkaniem moja rodzina należała do najwyżej postawionych w okręgu – zaczęła w końcu. – Sama widzisz, że kiedyś było tu naprawdę pięknie. – Krótkim gestem objęła pustą izbę. – Byliśmy bardzo zamożni. Mój pradziadek, uczony pisarz, otrzymał wiele *mou* od cesarza...

Słuchałam, a myśli wirowały mi w głowie coraz szybciej i szybciej.

– Po śmierci cesarza pradziadek wypadł z łask i wrócił do domu. Rodzinie nadal powodziło się doskonale. Kiedy pradziadek umarł, majątek przejął jego syn, mój dziadek, który miał wielu robotników i służących. Miał też trzy konkubiny, ale z żadną nie spłodził syna. Ostatecznie męskiego potomka urodziła mu moja babka, umacniając w ten sposób swoją pozycję. Babka została wydana za dziadka specjalnie w tym celu – aby dać mu syna. Podobno przypominała Hu Yuxiu, która była tak utalentowana, piękna i pełna wdzięku, że oczarowała samego cesarza. Mój ojciec nie był cesarskim pisarzem, lecz odebrał klasyczne wykształcenie. Ludzie mówili, że któregoś dnia zostanie naczelnikiem Tongkou. Mama wierzyła w to, ale inni przewidywali dla niego zgoła odmienną przyszłość. Dziadkowie dostrzegali jego słabości, wiedzieli, że jako jedyny syn, wychowany wśród zbyt wielu sióstr i konkubin, nie ma silnego charakteru, a moja ciotka podejrzewała, że jest tchórzliwy i skłonny do zła.

Spojrzenie Kwiatu Śniegu było dziwnie nieobecne, kiedy tak przywoływała odległą przeszłość.

– Dziadkowie umarli dwa lata po moim urodzeniu – ciągnęła. – Nasza rodzina miała wszystko – wspaniałe, oszałamiające stroje, zawsze pod dostatkiem jedzenia, liczną służbę. Ojciec zabierał mnie na dalekie wyprawy, razem z matką odwiedzałam świątynię Gupo. Jako dziewczynka dużo widziałam i dużo się nauczyłam. Ojciec musiał zadbać o trzy konkubiny dziadka i wydać za mąż swoje cztery rodzone siostry oraz pięć przyrodnich, spłodzonych przez dziadka z konkubinami. Musiał także zapewnić pracę, jedzenie i dach nad głową robotnikom rolnym i służbie domowej. Zaaranżował małżeństwa dla wszystkich sióstr, starając się pokazać wszystkim, jakim wielkim był człowiekiem... Posag dla każdej kolejnej siostry był bogatszy od poprzedniego. Ojciec zaczął sprzedawać pola wielkiemu właścicielowi ziemskiemu na zachodzie prowincji, żeby mieć pieniądze na jedwab i świnie. Widziałaś moją matkę – jest piękną kobietą i bardzo przypomina mnie taką, jaka byłam, zanim cię poznałam – rozpieszczoną, wiecznie chronioną przed wszelkimi trudnościami i kompletnie nieprzywykłą do żadnej pracy poza haftowaniem i pisaniem tekstów w *nu shu*. Mój ojciec... – zawahała się na moment – mój ojciec wpadł w nałóg palenia fajki – wyrzuciła z siebie.

Przypomniałam sobie tamten dzień, gdy pani Gao zachowała się tak nieuprzejmie i niewłaściwie, plotkując o rodzinie mojej przyjaciółki. Wspomniała wtedy, że ojciec Kwiatu Śniegu uprawia hazard i ma za dużo konkubin, i że nałogowo pali fajkę. Miałam dziewięć lat i byłam pewna, że po prostu pali za dużo tytoniu, dopiero teraz zdałam sobie sprawę, że stał się ofiarą opium i że tamtego dnia wszystkie kobiety w izbie doskonale wiedziały, o czym mówi pani Gao. Wiedziała moja matka, stryjenka i pani Wang. Wszystkie wiedziały i zgodnie uznały, że nie powinny dzielić się ze mną tą wiedzą.

– Czy twój ojciec jeszcze żyje? – zapytałam ostrożnie.

Niby nie wątpiłam, że Kwiat Śniegu powiedziałaby mi o jego śmierci, ale z drugiej strony, biorąc pod uwagę wszystkie jej kłamstwa, nie byłam o tym do końca przekonana.

Bez słowa skinęła głową.

– Jest na dole? – szepnęłam, przypomniawszy sobie dziwny, ohydny odór, panujący w głównej izbie.

Jej twarz zamarła w bezruchu. Potem bardzo leciutko uniosła brwi, a ja doszłam do wniosku, że oznacza to potwierdzenie.

– Punktem zwrotnym w naszym życiu okazał się głód – podjęła. – Pamiętasz tamten rok? Nie znałyśmy się jeszcze, ale wtedy po marnych zbiorach przyszła wyjątkowo okrutna zima...

Jakże mogłabym o tym zapomnieć? W najlepsze dni jedliśmy kleik ryżowy doprawiany suszoną rzepą. Mama ostrożnie wydzielała porcje, ojciec i stryj prawie nic nie jedli i jakoś przeżyliśmy...

– Ojciec nie był na to przygotowany. Ciągle palił fajkę i zupełnie o nas nie pamiętał. Pewnego dnia odeszły konkubiny dziadka – może wróciły do swoich rodzin, a może umarły w śniegu, kto wie... Kiedy przyszła wiosna, w domu byli tylko rodzice, moi dwaj bracia, dwie siostry i ja. Pozornie nadal wiedliśmy dawne eleganckie życie, ale wierzyciele nachodzili nas coraz częściej. Ojciec sprzedał następne pola, potem następne i w końcu został nam tylko dom. Ojciec całkowicie utkwił w bagnie nałogu. Zanim zaczął zastawiać meble... Och, Lilio, nawet sobie nie wyobrażasz, jak pięknie było dawniej w naszym domu! Więc zanim zaczął zastawiać meble, przyszło mu do głowy, że może przecież sprzedać mnie...

– Chyba nie jako służącą!

Gorzej, jako małą synową.

To był najgorszy los, jaki potrafiłam sobie wyobrazić – nie mieć skrępowanych stóp, trafić na wychowanie do domu obcych o tak niskich zasadach moralnych, że wcale nie zależało im na prawdziwej synowej i być traktowaną gorzej niż służąca. Teraz, kiedy byłam już mężatką, uświadomiłam sobie także najbardziej przerażający aspekt takiego życia – mała synowa mogła być chwilową rozrywką w łóżku każdego mężczyzny, mieszkającego w domu, w którym przebywała.

– Uratowała nas siostra mojej matki – podjęła Kwiat Śniegu. – Gdy zostałyśmy *laotong*, zaaranżowała względnie korzystne małżeństwo dla mojej starszej siostry, która teraz już tu nawet nie przyjeżdża. Później ciotka posłała mojego starszego brata do Shangjiangxu, żeby przyuczył się do jakiegoś zawodu. Młodszy brat pracuje dziś w polu dla rodziny twojego męża. Młodsza siostra umarła, jak wiesz i...

Ale mnie nie interesowali ludzie, których nigdy nie poznałam i o których nasłuchałam się samych kłamstw.

– A co z tobą? – przerwałam jej.

– Ciotka odmieniła moją przyszłość za pomocą nożyczek, płóciennych bandaży i ałunu. Ojciec sprzeciwiał się, ale wiesz, jaka jest ciocia Wang... Chyba nie ma osoby, która mogłaby na nią wpłynąć, kiedy już podejmie decyzję...

– Ciocia Wang? – powtórzyłam. Z wrażenia kręciło mi się w głowie. – Mówisz o naszej cioci Wang, o swatce?

– To siostra mojej matki.

Przycisnęłam palce do skroni. Kiedy poznałam Kwiat Śniegu i poszłyśmy razem do świątyni Gupo, moja *laotong* nazwała swatkę „ciocią", myślałam jednak, że zrobiła to z uprzejmości i szacunku, dlatego od tamtej chwili także zwracałam się w ten sposób do pani Wang. Nagle poczułam się niewyobrażalnie głupia i naiwna.

– Nic mi nie powiedziałaś... – szepnęłam.

– O cioci Wang? Byłam pewna, że akurat o tym dobrze wiesz...

Akurat o tym... Z trudem przełknęłam jej słowa.

– Ciocia Wang od samego początku przejrzała mojego ojca, zrozumiała, że jest bardzo słaby. Z mojej twarzy wyczytała, że nie lubię słuchać i wypełniać poleceń, i że jestem beznadziejna, jeśli chodzi o typowo kobiece zajęcia, doszła jednak do wniosku, że mama mogłaby nauczyć mnie haftować, ubierać się, zachowywać w obecności mężczyzny i posługiwać sekretnym pismem. Ciocia jest tylko kobietą, ale jako swatka ma głowę do interesów. Odgadła, jak potoczą się losy mojej rodziny i moje. Zaczęła szukać dla mnie możliwości zawarcia *laotong* w nadziei, że w ten sposób wszyscy w okolicy dowiedzą się, jaka jestem wykształcona, lojalna, posłuszna...

– I jaką jesteś dobrą partią – dokończyłam za nią.

Akurat to dotyczyło w równej mierze jej, jak i mnie.

– Rozglądała się w całym okręgu, podróżując w interesach znacznie dalej niż zwykle, aż wreszcie pewien wróżbita wspomniał jej o tobie. Kiedy cię poznała, postanowiła połączyć mój los z twoim.

– Nie rozumiem...

Kwiat Śniegu uśmiechnęła się lekko.

– Ty zmierzałaś w górę, ja w dół. Gdy się spotkałyśmy, byłam ignorantką. Miałam się uczyć od ciebie...

– Przecież to ty uczyłaś mnie! Twoje hafty były zawsze lepsze od moich i dobrze znałaś sekretne pismo! Przygotowałaś mnie do życia w domu o wysokim progu!

– A ty pokazałaś mi, jak czerpać wodę ze studni, prać, gotować i sprzątać. Starałam się nauczyć tego moją matkę, ale ona patrzy tylko w przeszłość.

Zdążyłam się już zorientować, że matka Kwiatu Śniegu kurczowo trzyma się przeszłości, która dawno odeszła, ale słysząc, jak moja *laotong* opowiada historię rodziny, uświadomiłam sobie, że ona także widzi życie przez miłą mgiełkę wspomnień. Znałam ją od lat i wiedziałam, że wierzy, iż wewnętrzny świat kobiet powinien być piękny i pozbawiony trosk. Może myślała, że wszystko w jakiś cudowny sposób wróci do dawnej postaci...

– Od ciebie dowiedziałam się wszystkiego, co przyda mi się w nowym życiu – rzekła. – Tyle że nigdy nie nauczyłam się sprzątać tak porządnie jak ty...

Rzeczywiście, sprzątanie nie szło jej dobrze. Zawsze wydawało mi się, że po prostu przymyka oczy na niedostatki naszego domu, lecz nagle zrozumiałam, że łatwiej jej było błądzić myślami wysoko ponad chmurami niż stawić czoło szpetocie, jaką miała przed oczami.

– Twój dom jest znacznie większy od mojego, dlatego trudniej go sprzątnąć, a ty byłaś przecież tylko małą dziewczynką – powiedziałam głupio, chcąc poprawić jej nastrój. – Miałaś...

– Matkę, która nie umiała mi pomóc, ojca, który był nałogowym palaczem opium, oraz braci i siostry, którzy odchodzili z domu, jedno po drugim – przerwała mi.

– Ale teraz wychodzisz za mąż...

Nagle przypomniałam sobie tamten dzień, kiedy pani Gao ostatni raz zjawiła się w izbie na górze i jej kłótnię z panią Wang. Co takiego pani Gao powiedziała wtedy o zaręczynach Kwiatu Śniegu? Usiłowałam przywołać jakieś szczegóły, ale Kwiat Śniegu bardzo rzadko, jeżeli w ogóle, mówiła o swoim przyszłym mężu i nigdy nie pokazywała nam prezentów, jakie dostała od jego rodziców. Widziałyśmy kawałki bawełny i jedwabiu, które pokrywała haftami, to prawda, zawsze jednak powtarzała, że są to codzienne rzeczy, na przykład buciki dla niej. Nic specjalnego.

Nagle w mojej głowie narodziła się przerażająca myśl. Kwiat Śniegu na pewno wchodzi do bardzo nisko postawionej rodziny, pytanie tylko, jak nisko...

Kwiat Śniegu odgadła moje obawy.

– Ciocia zrobiła dla mnie wszystko, co mogła. Nie wychodzę za rolnika.

Trochę mnie to zabolało, bo przecież mój ojciec był właśnie rolnikiem.

– Więc to kupiec?

Małżeństwo z kupcem oznaczało poważne obniżenie statusu społecznego Kwiatu Śniegu, lecz mogłoby przywrócić jej poczucie majątkowego bezpieczeństwa.

– Po ślubie zamieszkam w Jintian, pobliskiej wiosce, tak jak mówiła ciocia Wang, ale mój mąż... – znowu się zawahała – jest rzeźnikiem.

Waaa! Najgorsze małżeństwo, jakie można sobie wyobrazić! Mąż Kwiatu Śniegu ma jakieś tam pieniądze, ale wykonuje nieczyste, obrzydliwe zajęcie. Przypomniałam sobie wszystko, co wydarzyło się w ciągu ostatniego miesiąca, kiedy przygotowywałyśmy się do mojego ślubu, a zwłaszcza prawie stałą obecność pani Wang u boku Kwiatu Śniegu i jej pocieszające, uspokajające gesty. Potem wróciłam pamięcią do *Opowieści o żonie pana Wanga* i z głębokim zawstydzeniem zrozumiałam, że wcale nie była ona przeznaczona dla mnie, lecz dla Kwiatu Śniegu.

Nie wiedziałam, co powiedzieć. Odkąd skończyłam dziewięć lat, prawda docierała do mnie w drobnych fragmentach, ale ja wolałam nie dawać jej wiary i nawet nie przyjmować do wiadomości. Teraz przez głowę przemknęła mi myśl, że przecież mam obowiązek zadbać o szczęście mojej *laotong*. Czy nie powinnam się postarać, by przynajmniej na krótko zapomniała o swoich kłopotach i uwierzyła, że wszystko będzie dobrze?

Otoczyłam ją ramionami.

– Nigdy nie będziesz głodna, to zawsze coś – powiedziałam. (Przyszłość pokazała, że i w tym nie miałam racji). – Zdarzają się gorsze rzeczy niż takie małżeństwo – dodałam, chociaż nie przychodziło mi do głowy, co by to mogło być.

Ukryła twarz na moim ramieniu i rozpłakała się. Chwilę później odepchnęła mnie od siebie. Jej oczy były mokre od łez, ale lśniła w nich wściekłość, nie smutek.

– Nie lituj się nade mną! Nie potrzebuję twojej litości!

Wcale nie zamierzałam się nad nią litować. Nie miałam pojęcia, co robić, byłam zagubiona i smutna. Jej list zniszczył całą radość i zadowolenie z mojego ślubu, a nieobecność na ceremonii odczytania ksiąg trzeciego dnia dotkliwie mnie zraniła. I na dodatek coś takiego... Głęboko na dnie serca narodziło się uczucie, że Kwiat Śniegu mnie zdradziła. Spędziłyśmy razem tyle nocy i nic mi nie powiedziała... Czyżby dlatego, że tak naprawdę nie wierzyła w swój los? Że sądziła, iż uda jej się jakoś od niego uciec, ponieważ zawsze szybowała na skrzydłach wyobraźni? Czy faktycznie wierzyła, że nasze stopy oderwą się od ziemi, a serca ulecą z ptakami? A może tylko starała się zachować twarz, chroniąc swoje sekrety i wierząc, że dzień taki jak ten nigdy nie nadejdzie?

Może powinnam być zła, że mnie tak okłamała, ale wcale nie czułam gniewu. Dawno temu uwierzyłam, że zostałam wybrana, by wkroczyć w wyjątkową przyszłość, i to uczyniło mnie zbyt skupioną na sobie, aby dostrzec to, co powinnam była dostrzec. Czy to nie moje niedostatki jako przyjaciółki, jako *laotong*, powstrzymały mnie przed zadaniem właściwych pytań, dotyczących przeszłości i przyszłości Kwiatu Śniegu?

Miałam zaledwie siedemnaście lat, ostatnie dziesięć spędziłam w izbie na piętrze, otoczona kobietami, które także uważały, ze czeka mnie niezwykła przyszłość, podobnie zresztą jak przebywający na parterze mężczyźni. Kiedy pomyślałam o nich wszystkich – o mamie, stryjence, tacie, stryju, pani Gao, pani Wang, nawet Kwiecie Śniegu – to jedyną osobą, którą rzeczywiście winiłam, była moja matka. Pani Wang mogła na samym początku wprowadzić ją w błąd, ale później mama poznała prawdę i postanowiła mi jej nie wyjawiać. Żal, którzy czułam, łączył się ze świadomością, że rzadkie gesty czułości, na jakie sobie wobec mnie pozwalała, a które teraz widziałam jako część większego kłamstwa przez przemilczenie, miały po prostu pomóc mi na drodze do dobrego małżeństwa, korzystnego nie tylko dla mnie, ale i dla całej naszej rodziny.

To uczucie kompletnego zagubienia stało się przyczyną wielu rzeczy, które wydarzyły się później. Nie miałam pojęcia, co myśleć i w jaki sposób pomóc Kwiatowi Śniegu. Nie dostrzegałam i nie rozumiałam, co naprawdę jest ważne. Byłam zwyczajną, głupią dziewczyną, która myśli, że coś wie, ponieważ jest mężatką. Nie wiedziałam, jak poradzić sobie z dręczącym żalem, pretensjami, poczuciem winy i rozpaczą, więc ukryłam je głęboko, bardzo głęboko. Niestety, moje uczucia nie znikły. Było to trochę tak, jakbym przełknęła kawałek zepsutej wieprzowiny i sama przez to zaczęła gnić od środka.

Nie byłam wtedy jeszcze panią Lu, którą dziś szanują za jej dobroć, współczucie i siłę. W chwili, gdy przekroczyłam próg domu Kwiatu Śniegu, poczułam w sobie coś nowego. Przypomnijcie sobie, co powiedziałam o tym kęsie zepsutego mięsa, a na pewno zrozumiecie, o co mi chodzi. Musiałam udawać, że nie jestem chora ani zarażona chorobą, więc sięgnęłam z desperacją do pokładów siły woli. Chciałam przynieść zaszczyt rodzinie męża, okazując litość i dobroć tym, którzy znaleźli się w złej sytuacji, ale oczywiście nie wiedziałam, jak to zrobić, ponieważ nie wypływało to ze mnie w sposób naturalny.

Kwiat Śniegu miała za miesiąc wyjść za mąż, więc pomogłam jej i jej matce posprzątać dom. Zależało mi, żeby ładnie wyglądał w oczach rodziny i przyjaciół pana młodego, niestety, żadna z nas nie potrafiła oczyścić wnętrza z obrzydliwego odoru opium, który przenikał do wszystkich pomieszczeń. Zaduch powiększał kwaśny smród, którego przyczyną, jak już może zgadliście, był chory z nadużycia opium żołądek i jelita ojca Kwiatu Śniegu. Ani aromatyczne kadzidełka, ani okadzanie izb palącym się octem, ani otwieranie okien, nawet przy chłodnej pogodzie, nie były w stanie zabić ohydnego odoru.

Zrozumiałam, jak straszne było życie dwóch kobiet, pogrążonych w lęku przed mężczyzną, mieszkającym w izbie na parterze. Słyszałam ich przyciszone głosy i widziałam, jak się kuliły, kiedy je wołał. I widziałam też jego, leżącego tam w smrodzie i brudzie. Nawet dotknięty ubóstwem, był wiecznie niezadowolony i skłonny do gniewu jak rozkapryszone dziecko. Nie wątpiłam, że kiedyś znęcał się fizycznie nad żoną i córką, ale teraz to tylko otumaniona narkotykiem istota, którą najlepiej zostawić sam na sam z nałogiem.

Starałam się nie okazywać szarpiących mną uczuć. W tym domu wylano już dosyć łez, moje nie były potrzebne. Poprosiłam Kwiat Śniegu, aby pokazała mi podarunki od rodziców narzeczonego. Może ci rzeźnicy nie będą jednak tacy źli, pomyślałam. Widziałam przecież kawałki jedwabiu, które haftowała. To prawda, że są duchowo skażeni, ale na pewno powodzi im się nie najgorzej...

Kwiat Śniegu otworzyła drewnianą skrzynię i starannie ułożyła na łóżku wszystko, co uszyła. Zobaczyłam buciki z błękitnego jedwabiu, które skończyła w dniu śmierci Pięknego Księżyca, kurtkę, której przód zdobił ten sam jedwab, a także równiutko ustawione pięć par butów w różnych rozmiarach z tej samej tkaniny, pokrytej dodatkowymi zdobieniami. Wszystko to wydało mi się dziwnie znajome i nagle zrozumiałam dlaczego. Kwiat Śniegu wykroiła te rzeczy z tuniki, którą miała na sobie, kiedy się poznałyśmy.

Ostrożnie dotknęłam pozostałych ubrań, stanowiących posag mojej przyjaciółki. Oto lawendowo-biały materiał, z jakiego nosiła przed laty podróżny strój, teraz pokrojony na kamizelki i buty. Oto szafirowo-biała bawełna, którą kiedyś tak podziwiałam, teraz pocięta na prostokąty i pasy, i wszyta w tuniki, nakrycia głowy, przepaski i kołdry. Dary, które Kwiat Śniegu otrzymała od rodziny przyszłego męża, były ubożuchne, lecz ona wykorzystała własne stare ubrania i stworzyła z nich naprawdę wyjątkowy posag.

– Będziesz niezwykłą żoną – odezwałam się, szczerze zachwycona jej pracą.

Roześmiała się po raz pierwszy od chwili, gdy pojawiłam się w jej domu. Zawsze uwielbiałam jej śmiech – wysoki i uroczy. Przyłączyłam się do niej, bo wszystko to wykraczało poza... poza możliwości mojej wyobraźni i poza wszelkie podziały na to, co sprawiedliwe i niesprawiedliwe w świecie. Sytuacja Kwiatu Śniegu i to, jak próbowała sobie z nią radzić... Cóż, było to jednocześnie straszne, tragiczne, zabawne i zdumiewające.

– Twoje ubrania...

– Właściwie nawet nie moje... – Kwiat Śniegu z trudem chwytała powietrze. – Moja matka pocięła stroje ze swojego posagu, żebym miała co na siebie włożyć, kiedy was odwiedzałam. A teraz ja je pocięłam dla mojego męża i teściów...

Oczywiście! To dlatego niektóre wzory wydawały mi się zbyt dorosłe i wyrafinowane dla małej dziewczynki, to dlatego mankiety jej tunik strzępiły się czasami, a ja obcinałam nitki, kiedy Kwiat Śniegu nie widziała... Byłam głupsza niż przerażony kurczak w czasie ulewy. Zasłoniłam dłońmi zarumienione ze wstydu policzki, dusząc się ze śmiechu.

– Myślisz, że moja teściowa coś zauważy? – zapytała Kwiat Śniegu.

– Skoro ja byłam ślepa, to tym bardziej ona... – nie dokończyłam, bo to wszystko było naprawdę zabawne.

Może tę sytuację potrafią zrozumieć tylko dziewczęta i kobiety, nie wiem... Jesteśmy uważane za kompletnie bezużyteczne. Nawet jeżeli rodziny, w których przyszłyśmy na świat kochają nas, to jednak jesteśmy dla nich ciężarem. Potem wchodzimy w nowe rodziny, udajemy się do domu męża, którego nigdy wcześniej nie widziałyśmy, idziemy do łóżka z obcym człowiekiem i podporządkowujemy się wymaganiom teściowej. Jeżeli szczęście nam sprzyja, rodzimy synów i umacniamy naszą pozycję w domu męża. Jeżeli nie, czekają nas obraźliwe drwiny teściowych, kąśliwe uwagi konkubin męża i rozczarowane spojrzenia naszych własnych córek. Uciekamy się do kobiecych sztuczek, o których jako siedemnastoletnie dziewczęta nie mamy jeszcze pojęcia, ale poza tym nie możemy zrobić praktycznie nic, aby odmienić swój los. Żyjemy zdane na łaskę i niełaskę innych ludzi, i właśnie dlatego to, co zrobiły Kwiat Śniegu i jej matka, wykraczało poza wszystkie utarte schematy. Posłużyły się materiałami, które kiedyś rodzina przysłała matce Kwiatu Śniegu jako ślubny dar, przeznaczony na posag dla pięknej, doskonale wychowanej panny, przerobiły je na stroje dla jej pięknej córki, potem zaś pocięły je jeszcze raz, aby podkreślić zalety młodej kobiety, wchodzącej do domu nieczystego rzeźnika. Wszystko to wymagało ogromnej pracy, pracy kobiet, tej pracy, którą mężczyźni uważają za wyłącznie symboliczną, pracy, która czasami odmienia nasze życie.

Nie ulegało jednak wątpliwości, że teraz potrzebujemy także wielu innych rzeczy. Kwiat Śniegu musiała udać się do nowego domu z tyloma strojami, aby starczyło jej do końca życia. Na razie miała bardzo mało. Natychmiast zaczęłam myśleć o rzeczach, które mogłybyśmy zrobić w czasie tego ostatniego miesiąca.

Kiedy pani Wang przybyła na Siedzenie i Śpiewanie w izbie na górze, szybko wzięłam ją na stronę i poprosiłam, żeby pojechała do mojego domu.

– Oto, czego potrzebuję... – zaczęłam.

Pani Wang od początku była nastawiona do mnie bardzo krytycznie. Na dodatek okłamała mnie, nie moją rodzinę, ale mnie. Nigdy jej nie lubiłam, a teraz uczucie niechęci powiększyła świadomość jej dwulicowości, ale posłuchała mnie i zrobiła to, o co mi chodziło. (Oczywiście teraz stałam od niej wyżej w hierarchii społecznej, to nie ulegało wątpliwości). Kilka godzin później wróciła z koszem pełnym moich weselnych kluseczek, plastrami wieprzowiny, którą przysłali teściowie, świeżymi warzywami z naszego ogrodu oraz materiałami, z których zamierzałam skroić nowe rzeczy po powrocie do domu. Nigdy nie zapomnę widoku matki Kwiatu Śniegu, jedzącej przywiezione przez panią Wang mięso. Wychowano ją na wielką damę i chociaż była wygłodniała, nie rzuciła się na jedzenie tak, jak zrobiłby to każdy z moich bliskich. Powoli dzieliła mięso pałeczkami i delikatnie podnosiła małe kawałki do ust. Jej wstrzemięźliwość i opanowanie stały się dla mnie nauką, której do dziś pozostaję wierna. Mogę być na dnie rozpaczy, ale nie wolno pozwolić, aby ktokolwiek zobaczył mnie bez maski dobrze wychowanej kobiety.

Miałam jeszcze inne sprawy do załatwienia z panią Wang.

– Potrzebne nam będą dziewczęta na Siedzenie i Śpiewanie – powiedziałam. – Może pani sprowadzić starszą siostrę Kwiatu Śniegu?

– Jej teściowie nie zgodzą się, żeby wróciła do tego domu.

Z trudem przełknęłam gorzkie słowa. Nigdy nie słyszałam o podobnej sytuacji.

– Tak czy inaczej, potrzebne nam są dziewczęta – powtórzyłam.

– Nikt tu nie przyjdzie, panno Lilio – wyznała pani Wang. – Mój szwagier ma tak złą reputację, że żadna rodzina nie pozwoli niezamężnej dziewczynie przekroczyć jego progu. Może twoja matka i stryjenka? One wiedzą już o wszystkim, więc...

– Nie! – Nie byłam jeszcze gotowa, żeby stawić im czoło, a Kwiat Śniegu z pewnością nie potrzebowała ich litości.

Kwiat Śniegu potrzebowała teraz towarzystwa obcych ludzi.

Miałam trochę pieniędzy, które dostałam z okazji ślubu, i dałam część pani Wang.

– Proszę nie wracać bez trzech dziewcząt. Niech pani zapłaci ich ojcom, ile uzna za stosowne, i powie, że biorę na siebie odpowiedzialność za ich córki...

Byłam pewna, że mój nowy status żony najstarszego syna najlepszej rodziny w Tongkou przekona niejednego ojca, ale szczerze mówiąc, były to słowa bez pokrycia, bo moi teściowie nie mieli pojęcia, że w ten sposób wykorzystuję ich pozycję. Widziałam, że pani Wang zastanawia się, co robić. Musiała przecież nadal prowadzić interesy w Tongkou i lada chwila miała zebrać owoce wydania mnie za syna rodziny Lu, nie chciała więc ryzykować, a i tak nagięła już wiele zasad dla dobra swojej siostrzenicy. W końcu przemyślała tę skomplikowaną sprawę, kiwnęła głową i wyszła.

Następnego dnia wróciła z trzema córkami rolników, pracowników mojego teścia. Inaczej mówiąc, były to dziewczyny takie jak ja, tyle że to nie im trafiły się korzystne okoliczności, jakimi mnie obdarzył los.

Przetrwałam ten miesiąc dzięki sile woli. Przewodziłam w śpiewach. Pomagałam dziewczętom znaleźć odpowiednie słowa, aby opisać Kwiat Śniegu (osobę, o której w ogóle nic nie wiedziały) w księgach ślubnych trzeciego dnia. Gdy nie znały jakiegoś znaku, pisałam go sama. Jeżeli za bardzo grzebały się przy pikowaniu kołder, na boku szeptałam im do ucha, że ich ojcowie zostaną ukarani, jeśli nie wywiążą się z zadań, do których je wynajęto.

Pamiętacie, jak to było z moją starszą siostrą? Ze smutkiem opuszczała dom, ale wszyscy wierzyli, że zawiera dobre, przyzwoite małżeństwo. Jej pieśni nie były ani zbyt tragiczne, ani zbyt radosne – cóż, stanowiły odbicie przyszłości. Ja też miałam mieszane uczucia co do mojego małżeństwa. Czułam smutek, lecz także radosne podniecenie, że życie zmienia się na lepsze. Śpiewałam pieśni, w których wychwalałam rodziców za to, że mnie wychowali i dziękowałam im za tę ciężką pracę. Sytuacja Kwiatu Śniegu była całkowicie odmienna, jej przyszłość rysowała się w ponurych barwach. Nikt nie mógł temu zaprzeczyć, ani tym bardziej odmienić jej losu, więc nasze pieśni były pełne melancholii.

– Mamo – zaśpiewała któregoś dnia Kwiat Śniegu. – Ojciec nie zasadził mnie na skąpanym w słońcu zboczu. Zawsze będę żyła w głębokim cieniu...

– Stało się tak, jakby ktoś zasadził piękny kwiat na kupie gnoju – odpowiedziała śpiewnie jej matka.

Mogłam tylko przytaknąć tym słowom i powtórzyć je razem z trzema wynajętymi dziewczętami. Tak to się odbywało – nasze serca ściskał smutek, lecz wszystko działo się zgodnie z tradycją.

Dni stawały się coraz zimniejsze. Któregoś dnia zjawił się młodszy brat Kwiatu Śniegu i okleił papierem okienko na górze. Mimo to chłodna wilgoć sączyła się do domu. Nasze palce sztywniały i czerwieniały z zimna. Towarzyszące nam trzy dziewczyny bały się narzekać. Stało się to nie do wytrzymania, więc zaproponowałam, byśmy przeniosły się na dół, do kuchni, gdzie przynajmniej mogłyśmy się ogrzać przy palenisku. Pani Wang i matka Kwiatu Śniegu potraktowały to jako polecenie, jeszcze raz utwierdzając mnie w przekonaniu, że mam teraz pewną władzę.

Już dawno przygotowałam księgę trzeciego dnia dla Kwiatu Śniegu. Pełna była cudownych przepowiedni na przyszłość, które teraz okazały się, niestety, zupełnie nie na miejscu, więc zaczęłam spisywać nową. Wycięłam kawałki szafirowego płótna, owinęłam nimi kilka arkuszy ryżowego papieru i zszyłam wszystko razem białą nicią, tworząc okładkę. Po wewnętrznej stronie przedniej okładki przykleiłam w rogach trójkąty z czerwonego papieru. Pierwsze strony przeznaczone były na moją pieśń pożegnalną do Kwiatu Śniegu, następne na przedstawienie jej rodzinie męża, a dalsze na jej własne zapiski i wzory haftów. Utarłam tusz na kamieniu i sięgnęłam po pędzelek. Kreśląc znaki w naszym sekretnym języku, starałam się, aby każde pociągnięcie było doskonale równe i czyste. Nie mogłam pozwolić, żeby moja ręka – lekko drżąca i niepewna po trudnych przeżyciach ostatnich dni – zeszpeciła obraz moich uczuć.

Po trzydziestu dniach zaczął się Dzień Smutku i Niepokoju. Kwiat Śniegu została na górze, jej matka zaś usiadła na czwartym stopniu schodów prowadzących do izby dla kobiet. Nasze pieśni brzmiały już bardziej dojrzale i wyraźnie. Mimo wiszącej nad nami groźby gniewu ojca Kwiatu Śniegu, który nie życzył sobie w domu żadnych hałasów, pełnym głosem wyśpiewywałam swoje uczucia i rady.

– Dobra kobieta nie powinna gardzić brakami i wadami męża – śpiewałam, mając w pamięci *Opowieść o żonie pana Wanga*. – Dobra kobieta pomaga wydźwignąć rodzinę wyżej, niż była dotąd, dobra kobieta służy mężowi i jest mu posłuszna...

Matka i ciotka Kwiatu Śniegu powtarzały moje przesłania.

– Chcąc być dobrymi córkami, musimy być posłuszne – śpiewały razem zharmonizowanymi głosami, w których przebijało łączące je poświęcenie i uczucie. – Musimy mieszkać w izbie na piętrze, być cnotliwe, skromne i doskonalić się w kobiecych zajęciach. Na dowód posłuszeństwa wobec rodziców musimy odejść z domu, taki jest nasz los. Gdy przenosimy się do domu męża, otwierają się przed nami nowe światy, czasami lepsze, kiedy indziej gorsze...

– Razem przeżywałyśmy szczęśliwe Dni Córek – przypomniałam mojej *laotong*. – Rok w rok byłyśmy razem, zawsze nierozłączne. Teraz także będziemy razem... – Wróciłam myślami do słów, które napisałyśmy w swoich pierwszych listach i kontrakcie przyjaźni. – Nadal będziemy mówić do siebie szeptem. Nadal będziemy wybierać ulubione kolory, nawlekać igły i razem haftować...

U szczytu schodów pojawiła się Kwiat Śniegu, jej głos popłynął ku mnie.

– Sądziłam, że razem wzbijemy się w niebo, jak dwa feniksy, i nigdy nie opadniemy na ziemię. Dziś jestem jak martwe ciało, które powoli idzie na dno stawu. Mówisz, że mimo wszystko będziemy razem... Wierzę ci, ale mój próg będzie dużo niższy od twojego...

Powoli zeszła ku nam i usiadła obok matki. Spodziewałyśmy się, że zobaczymy łzy goryczy, ale Kwiat Śniegu nie płakała. Objęła matkę i uprzejmie słuchała żałosnych lamentów dziewcząt z wioski. Patrząc na nią, nie mogłam się nadziwić temu pozornemu brakowi emocji, kiedy nawet ja, podekscytowana dobrym zamążpójściem, płakałam w czasie tej ceremonii. Czy uczucia Kwiatu Śniegu były równie poplątane i niejednoznaczne jak wcześniej moje? Wiedziałam, że będzie tęskniła za matką, ale czy będzie jej brakowało niegodziwego ojca i pustego domu, którego widok codziennie przypominał o wszystkim, co przeminęło? Poślubienie rzeźnika jest straszną rzeczą, ale czy naprawdę gorsze od tego, co tutaj przeżyła? Poza tym Kwiat Śniegu także urodziła się pod znakiem Konia. Galopujący, wiecznie spragniony przygód duch był w niej równie silny jak we mnie. Z drugiej strony, chociaż obie byłyśmy takimi samymi i obie urodziłyśmy się w tym samym roku, ja zawsze stałam obiema nogami twardo na ziemi, praktyczna, lojalna i posłuszna, gdy tymczasem jej skrzydlaty duch pragnął szybować wysoko i zmagać się ze wszystkim, co mogłoby go ograniczać, jednocześnie szukając piękna.

Dwa dni później przybyli tragarze ze ślubnym palankinem dla Kwiatu Śniegu. Teraz także nie szlochała ani nie walczyła z tym, co nieuniknione. Raz tylko potoczyła wzrokiem po żałośnie nielicznej grupce, zgromadzonej przed domem i wsiadła do ubogo zdobionego palankinu. Trzy wynajęte przeze mnie dziewczęta nie zaczekały nawet, aż palankin zniknie za rogiem i czym prędzej pośpieszyły do swoich domów. Matka Kwiatu Śniegu cofnęła się do środka, a ja zostałam sama z panią Wang.

– Na pewno uważasz mnie za złą starą kobietę – odezwała się swatka. – Powinnaś jednak wiedzieć, że nigdy nie okłamałam twojej matki ani stryjenki. Kobieta niewiele może zrobić, by odmienić swój los, a tym bardziej innej osoby, ale...

Podniosłam dłoń, nie chcąc słuchać tych wymówek, ale musiałam dowiedzieć się czegoś jeszcze.

– Wiele lat temu, kiedy zjawiła się pani w naszym domu i spojrzała na moje stopy... – zaczęłam.

– Pytasz, czy naprawdę już wtedy byłaś wyjątkową osobą? – przerwała mi.

Gdy przytaknęłam, popatrzyła na mnie twardo.

– Niełatwo jest znaleźć potencjalną *laotong* – powiedziała. – Kilku wróżbitów w okolicy na moje polecenie szukało kogoś, z kim mogłabym połączyć moją siostrzenicę. To prawda, że wolałam kogoś z wyżej postawionej rodziny, ale wróżbita Hu znalazł ciebie. Osiem twoich cech idealnie pasowało do Kwiatu Śniegu, lecz Hu i tak zgłosiłby się do mnie, a to ze względu na twoje stopy, które rzeczywiście były wyjątkowe. Twój los miał się odmienić, i to niezależnie od tego, czy zostałabyś *laotong* mojej siostrzenicy, czy nie. Teraz mam nadzieję, że i jej los ulegnie odmianie, oczywiście dzięki związkowi z tobą. Wypowiedziałam wiele kłamstw, żeby Kwiat Śniegu miała szansę na lepsze życie i nie mam zamiaru cię za to przepraszać...

Długo wpatrywałam się w nadmiernie uróżowaną twarz pani Wang. Chciałam czuć do niej nienawiść, ale wcale tak nie było. Zrobiła przecież to wszystko dla osoby, która znaczyła dla mnie więcej niż ktokolwiek inny.

Ponieważ starsza siostra Kwiatu Śniegu nie chciała zanieść ksiąg trzeciego dnia do nowego domu mojej *laotong*, sama wzięłam na siebie ten obowiązek. Moja rodzina postarała się o palankin, w którym udałam się do Jintian. Nie zobaczyłam żadnych dekoracji i nic usłyszałam wesołej muzyki – nic nie wskazywało, że tego dnia w wiosce dzieje się coś niezwykłego. Wysiadłam na ubitą ścieżkę, wiodącą do domu o nisko zwisającym dachu, ze stosem drewna pod ścianą. Po prawej stronie drzwi znajdowało się coś, co przypominało gigantyczną patelnię wok, zatopioną w platformie z cegieł.

Domownicy powinni byli przygotować ucztę na moje przybycie, ale nie zrobili tego. Na powitanie powinny były wyjść najważniejsze kobiety w wiosce. Wyszły, lecz wulgarne brzmienie ich dialektu powiedziało mi, jak nisko urodzeni ludzie mieszkają w Jintian, chociaż wioska znajdowała się przecież w odległości zaledwie kilku *li* od Tongkou.

Kiedy przyszedł czas odczytania *sanzhaoshu*, zaproszono mnie do głównej izby. Dom na pozór niewiele różnił się od mojego domu rodzinnego. Ze środkowej belki w sklepieniu zwisały sznury suszących się papryczek chili, ściany były z surowej, niemalowanej cegły. Miałam nadzieję, że te podobieństwa znajdą odbicie w mieszkających pod tym dachem ludziach. Tamtego dnia nie miałam okazji zobaczyć męża Kwiatu Śniegu, poznałam jednak jego matkę, która okazała się okropną osobą. Miała bardzo blisko osadzone oczy i wąziutkie wargi, co zawsze świadczy o ograniczoności umysłu i małoduszności.

Kwiat Śniegu weszła do izby i usiadła na taborecie obok rozłożonych na podłodze ksiąg ślubnych trzeciego dnia. Czekała spokojnie. Ja miałam wrażenie, że zmieniłam się po zawarciu małżeństwa, tymczasem ona wydawała się taka sama jak parę dni wcześniej. Kobiety z Jintian skupiły się wokół *sanzhaoshu*, dotykając ich kart brudnymi paluchami. Rozmawiały między sobą o obszyciach okładek i papierowych zdobieniach, lecz żadna nie powiedziała ani słowa o jakości pisma i wyrażonych nim myślach. Po kilku minutach usadowiły się pod ścianami.

Teściowa Kwiatu Śniegu powoli zbliżyła się do ławki. Jej stopy nie zostały tak źle skrępowane jak stopy mojej matki, ale ciężki, niezgrabny krok świadczył o jej pochodzeniu jeszcze wyraźniej niż gardłowe dźwięki, które wydobywały się z ust. Usiadła, rzuciła synowej pełne niesmaku spojrzenie i utkwiła obojętne oczy we mnie.

– Słyszałam, że wyszłaś za syna rodziny Lu – powiedziała. – Masz wielkie szczęście.

Jej słowa były uprzejme, lecz ton mógłby wskazywać, że mówi do osoby unurzanej w zwierzęcych wnętrznościach.

– Podobno ty i moja synowa dobrze znacie *nu shu* – dodała. – Kobiety z naszej wioski nie cenią sobie tej rozrywki. Umiemy czytać, ale uważamy, że lepiej jest słuchać tekstów *nu shu* niż marnować czas na pisanie.

Byłam innego zdania. Ta kobieta przypominała mi moją

matkę, która także nie znała sekretnego pisma kobiet. Rozejrzałam się po izbie, mierząc wzrokiem pozostałe kobiety. Nie wygłaszały żadnych komentarzy, prawdopodobnie dlatego, że ich wiedza o nu ohu była bardzo ograniczona.

– Nie czujemy potrzeby ukrywania swoich myśli w znakach zapisanych na kawałkach papieru – ciągnęła teściowa Kwiatu Śniegu. – W tej izbie nie ma osoby, która nie wiedziałaby, co myślę... – Kiedy w odpowiedzi rozległy się niepewne śmiechy, podniosła trzy palce, aby uciszyć przyjaciółki. – Z wielką ciekawością posłuchamy, jak będziesz odczytywać *sanzhaoshu* mojej synowej. Ocena jej charakteru z ust dziewczyny z ważnego domu w Tongkou na pewno okaże się bardzo interesująca...

Każde słowo tej kobiety było jawną drwiną, ja zaś zareagowałam tak, jak mogła zareagować siedemnastoletnia dziewczyna. Chwyciłam księgę przygotowaną przez matkę Kwiatu Śniegu i otworzyłam ją. Przypomniałam sobie subtelne brzmienie jej głosu i usiłowałam je naśladować.

– Przesyłam ten list do twojego szlachetnego domu trzeciego dnia po twoim ślubie – zaczęłam recytować. – Jestem twoją matką i rozstałyśmy się przed trzema dniami. Naszą rodzinę dotknęło nieszczęście i teraz musisz zamieszkać w obcej wiosce...

Zgodnie ze zwyczajem, matka Kwiatu Śniegu zmieniła temat i zwróciła się do nowej rodziny córki.

– Mam nadzieję, że okażecie mojej córce współczucie z powodu ubóstwa jej posagu. Nawet jeśli wierzchnia warstwa jest prosta i niepozorna, proszę, nie wspominajcie o tym...

Dalej mówiła o pechu, jaki prześladował rodzinę Kwiatu Śniegu, o obniżeniu statusu i obecnym ubóstwie, lecz moje oczy przemknęły nad tymi znakami, jakby wcale ich tam nie było. Pośpiesznie wymyśliłam nowe słowa, które wydały mi się o wiele bardziej właściwe.

– Dobra kobieta, taka jak nasz Kwiat Śniegu, powinna trafić do dobrego domu. Zasługuje na dobrą rodzinę...

Odłożyłam księgę. W izbie panowała cisza. Sięgnęłam po swoją księgę i otworzyłam ją. Poszukałam spojrzeniem teściowej Kwiatu Śniegu. Chciałam, żeby wiedziała, iż moja *laotong* zawsze będzie mogła liczyć na opiekę i pomoc z mojej strony.

– Ludzie mogą mówić o nas jako o dziewczętach, które wyszły za mąż – zaśpiewałam do Kwiatu Śniegu. – Ale nic nigdy nie rozdzieli naszych serc. Ty zmierzasz w dół, ja na szczyt. Twoja rodzina zarzyna zwierzęta. Moja rodzina jest najlepszą w okręgu. Jesteś mi bliska jak moje własne serce. Mamy wspólną przyszłość. Jesteśmy jak most nad szeroką rzeką, kroczymy obok siebie, ramię w ramię...

Zależało mi, żeby teściowa Kwiatu Śniegu naprawdę dobrze zrozumiała moje słowa, ale jej oczy patrzyły na mnie podejrzliwie, a wąskie wargi były zaciśnięte w wyrazie niechęci.

Zanim skończyłam, dodałam kilka nowych myśli.

– Nie okazuj smutku tam, gdzie mogą cię widzieć inni. Nie szlochaj na głos. Nie dawaj źle wychowanym ludziom powodu do drwin z ciebie i twojej rodziny. Postępuj zgodnie z zasadami. Wygładź zmarszczone czoło. Nigdy nie przestaniemy być *laotong*...

Ani Kwiat Śniegu, ani ja nie miałyśmy okazji, by porozmawiać. Szybko odprowadzono mnie do palankinu, w którym wróciłam do rodzinnego domu. Kiedy zostałam sama, rozpakowałam nasz wachlarz i otworzyłam go. Zapisane wspomnienia cennych dla nas chwil zajmowały już trzecią fałdę z kolei. Nie było w tym nic dziwnego, ponieważ miałyśmy za sobą już ponad jedną trzecią długości życia kobiet z naszego regionu. Długo patrzyłam na wszystko, co do tej pory wydarzyło się w naszym życiu. Tyle szczęścia. Tyle smutku. Tyle bliskości.

Spojrzałam na ostatni zapis, wykonany ręką Kwiatu Śniegu z okazji mojego ślubu – zajmował połowę jednej fałdy. Zmieszałam tusz i wyjęłam najcieńszy pędzelek. Tuż pod jej życzeniami szczęścia dla mnie, nakreśliłam nowe znaki:

Feniks góruje nad zwykłym kogutem. Czuje wiatr pod skrzydłami. Nic nigdy nie przykuje jej do ziemi. Dopiero teraz, kiedy napisałam te słowa, mogłam zmierzyć się z prawdziwym obliczem losu Kwiatu Śniegu. W girlandzie pod górną krawędzią domalowałam zwiędły kwiat, z którego opadały malutkie łzy i poczekałam, aż tusz wyschnie.

Potem zamknęłam wachlarz.

Świątynia Gupo

Rodzice z radością powitali mój powrót do domu. Jeszcze większą przyjemność sprawiły im chyba słodkie ciasteczka, które przysłali teściowie. Jeśli mam być zupełnie szczera, to muszę powiedzieć, że ja nie byłam szczególnie uszczęśliwiona. Okłamywali mnie przez dziesięć lat i teraz w moim sercu kłębiły się rozmaite okropne uczucia. Nie byłam już małą dziewczynką, która pozbywa się niemiłych myśli w falach rzeki. Miałam wielką ochotę rzucić mojej rodzinie otwarte oskarżenie, ale dla własnego dobra musiałam nadal przestrzegać zasad postępowania dobrej, posłusznej córki, buntowałam się więc na swój własny sposób, izolując się od nich emocjonalnie i fizycznie.

Początkowo nie dostrzegali zmiany, jaka we mnie zaszła. Nadal robili i mówili zwyczajne rzeczy, ja zaś na wszelkie możliwe sposoby odrzucałam ich starania. Matka chciała obejrzeć intymne części mojego ciała, lecz odmówiłam, twierdząc, że czuję się zbyt zawstydzona. Stryjenka wypytywała mnie o sprawy łóżkowe, ale odwracałam się do niej tyłem, udając onieśmielenie. Gdy ojciec próbował wziąć mnie za rękę, napomknęłam, że takie demonstrowanie uczuć nie przystoi zamężnej kobiecie. Starszy brat szukał mojego towarzystwa, żeby razem pośmiać się z zabawnych historyjek, którymi chciał się ze mną podzielić, ale mu powiedziałam, że powinien opowiedzieć je swojej żonie. Drugi brat zajrzał mi w twarz i odtąd trzymał się z daleka ode mnie, a ja nie zrobiłam nic, aby to zmienić, więcej, oświadczyłam skromnie, że kiedy sam będzie miał żonę, na pewno zrozumie moje zachowanie. Tylko słyj, że swoim niepewnym spojrzeniem i nerwowym sposobem poruszania się, wzbudził we mnie odrobinę litości, lecz jemu także nie zdradziłam prawdziwej przyczyny chłodu, jaki ogarnął moje serce. Wykonywałam swoje obowiązki. W milczeniu pracowałam w izbie na górze. Byłam uprzejma i trzymałam język za zębami, bo przecież oni wszyscy, z wyjątkiem młodszego brata, byli starsi ode mnie. Nawet jako mężatka nie miałam dość wysokiej pozycji, aby o cokolwiek ich oskarżać.

Zdawałam sobie sprawę, że taki stan nie może trwać w nieskończoność. W oczach mamy moje zachowanie – chociaż uprzedzająco grzeczne – było po prostu nie do przyjęcia. W naszym niewielkim domu starczało miejsca dla nas wszystkich, ale nie dla moich kaprysów – tak uważała mama.

Piątego dnia po moim powrocie poprosiła stryjenkę, żeby zeszła na dół i przygotowała herbatę. Kiedy zostałyśmy same, podeszła do stołu, przy którym siedziałam, oparła laskę o jego brzeg, chwyciła moje ramię i wpiła się w nie paznokciami.

– Myślisz, że teraz jesteś już dla nas za dobra? – syknęła oskarżycielsko, zgodnie z moimi przewidywaniami. – Sądzisz, że wspięłaś się na sam szczyt tylko dlatego, że poszłaś do łóżka z synem naczelnika wioski?

Podniosłam oczy i spojrzałam na nią. Nigdy nie okazałam jej braku szacunku, ale teraz śmiało odsłoniłam gniew. Patrzyła mi prosto w oczy, pewna, że osłabi mnie zimnym spojrzeniem, lecz ja nie odwróciłam wzroku. Nagle, jednym szybkim ruchem, puściła moje ramię, cofnęła rękę i mocno uderzyła mnie w twarz, aż głowa mi odskoczyła. Ale spojrzałam jej w oczy, co uraziło ją jeszcze dotkliwiej.

– Swoim zachowaniem przynosisz hańbę temu domowi – powiedziała. – Jesteś gorzej niż niewdzięczna!

– Gorzej niż niewdzięczna... – powtórzyłam cicho, z zastanowieniem, doskonale wiedząc, że mój spokojny ton zdenerwuje ją do granic możliwości.

Potem złapałam ją za ramię i pociągnęłam w dół, tak aby jej twarz znalazła się dokładnie naprzeciwko mojej. Laska ze stuknięciem upadła na podłogę.

– Wszystko w porządku, siostro? – zawołała z dołu stryjenka.

– Tak – odparła mama. – Przynieś herbatę, kiedy będzie już gotowa, dobrze?

Moim ciałem wstrząsały szalejące w sercu emocje. Mama wyczuła je i uśmiechnęła się lekko, jakby wiedziała, co się ze mną dzieje.

– Jesteś kłamczuchą – powiedziałam cicho, aby nikt w domu nie usłyszał moich słów, i wbiłam paznokcie w jej ciało, naśladując jej wcześniejszy gest. – Oszukaliście mnie, ty i wszyscy w tej rodzinie. Myślałaś, że nie dowiem się, jak żyje Kwiat Śniegu?

– Nie wyjawiliśmy ci prawdy, bo nie chcieliśmy jej skrzywdzić – zapiszczała. – Kochamy Kwiat Śniegu. Była tutaj szczęśliwa. Dlaczego mieliśmy zmieniać jej obraz, który nosiłaś w sercu?

– Niczego by to nie zmieniło. Kwiat Śniegu jest moją *laotong*.

Matka wysunęła brodę do przodu i zmieniła taktykę.

– Wszystko robiliśmy dla twojego dobra...

Wbiłam paznokcie głębiej.

– Chcesz chyba powiedzieć, że dla waszego dobra!

Wiedziałam, że sprawiam jej fizyczny ból, ale zamiast się skrzywić, ułożyła twarz w łagodny, błagalny wyraz. Oczekiwałam, że spróbuje się jakoś usprawiedliwić, lecz wymówka, jaką wymyśliła, z pewnością nie przyszłaby mi do głowy.

– Twój związek z Kwiatem Śniegu i idealne stopy miały zaowocować korzystnym małżeństwem, nie tylko dla ciebie, ale również dla twojej kuzynki. Piękny Księżyc mogła znaleźć szczęście.

To odejście od zasadniczego tematu poruszyło mnie do głębi, udało mi się jednak nie stracić panowania nad sobą.

– Piękny Księżyc umarła dwa lata temu – powiedziałam zachrypniętym głosem. – Kwiat Śniegu zjawiła się w tym domu dziesięć lat temu, a ty nie znalazłaś czasu, aby wyjaśnić mi, jak naprawdę wygląda jej życie!

– Piękny Księżyc...

– Piękny Księżyc nie ma z tym nic wspólnego!

– To ty wyprowadziłaś ją z domu. Gdyby nie to, wciąż byłaby z nami. Złamałaś serce stryjenki...

Powinnam się spodziewać takiej manipulacji po matce, urodzonej pod znakiem Małpy, a jednak trudno mi było uwierzyć w okrucieństwo tego straszliwego oskarżenia. Co mogłam zrobić? Byłam posłuszną córką. Nadal byłam zależna od swojej rodziny i miało tak być do chwili, kiedy zajdę w ciążę i wyprowadzę się na dobre. Zresztą, niby jak dziewczyna spod znaku Konia może odnieść zwycięstwo w bitwie nad podstępną, złośliwą Małpą?

Matka musiała wyczuć swoją przewagę, bo natychmiast przypuściła atak z innej strony.

– Dobra córka byłaby mi wdzięczna...

– Za co?

– Dałam ci życie, jakiego sama nie mogłam mieć z powodu tego oszpecenia – wskazała okaleczone nogi. – Krępowałam twoje stopy i zmieniałam bandaże, a teraz ty odbierasz nagrodę...

Jej słowa przeniosły mnie w przeszłość, do dni, kiedy ból krępowanych stóp wydawał się nie do zniesienia, a ona powtarzała, że we właściwym czasie odbiorę wielką nagrodę. Nagle z przerażeniem uświadomiłam sobie, że w tamtych strasznych dniach wcale nie kierowała się macierzyńską miłością. W jakiś dziwaczny sposób ból, który mi zadawała, łączył się z jej własnymi egoistycznymi dążeniami i pragnieniami.

Wściekłość i rozczarowanie, które mnie ogarnęły, po prostu nie miały granic.

– Już nigdy nie będę oczekiwać od ciebie niczego dobrego! – rzuciłam, z obrzydzeniem puszczając jej rękę. – I zapamiętaj sobie, że to dzięki twoim staraniom pewnego dnia zdobędę wystarczającą władzę, aby odmienić los tej rodziny. Będę dobrą kobietą, która wiele robi dla innych, ale nie myśl, że kiedykolwiek zapomnę o twoich uczynkach.

Matka podniosła laskę z podłogi i oparła się na niej.

– Współczuję tym Lu, że muszą przyjąć cię do swojego domu – powiedziała. – Dzień, w którym nas opuścisz, będzie najszczęśliwszym dniem mojego życia, lecz dopóki nie nadejdzie, nawet nie próbuj więcej się tak zachowywać...

– Bo co? – warknęłam. – Nie dasz mi nic do jedzenia?

Spojrzała na mnie jak na obcą, następnie odwróciła się i pokuśtykała do swojego krzesła. Kiedy stryjenka wniosła herbatę, w izbie panowało milczenie.

I tak to mniej więcej zostało, chociaż z czasem złagodniałam w stosunku do moich braci, stryjenki, stryja i ojca. Chciałam całkowicie wykreślić mamę ze swojego życia, ale okoliczności mi na to nie pozwoliły. Musiałam pozostać w tym domu aż do pierwszej ciąży, zresztą, nawet po przeprowadzce do męża zgodnie z tradycją kilka razy w roku miałam wracać do rodziców. Starałam się jednak zachować emocjonalny dystans w stosunku do matki, chociaż prawie codziennie zbliżałyśmy się do siebie na odległość kilku centymetrów. Postępowałam tak, jakbym stała się dojrzałą kobietą i nie potrzebowała już czułości. Właśnie wtedy zachowałam się tak po raz pierwszy – zewnętrznie przestrzegałam wszystkich zasad i nakazów tradycji, na kilka przerażających chwil uwalniałam swoje uczucia, a potem nadal trzymałam się swoich pretensji i żalów równie kurczowo jak ośmiornica skały. Rodzina pogodziła się z moim zachowaniem, bo nadal sprawiałam wrażenie posłusznej córki. W późniejszym okresie życia miałam znowu zrobić coś podobnego, z zupełnie odmiennych przyczyn i z tragicznym skutkiem.

Kwiat Śniegu była mi droższa niż kiedykolwiek. Często pisywałyśmy do siebie, a pani Wang dostarczała listy. Martwiłam się o przyjaciółkę – czy teściowa dobrze ją traktuje, jak znosi oprawy łóżkowe i czy sytuacja w jej rodzinnym domu się nie pogorszyła – ona zaś niepokoiła się, czy kocham ją tak jak dawniej. Chciałyśmy się spotkać, ale nie miałyśmy już pretekstu w postaci pracy nad posagami, a jedyne wyprawy wolno nam było odbywać do domu mężów.

Spędzałam w Tongkou cztery lub pięć nocy w roku. Przy każdym wyjeździe kobiety z mojej rodziny płakały i lamentowały. Zawsze zabierałam ze sobą jedzenie, ponieważ teściowie mieli mnie żywić i utrzymywać dopiero wtedy, gdy na stałe zamieszkam razem z nimi. Kiedy przyjeżdżałam do Tongkou, byłam traktowana z sympatią i nawet szacunkiem. Kiedy wracałam do domu, członkowie mojej rodziny patrzyli na mnie z gorzko-słodkimi uczuciami, ponieważ każda noc, jaką spędzałam z dala od nich, uświadamiała im, że wkrótce opuszczę ich na zawsze.

Z każdą wyprawą do Tongkou moja odwaga rosła. Śmiało wyglądałam przez okno palankinu i szybko poznałam całą trasę. Podróżowałam drogą, która zwykle była błotnista i usiana wybojami. Po obu stronach rozciągały się pola ryżu i taro, chociaż te ostatnie zdarzały się rzadziej. Tuż przed wjazdem do Tongkou nad drogą pochylała się duża sosna, jakby chciała powitać gości, a nieco dalej, po lewej, lśnił rybny staw. Mniej więcej w połowie drogi między Puwei i Tongkou wiła się rzeka Xiao; z jej brzegu można było dostrzec wzgórza, wśród których leżało Tongkou.

Kiedy tragarze stawiali palankin przed główną bramą w Tongkou, wysiadałam i stawałam na kamieniach, ułożonych we wzór rybiej łuski. Ten fragment wioski przypominał kształtem końską podkowę. Po prawej stronie stała wielka szopa, gdzie młócono ryż, a po lewej stajnia. Filary bramy, zdobione malowanymi płaskorzeźbami, podtrzymywały piękny, stromy dach. Na murze widniały sceny przedstawiające epizody z życia nieśmiertelnych. Próg był wysoki, aby wszyscy goście wiedzieli, że Tongkou posiada naj-wyższy status w okręgu. Po obu stronach bramy ustawiono onyksowe kamienie rzeźbione w skaczące ryby, aby podró-żujący konno musieli zeskoczyć z siodła.

Dalej rozpościerał się główny dziedziniec, duży i miły dla oka, przykryty rzeźbioną i malowaną ośmiokątną ko-pułą o doskonałych aspektach *fengshui*. Ci, którzy przecho-dzili przez mniejszą bramę po prawej, trafiali do głównej sali Tongkou, gdzie witano zwyczajnych gości i urządzano zebrania. Dalej znajdowała się świątynia przodków, miejsce przyjmowania emisariuszy i urzędników rządowych; orga-nizowano tam także świąteczne uczty, na przykład wese-la. Mniejsze domy, niektóre z drewna, tłoczyły się tuż za świątynią.

Dom moich teściów znajdował się po drugiej stronie, z le-wej. Wszystkie domy w tej części Tongkou były wspaniałe, ale ich siedziba zachwycała wyjątkowym pięknem. Do dziś jestem szczęśliwa, że tu mieszkam. Dom jest jednopiętrowy, zgodnie z tradycją, zbudowany z cegły i otynkowany na zewnątrz. Mur piętra zdobią malowidła przedstawiające piękne młode kobiety i przystojnych mężczyzn, którzy uczą się, grają na rozmaitych instrumentach, ćwiczą kaligrafię i sprawdzają rachunki. W domu Lu zawsze praktykowano tego rodzaju zajęcia, więc malowidła dają przechodniom pewne pojęcie, jacy ludzie tu mieszkają i jak spędzają czas. Od wewnątrz ściany wyłożone są pięknym drewnem z na-szych lasów, a dodatkowy urok nadają wnętrzu rzeźbione kolumny, wspaniałe kratownice okien i balustrady.

Kiedy przybyłam tu po raz pierwszy, główna izba wy-glądała mniej więcej tak jak obecnie – były tu eleganckie me-ble, drewniana podłoga, wysoko umieszczone okna, przez które wpadało świeże powietrze, i biegnące wzdłuż wschod-niej ściany schody, prowadzące na drewniany balkonik, rzeź-biony we wzór ciętego diamentu. Teściowie sypiali w naj-większej izbie z tyłu domu, oczywiście na parterze. Każdy z moich szwagrów miał własną izbę, przylegającą do głównej sali. Po pewnym czasie wprowadziły się do nich żony. Jeżeli któraś nie urodziła syna, musiała przenieść się gdzie indziej, a jej miejsce w łóżku mężczyzny zajmowała konkubina lub mała synowa.

W czasie wizyt noce poświęcałam na sprawy łóżkowe. Musieliśmy spłodzić syna i oboje ze wszystkich sił staraliśmy się zrobić wszystko, aby spełnić ten obowiązek. Poza tym mój mąż i ja właściwie się nie widywaliśmy (on spędzał dnie ze swoim ojcem, ja z jego matką), ale z czasem poznaliśmy się lepiej, co znacznie ułatwiło nam nocne zajęcia.

Podobnie jak w większości małżeństw, najważniejszą osobą, z którą miałam zbudować związek, była teściowa. Kwiat Śniegu powiedziała mi, że jest ona kobietą wierną tradycji i okazało się to prawdą. Obserwowała mnie uważnie, kiedy wykonywałam te same prace, co w rodzinnym domu – przygotowywałam herbatę i śniadanie, prałam ubrania i pościel, gotowałam obiad i kolację, szyłam, haftowałam, przędłam i tkałam. Ostrym tonem wydawała mi polecenia.

– Pokrój melona na mniejsze kawałki – mówiła, kiedy przygotowywałam zimową zupę z melonów. – Takie duże nadają się tylko dla świń...

Albo:

– Poplamiłam pościel comiesięcznym krwawieniem. Musisz porządnie potrzeć płótno, żeby usunąć plamy.

Kiedy przywoziłam z domu jedzenie, z niesmakiem pociągała nosem.

– Następnym razem przywieź coś mniej cuchnącego – mruczała. – Odór twoich potraw odbiera apetyt mojemu mężowi i synom.

Gdy wizyta dobiegała końca, odsyłała mnie do domu bez słowa podziękowania i pożegnania.

I tak to mniej więcej wyglądało – sytuacja nie była ani bardzo dobra, ani bardzo zła, po prostu przeciętna. Pani Lu była sprawiedliwa, ja byłam posłuszna i chętna do nauki. Inaczej mówiąc, każda z nas wiedziała, czego spodziewają się po niej inni i starała się jak najlepiej wypełniać swoje obowiązki. Na przykład, w drugi dzień pierwszego Nowego Roku po moim ślubie teściowa zaprosiła do domu wszystkie niezamężne dziewczęta z Tongkou i te, które podobnie jak ja w ostatnim czasie wyszły za mąż i przebywały z wizytą u mężów. Poczęstowała je herbatą i różnymi przysmakami, była uprzejma i bardzo łaskawa. Kiedy przyjęcie się skończyło, wyszłyśmy razem z gośćmi. Tamtego dnia odwiedziłyśmy pięć domów, a ja poznałam pięć nowych synowych. Gdybym nie była *laotong* Kwiatu Śniegu, na pewno przyglądałabym się im uważnie, szukając tych, z którymi chciałabym założyć siostrzany związek mężatek.

Kwiat Śniegu i ja spotkałyśmy się znowu w czasie corocznych odwiedzin świątyni Gupo. Myślicie pewnie, że miałyśmy sobie dużo do powiedzenia, lecz obie byłyśmy dość milczące. Podejrzewałam, że moją przyjaciółkę dręczą wyrzuty sumienia z powodu kłamstw, którymi raczyła mnie przez tyle lat, no i z powodu marnego małżeństwa. Sama także nie czułam się w pełni swobodnie. Nie wiedziałam, jak mam powiedzieć o moich uczuciach wobec matki, nie przypominając Kwiatowi Śniegu o jej dwulicowości. Jakby nie dość było tych sekretów, miałyśmy teraz mężów, z którymi robiłyśmy bardzo wstydliwe rzeczy. W ustawiczne zażenowanie wprawiało nas to, że ojcowie naszych mężów podsłuchiwali pod drzwiami izb, w których spaliśmy, a ich matki rano uważnie oglądały pościel. Tak czy inaczej, ponieważ musiałyśmy o czymś rozmawiać, najbezpieczniejszy wydał się nam temat obowiązku zajścia w ciążę.

Delikatnie wymieniałyśmy uwagi o najważniejszych elementach, które muszą zaistnieć, aby dziecko mogło w nas zamieszkać i o tym, czy nasi mężowie postępują zgodnie z tradycyjnymi rytuałami. Każdy wie, że ludzkie ciało jest miniaturową wersją wszechświata – oczy i uszy to słońce i księżyc, oddech to powietrze, krew to deszcz. Zrozumiałe, że te elementy odgrywają istotną rolę w rozwoju dziecka, a ponieważ tak jest, nie należy uprawiać spraw łóżkowych, kiedy deszcz spływa z dachu, bo wtedy dziecko może czuć się uwięzione czy nawet schwytane w pułapkę. Nie należy też uprawiać ich w czasie burzy, gdyż może to rozbudzić w dziecku pragnienie destrukcji i strach, ani w okresie trudnym dla męża lub żony, ponieważ mroczne cienie niepokoju i zdenerwowania mogą przenieść się na następne pokolenie.

– Słyszałam, że nie należy zajmować się sprawami łóżkowymi po ciężkiej pracy – powiedziała Kwiat Śniegu. – Ale moja teściowa najwyraźniej nie zna tej zasady...

Wyglądała na wyczerpaną. Ja też zawsze byłam zmęczona po wizytach w domu męża – zmęczona nieustanną pracą, uprzedzającą grzecznością, jaką bez przerwy musiałam wszystkim okazywać, oraz uczuciem, że ciągle jestem bacznie obserwowana.

– Moja teściowa także jej nie przestrzega – przyznałam ze zrozumieniem. – Czy te kobiety nie wiedzą, że studnia, z której zbyt często czerpie się wodę, po pewnym czasie wysycha?

Zgodnie pokręciłyśmy głowami nad charakterami teściowych. Obie martwiłyśmy się także i tym, że możemy nie urodzić zdrowych i bystrych synów.

– Stryjenka powiedziała mi, kiedy najlepiej zajść w ciążę – oznajmiłam. Chociaż wszystkie dzieci stryjenki poza Pięknym Księżycem umarły bardzo wcześnie, uważałyśmy ją za wyrocznię w tej dziedzinie. – Wtedy, kiedy w naszym życiu nie dzieje się nic nieprzyjemnego...

– Wiem... – westchnęła Kwiat Śniegu. – Kiedy woda jest spokojna, ryby oddychają bez trudu; kiedy wiatr cichnie, drzewo się prostuje.

– Musi wydarzyć się to takiej nocy, kiedy księżyc w pełni jasno świeci, bo to symbolizuje krągły brzuch ciężarnej i jej czystość.

– I kiedy niebo jest bezchmurne – dodała moja *laotong*. – Ponieważ to świadczy, że wszechświat jest spokojny i gotowy.

– I kiedy my i nasi mężowie jesteśmy szczęśliwi, dzięki czemu strzała łatwiej trafi w cel. Stryjenka mówi, że jeśli te warunki są spełnione, nawet najbardziej jadowite insekty łączą się ze sobą w pary...

– Wiem, jak to powinno być, ale trudno jest znaleźć tę idealną noc – westchnęła znowu.

– Musimy próbować.

Tak więc w czasie naszej pierwszej wizyty w świątyni Gupo w roli mężatek obie złożyłyśmy ofiary na ołtarzu i modliłyśmy się, aby wszystkie warunki zostały spełnione, lecz w następnych miesiącach nie zaszłyśmy w ciążę, chociaż starałyśmy się przestrzegać wszystkich reguł. Myślicie, że łatwo jest zajść w ciążę, kiedy uprawia się sprawy łóżkowe tylko parę razy w roku? Czasami mój mąż był tak rozochocony, że jego esencja nawet nie trafiała do wnętrza mojego ciała.

Podczas drugiej wizyty modliłyśmy się żarliwiej i złożyłyśmy obfitsze ofiary, potem zaś, zgodnie z naszym zwyczajem, poszłyśmy na specjalny obiad z kurczaka i ulubiony deser, czyli kostki taro w karmelu. Obie uwielbiałyśmy ten przysmak, ale tym razem wydał nam się dziwnie pozbawiony smaku. Porównałyśmy nasze notatki i próbowałyśmy obmyślić nowe taktyki zajścia w ciążę.

W ciągu następnych wizyt w domu Lu ze wszystkich sił starałam się zadowolić teściową, w rodzinnym domu usiłowałam być w jak najlepszych stosunkach ze wszystkimi, ale niezależnie od tego, gdzie przebywałam, ludzie coraz częściej obrzucali mnie spojrzeniami, w których czytałam otwartą krytykę z powodu braku dowodu płodności. Wreszcie, dwa miesiące później, pani Wang dostarczyła mi list od Kwiatu Śniegu. Przeczytałam go dopiero po jej wyjściu. Kwiat Śniegu pisała w *nu shu*:

Jestem w ciąży. Codziennie męczą mnie mdłości. Moja matka mówi, że znaczy to, iż dziecko dobrze się czuje w moim ciele. Mam nadzieję, że jest to chłopiec. Pragnę, aby to samo zdarzyło się tobie.

Nie mogłam uwierzyć, że Kwiat Śniegu mnie uprzedziła. Przecież to ja mogłam się poszczycić wyższą pozycją społeczną, więc pierwsza powinnam zajść w ciążę. Poczułam się tak głęboko upokorzona, że nie przekazałam radosnej nowiny ani mamie, ani stryjence. Wiedziałam, jak zareagują. Mama na pewno zaczęłaby mnie krytykować, a stryjenka za bardzo by się cieszyła ze szczęścia mojej przyjaciółki.

Kiedy następnym razem odwiedziłam męża i poszłam z nim do łóżka, objęłam go nogami i trzymałam na sobie, dopóki nie skończył. Trwał w tej pozycji tak długo, aż w końcu zasnął, wiotki i miękki w głębi mojego ciała. Długo leżałam z szeroko otwartymi oczami, oddychając spokojnie, myśląc o świecącym na niebie księżycu w pełni i nasłuchując szelestu liści bambusa za oknem. Ale teraz wiedziałam, co należy czynić. Wsunęłam rękę pod kołdrę i ujęłam w dłoń jego członek. Gdy stał się twardy, a mąż się ocknął, cofnęłam rękę i opuściłam powieki. Pozwoliłam, by mąż dokonał swej powinności. A kiedy wstał i ubrał się, aby rozpocząć nowy dzień, ja pozostałam w łóżku. Słyszeliśmy, jak jego matka wchodzi do kuchni i zaczyna przygotowywać śniadanie, co oczywiście było jednym z moich obowiązków. Mąż spojrzał na mnie, przesyłając mi wyraźne ostrzeżenie – jeżeli zaraz nie wstanę i nie zabiorę się do swoich zajęć, muszę się liczyć z poważnymi konsekwencjami. Nie krzyczał i nie uderzył mnie, chociaż niektórzy mężowie z pewnością zachowaliby się w taki sposób, ale wyszedł z izby bez słowa pożegnania. Po paru chwilach usłyszałam dobiegające z dołu ciche głosy. Nikt po mnie nie przyszedł. Kiedy w końcu podniosłam się, ubrałam i zeszłam do kuchni, teściowa powitała mnie pogodnym uśmiechem, a Yonggang i inne dziewczęta wymieniły znaczące spojrzenia.

Dwa tygodnie później, już w rodzinnym domu, obudziłam się z takim uczuciem, jakby duchy lisów trzęsły całym budynkiem. W ostatniej chwili dopadłam do nocnika i zwymiotowałam. Stryjenka weszła do izby, uklękła obok mnie i wierzchem dłoni otarła mi pot z czoła.

– Teraz naprawdę niedługo nas opuścisz – powiedziała.

Po raz pierwszy od bardzo dawna wielka jaskinia jej ust rozszerzyła się w uśmiechu.

Po południu przygotowałam tusz i pędzelek i ułożyłam list do Kwiatu Śniegu.

Kiedy w tym roku spotkamy się w świątyni Gupo, obie będziemy okrągłe jak księżyc w pełni.

Mama, jak łatwo możecie sobie wyobrazić, traktowała mnie w tym okresie równie surowo jak w czasie krępowania stóp. Zgodnie ze swoim charakterem, zawsze przewidywała najgorsze.

– Nie chodź po górach – ostrzegała mnie ostro, zupełnie jakbym przez całe życie nie robiła nic innego. – Nie przechodź przez rzekę po wąskim mostku, nie stawaj na jednej nodze, nie patrz na zaćmienie słońca albo księżyca, nie kąp się w gorącej wodzie...

Oczywiście nigdy nie zamierzałam robić żadnej z tych rzeczy, ale do ograniczeń żywnościowych podchodziłam z całą powagą. W naszym regionie chlubimy się ostrymi potrawami, lecz teraz nie wolno mi było jeść niczego przyprawianego czosnkiem, ostrą papryką ani pieprzem, ponieważ mogło to przyczynić się do opóźnienia wydalenia łożyska. Nie mogłam jeść jagnięciny, żeby dziecko nie było chorowite, ani ryb z łuskami, bo to może się przyczynić do trudnego porodu. Nie dawano mi niczego zbyt słonego, zbyt gorzkiego, zbyt słodkiego, zbyt kwaśnego i zbyt aromatycznego, nie mogłam więc jeść sfermentowanej czarnej fasoli, gorzkiego melona, migdałowego jogurtu, ostrych i kwaśnych zup i tak dalej. Musiałam zadowolić się łagodnymi zupami, gotowanymi warzywami z ryżem i herbatą. Podporządkowywałam się tym zasadom bez szemrania, wiedziałam bowiem, że wartość mojej osoby zależy wyłącznie od rosnącego we mnie dziecka.

Mąż i teściowie byli zachwyceni i zaczęli przygotowywać się na moje przybycie. Dziecko miało urodzić się pod koniec siódmego miesiąca cyklu księżycowego. Postanowiłam, że jak zwykle odwiedzę świątynię Gupo, aby pomodlić się o syna, a potem udam się dalej, do Tongkou. Teściowie zgodzili się na tę pielgrzymkę (zrobiliby wszystko, aby zapewnić rodzinie męskiego potomka) pod warunkiem, że przenocuję w gospodzie i postaram się nie przemęczyć. Przysłali po mnie palankin. Najbliżsi pożegnali mnie przed rodzinnym domem łzami i uściskami i pomogli usadowić się wygodnie. Tragarze podnieśli kabinę i ruszyłam w drogę, wiedząc, że w następnych latach zawsze będę wracać tu na święta Chwytania Chłodnych Podmuchów, Duchów, Wyganiania Ptaków i Smakowania, a także na wszystkie ważne uroczystości rodzinne. Nie było to ostateczne pożegnanie, tylko chwilowe rozstanie, podobnie jak w przypadku starszej siostry.

Ponieważ Kwiat Śniegu, która była w bardziej zaawansowanej ciąży, mieszkała już w Jintian, wstąpiłam po nią. Miała tak wielki brzuch, że zdziwiłam się, iż jej nowa rodzina pozwoliła na tę podróż, nawet jeżeli celem były modły o syna. Na pewno śmiesznie wyglądałyśmy, stojąc na ścieżce i próbując się uściskać, w czym wydatnie przeszkadzały nam brzuchy, i śmiejąc się głośno. Kwiat Śniegu wyglądała piękniej niż kiedykolwiek i widziałam, że promienieje szczęściem.

Mówiła przez całą drogę do świątyni – o tym, jak się czuje, jak bardzo kocha dziecko i że wszyscy są dla niej bardzo dobrzy, odkąd na stałe wprowadziła się do domu męża. Wciąż ściskała w ręku wiszący na jej szyi kawałek białego nefrytu, aby dziecko miało jasną i piękną skórę, nie zaś ciemną karnację jej męża. Ja także nosiłam biały nefryt, ale w przeciwieństwie do Kwiatu Śniegu miałam nadzieję, że ochroni on dziecko nie przed kolorem skóry mojego męża, ale moim, zawsze o kilka tonów ciemniejszym od kremowej bieli skóry mojej *laotong*.

W poprzednich latach odwiedzałyśmy świątynię na krótko, pośpiesznie kłaniając się i dotykając czołami podłogi, aby bogini przychylnie spojrzała na nasze prośby, ale teraz weszłyśmy powoli, z godnością wypinając zaokrąglone brzuchy i zerkając na inne przyszłe matki. Przyglądałyśmy się im z zaciekawieniem, oceniając, która jest najbliżej rozwiązania, która nosi brzuch wysoko, a która nisko, pamiętając jednak, że nasze umysły i języki powinny służyć jedynie szlachetnym i łagodnym myślom, aby te zalety przeszły na naszych synów.

Podeszłyśmy do ołtarza, na którym stało chyba ze sto par niemowlęcych bucików. Obie napisałyśmy poematy na wachlarzach i złożyłyśmy je w ofierze bogini. Mój mówił o błogosławieństwie, jakim jest syn, o tym, że stanie się on przedłużeniem linii rodu Lu i będzie czcił przodków. Poemat kończył się słowami: „Bogini, twoja dobroć jest dla nas wielką łaską. Tyle kobiet przychodzi błagać cię o synów, ale mam nadzieję, że usłyszysz i moje prośby. Proszę, spełnij pragnienia mojego serca". Kiedy je pisałam, wydawały mi się zupełnie odpowiednie i właściwe, ale teraz wyobraziłam sobie, jak pięknie zapisała swój wachlarz Kwiat Śniegu. Przed ołtarzem prosiłam, aby wspaniała ofiara mojej przyjaciółki nie zniechęciła bogini do mojej ofiary.

– Proszę, wysłuchaj mnie, proszę, wysłuchaj mnie, wysłuchaj... – recytowałam cicho.

Razem położyłyśmy wachlarze na ołtarzu, oczywiście prawą ręką, lewą chwytając po jednej parze dziecięcych bucików, które pośpiesznie schowałyśmy w rękawach. Potem szybko wyszłyśmy ze świątyni, mając nadzieję, że nikt nie zauważył, co zrobiłyśmy. W okręgu Yongming wszystkie kobiety kradną maleńkie buciki z ołtarza bogini, starając się zrobić to niepostrzeżenie. Dlaczego? Jak może wiecie, w naszym dialekcie słowo „but" brzmi tak samo jak „dziecko". Kiedy dziecko przychodzi na świat, oddajemy parę bucików (co tłumaczy, dlaczego zawsze jest ich tak dużo) i składamy dziękczynne ofiary.

Wyszłyśmy na zewnątrz, prosto w promienie cudownego słońca, i skierowałyśmy się do straganu z nićmi. Podobnie jak przez ostatnie dwanaście lat, tym razem także poszukałyśmy kolorów, które najlepiej nadawałyby się do wykonania wzorów, o jakich myślałyśmy. Kwiat Śniegu podsunęła mi całą gamę zieleni — wiosennych, jasnych odcieni, złamanych szarością jak wyschnięta trawa, brązem jak liście pod koniec lata, głębokich i nasyconych jak mech po deszczu, przytłumionych żółcią i czerwienią jak lasy jesienią.

— Zatrzymajmy się nad rzeką, kiedy jutro będziemy wracały do domu — powiedziała. — Posiedzimy chwilę na brzegu i popatrzymy na płynące po niebie chmury, posłuchamy, jak woda obmywa kamienie i pośpiewamy razem. Dzięki temu nasi synowie będą mieli wrodzone poczucie elegancji i dobrego gustu.

Pocałowałam ją w policzek. Gdy byłam z dala od niej, mój umysł zatruwały czasami mroczne myśli, ale w tej chwili kochałam ją równie mocno jak zwykle. Och, jak bardzo brakowało mi jej przed tym spotkaniem...

Nasza wyprawa do świątyni Gupo nie byłaby kompletna bez wczesnego obiadu w barze z taro. Stary Zuo obnażył w uśmiechu bezzębne dziąsła, kiedy zobaczył, że obie jesteśmy w ciąży. Przygotował specjalny posiłek, przestrzegając wskazań odpowiednich dla kobiet w tym stanie. Na koniec przyniósł nasze ulubione danie — kostki taro w skarmelowanym cukrze. Chichotałyśmy i zachowywałyśmy się raczej jak dwie dziewczynki niż mężatki, które lada chwila urodzą dzieci.

Tego wieczoru, kiedy w gospodzie przebrałyśmy się w nocne stroje, ułożyłyśmy się twarzami do siebie. Wiedziałyśmy, że będzie to ostatnia noc, jaką spędzimy razem przed wydaniem na świat dzieci. Ciągle nam mówiono, co powinnyśmy robić, a czego nam nie wolno, i w jaki sposób różne rzeczy mogą mieć wpływ na nasze nienarodzone maleństwa... Jeżeli mój synek mógł reagować na wulgarny język czy zetknięcie białego nefrytu z moją skórą, to tym bardziej musiał odbierać swoim małym ciałkiem miłość, jaką czułam do Kwiatu Śniegu.

Kwiat Śniegu położyła dłonie na moim brzuchu, a ja zrobiłam to samo. Przywykłam już do tego, że moje dziecko kopie i wypycha skórę od środka, zwłaszcza nocą, teraz poczułam, jak dziecko Kwiatu Śniegu porusza się pod moimi palcami. W tamtej chwili byłyśmy sobie tak bliskie, jak to tylko możliwe.

– Cieszę się, że jesteśmy razem – odezwała się i palcem obrysowała miejsce, gdzie dziecko dotykało jej dłoni łokciem albo może kolankiem.

– Ja także.

– Dotykam twojego syna. Jest silny jak jego matka.

Jej słowa sprawiły, że poczułam się dumna i pełna życia. Palec Kwiatu Śniegu znieruchomiał, lecz po chwili znowu oparła ciepłe ręce na moim brzuchu.

– Będę kochała go tak jak ciebie – dodała.

Potem, jak zwykle od wielu lat, musnęła dłonią mój policzek i zostawiła ją tam, aż obie zapadłyśmy w sen.

Za kilka tygodni miałam skończyć dwadzieścia lat, a niedługo potem urodzić dziecko i rozpocząć prawdziwe życie.

Dni Ryżu i Soli

Synowie

Lilio,

Piszę do ciebie jako matka.
Moje dziecko urodziło się wczoraj.
Jest to chłopiec o czarnych włosach,
Długi i bardzo szczupły.
Dni nieczystości po porodzie jeszcze się dla mnie nie zakończyły.
Przez sto dni mój mąż i ja będziemy sypiać oddzielnie.
Myślę o tobie, siedząc w izbie na piętrze.
Czekam na wiadomość o twoim dziecku.
Oby przyszło na świat żywe.
Modlę się do Bogini, żeby osłoniła cię przed wszelkimi trudnościami.
Pragnę zobaczyć cię i na własne oczy się przekonać, że dobrze się czujesz.
Proszę, przyjedź na uroczystość pierwszego miesiąca.
Zobaczysz, co napisałam o moim synu na naszym wachlarzu.

Kwiat Śniegu

Byłam szczęśliwa, że syn Kwiatu Śniegu urodził się zdrowy i miałam nadzieję, że nadal tak będzie, ponieważ życie w naszym kraju jest bardzo kruche. My, kobiety, żyjemy nadzieją, że uda nam się dochować pięcioro dzieci do okresu dojrzałości. Aby pomóc tej nadziei, musimy zachodzić w ciążę co roku, w najgorszym razie co dwa lata. Wiele dzieci umiera z powodu poronień, przy porodach lub w wyniku chorób. Dziewczynki, tak podatne na rozmaite dolegliwości wywołane marnym odżywianiem i zaniedbaniem, nigdy nie wyrastają ze stanu kruchości fizycznej. Czasami kończą życie bardzo młodo – w efekcie krępowania stóp, jak moja siostra, w czasie porodu lub z przepracowania i braku pożywnego jedzenia – albo muszą opłakiwać śmierć swoich najbliższych. Mali chłopcy, tak cenni w oczach całej rodziny, umierają równie łatwo jak dziewczynki, ponieważ ich ciała są jeszcze zbyt drobne i słabe, aby mogły zakorzenić się w tym świecie, a ich dusze niczym magnes przyciągają duchy z zaświatów. Później, już jako mężczyźni, są podatni na zakażenia spowodowane zranieniem, zatrucia pokarmowe, choroby wywołane zmartwieniem i napięciem, które wynikają z konieczności czuwania nad całym gospodarstwem. Właśnie dlatego w naszym kraju jest tyle wdów. W każdym razie pierwsze pięć lat życia nie liczy się, zarówno w przypadku chłopców, jak i dziewcząt.

Niepokoiłam się nie tylko o syna Kwiatu Śniegu, ale też o dziecko, które nosiłam. Trudno było mi żyć w strachu i nie mieć nikogo, kto by mnie uspokoił i pocieszył. Kiedy byłam w rodzinnym domu, mama była zbyt zajęta przypominaniem mi o rozmaitych tradycyjnych ograniczeniach i zasadach, aby udzielić jakichś praktycznych rad, natomiast stryjenka, która straciła kilkoro nienarodzonych dzieci, usiłowała mnie unikać, żeby jej pech nie przeszedł na mnie. Teraz, w domu męża, nie miałam nikogo. Teściowie i mąż martwili się o dziecko, rzecz jasna, lecz żadne z nich nie czuło niepokoju, że mogę umrzeć, wydając na świat ich spadkobiercę.

List Kwiatu Śniegu odebrałam jako dobry znak. Jeżeli ona przeżyła poród, to z pewnością mnie i mojemu dziecku także się uda, myślałam. Siły dodała mi także świadomość, że chociaż życie Kwiatu Śniegu i moje tak bardzo się zmieniło, nasza wzajemna miłość pozostała niezmieniona, może nawet silniejsza teraz, gdy wkroczyłyśmy w Dni Ryżu i Soli. Dzięki listom mogłyśmy dzielić się swoimi trudnościami i zwycięstwami, ale podobnie jak we wszystkich innych dziedzinach, tak i tu musiałyśmy przestrzegać pewnych zasad. Jako mężatki, które zamieszkały już u mężów, musiałyśmy porzucić nasze dziewczęce zwyczaje. Pisywałyśmy teraz dość formalne w tonie listy, pełne oficjalnych zwrotów ujętych w chłodne zdania. Po części działo się tak dlatego, że byłyśmy obce w domach naszych mężów i wciąż zajęte poznawaniem zwyczajów nowych rodzin, a po części dlatego, że nigdy nie wiedziałyśmy, kto może przeczytać nasze listy.

Musiałyśmy zachować ostrożność, nie mogłyśmy zawrzeć w listach zbyt negatywnych uwag na temat warunków naszego życia. Było to dość skomplikowane, ponieważ zgodnie z zasadami list kobiety zamężnej powinien zawierać zwykłe narzekania – że jesteśmy żałośnie słabe, zapracowane na śmierć, smutne i pogrążone w tęsknocie za rodzinnym domem. Miałyśmy mówić o naszych uczuciach wprost, ale jednocześnie za wszelką cenę unikać wrażenia, że jesteśmy niewdzięczne czy pozbawione uczuć wobec nowej rodziny. Synowa, która pozwala, aby naga prawda o jej życiu stała się własnością publiczną, przynosi wstyd rodzinie własnej i męża. Myślę, że rozumiecie już, iż właśnie dlatego czekałam ze spisaniem mojej historii do czasu, gdy wszyscy moi bliscy odejdą już z tego świata.

Na początku mogłam się uważać za naprawdę szczęśliwą kobietę, ponieważ nie miałam do przekazania niczego złego. Zaraz po zaręczynach dowiedziałam się, że stryj mojego męża jest *jinshi*, najwyżej postawionym w hierarchii cesarskim pisarzem. Powiedzenie, które po raz pierwszy usłyszałam w dzieciństwie – „Jeżeli ktoś zostaje urzędnikiem, wszystkie psy i koty z jego rodziny idą do nieba" – teraz stało się dla mnie jasne. Stryj Lu mieszkał w stolicy, a jego majątkiem zarządzał pan Lu, mój teść, który prawie codziennie wychodził w pole przed świtem, aby doglądać upraw, rozmawiać z chłopami o zbiorach, nadzorować plany irygacyjne i spotykać się z innymi starszymi w Tongkou. Cała odpowiedzialność za to, co działo się w posiadłościach stryja Lu, spoczywała na jego barkach. Stryj Lu wydawał pieniądze i nie troszczył się o to, w jaki sposób trafiają do jego szkatuł. Powodziło mu się tak dobrze, że jego dwaj najmłodsi bracia także mieli własne domy, choć nie tak reprezentacyjne jak nasz. Często przychodzili ze swoimi rodzinami na obiad, a ich żony niemal codziennie zaglądały do naszej izby dla kobiet. Inaczej mówiąc, wszyscy członkowie rodziny stryja Lu – psy i koty, włącznie z pięcioma służącymi o wielkich stopach, które mieszkały w izbie przy kuchni – skorzystali z jego wywyższenia.

Stryj Lu był niekwestionowanym panem domu, lecz ja także wkrótce umocniłam swoją pozycję, ponieważ jako pierwsza synowa dałam mężowi pierworodnego syna. Zaraz po przyjściu na świat dziecka, kiedy akuszerka ułożyła go w moich ramionach, poczułam się tak szczęśliwa, że zupełnie zapomniałam o bólach porodu. Ogarnęła mnie ogromna, niewypowiedziana ulga i przez pewien czas w ogóle nie myślałam o żadnych złych rzeczach, jakie mogły przydarzyć się mojemu synkowi. Wszyscy w domu byli uradowani i na różne sposoby okazywali mi wdzięczność. Teściowa ugotowała dla mnie specjalną zupę z alkoholem, imbirem i orzeszkami ziemnymi, abym miała pod dostatkiem pokarmu i żeby moja macica szybko uległa obkurczeniu. Teść za pośrednictwem konkubin przysłał błękitny jedwabny brokat na kurteczkę dla wnuka, a mąż długo siedział przy łóżku i rozmawiał ze mną.

Z tych powodów często powtarzałam młodym kobietom, które weszły do rodziny Lu, oraz innym, które uczyłam *nu shu*, że powinny jak najszybciej urodzić syna. Synowie stanowią fundament osobowości kobiety. Dają jej tożsamość, godność, ochronę i wartość ekonomiczną. Tworzą ogniwo, łączące jej męża z jego przodkami. Jest to jedyna rzecz, której żaden mężczyzna nie osiągnie bez udziału i pomocy żony. Tylko kobieta może zagwarantować przedłużenie linii rodu, co przecież jest powinnością każdego syna. W ten sposób mężczyzna najdoskonalej wypełnia swój synowski obowiązek, a dla kobiety synowie stają się koroną chwały. Udało mi się tego dokonać i byłam bardzo szczęśliwa.

Kwiecie Śniegu,

Mój syn leży obok mnie.
Dni nieczystości po porodzie jeszcze nie minęły.
Mąż odwiedza mnie rano.
Na jego twarzy maluje się szczęście.
Mój syn patrzy na mnie pytającym wzrokiem.
Nie mogę się już doczekać, kiedy zobaczę cię na przyjęciu pierwszego miesiąca.
Proszę, użyj najlepszych słów, pisząc o moim synu na naszym wachlarzu.
Opowiedz mi o swojej nowej rodzinie.
Niezbyt często widuję męża. A ty?
Patrzę przez okno w stronę twojego domu.
Zawsze słyszę twój śpiew w moim sercu.
Myślę o tobie codziennie.

Lilia

Dlaczego ludzie nazywają ten okres w życiu kobiety Dniami Ryżu i Soli? Na pewno dlatego, że składają się na nie najzwyczajniejsze w świecie zajęcia – haftowanie, przędzenie, szycie, cerowanie, robienie butów, gotowanie posiłków, zmywanie naczyń, sprzątanie domu, pranie ubrań, podsycanie ognia w palenisku oraz uprawianie spraw łóżkowych z mężczyzną, którego nawet nie zdążyłyśmy dobrze poznać. Są to także dni pełne niepokoju, jaki czuje młoda kobieta, która pierwszy raz została matką. Dlaczego dziecko płacze? Czy jest głodne? Może dostaje za mało mleka? Kiedy wreszcie zaśnie? A może za dużo śpi? Pomyślcie też o atakach gorączki, wysypce, ukąszeniach owadów, przegrzaniu, przeziębieniu, kolce jelitowej i wszystkich chorobach, jakie co roku przechodzą przez kraj, zabijając dzieci mimo wysiłków zielarzy, ofiar składanych na rodzinnych ołtarzach i łez zrozpaczonych matek. Poza dzieckiem, które ssie pierś kobiety, musi ona myśleć o swojej prawdziwej odpowiedzialności – o urodzeniu kolejnych synów i przedłużeniu istnienia rodu. Jednak w pierwszych tygodniach macierzyństwa nękała mnie zupełnie inna troska, niemająca nic wspólnego z obowiązkami synowej, żony i matki.

Kiedy poprosiłam teściową, aby zaprosiła Kwiat Śniegu na przyjęcie pierwszego miesiąca, odmówiła. Mieszkańcy naszego okręgu uważają taki gest za straszliwą obrazę. Byłam bardzo przygnębiona i zaskoczona jej decyzją, ale nie miałam na nią żadnego wpływu. Dzień przyjęcia okazał się jednym z najważniejszych i najbardziej uroczystych w moim życiu, lecz musiałam przeżyć go bez Kwiatu Śniegu. Rodzina Lu odwiedziła świątynię przodków, aby umieścić imię mojego syna na ścianie, obok imion pozostałych członków rodu. Gościom i krewnym rozdano jajka w ufarbowanych na czerwony kolor skorupkach – symbol życia. Wydano wielkie przyjęcie z zupą z ptasich gniazd, solonymi ptakami, marynowanymi przez sześć miesięcy oraz pojoną winem kaczkę faszerowaną imbirem, czosnkiem i świeżą czerwoną i zieloną ostrą papryką. Przez cały dzień dotkliwie odczuwałam nieobecność Kwiatu Śniegu i później opisałam jej wszystko ze szczegółami, nie zastanawiając się, że w ten sposób przypominam jej o strasznym nietakcie ze strony mojej rodziny. Sądziłam, że moja *laotong* przeszła nad tym do porządku dziennego, bo przysłała mi prześlicznie wyszywaną tunikę dla dziecka i czapeczkę ozdobioną malutkimi amuletami.

Teściowa lekko skrzywiła się na widok tego podarunku.

– Matka musi bardzo uważać, komu pozwala wejść w swoje życie – powiedziała. – Matka twojego syna nie może utrzymywać stosunków z żoną rzeźnika. Posłuszne kobiety wychowują posłusznych synów, a my spodziewamy się, że będziesz posłuszna naszym życzeniom...

Te słowa uświadomiły mi, że teściowie nie tylko nie chcą

zaprosić Kwiatu Śniegu na przyjęcie, ale po prostu nie życzą sobie, bym ją widywała. Byłam przerażona i zrozpaczona, a ponieważ dopiero co urodziłam dziecko, ciągle płakałam. Nie wiedziałam, co robić, czułam tylko, że będę musiała sprzeciwić się w tej kwestii teściom, chociaż nie zdawałam sobie sprawy, jak bardzo może to być niebezpieczne.

W tym czasie w tajemnicy pisywałyśmy do siebie prawie codziennie. Wcześniej myślałam, że wiem wszystko o *nu shu* i że mężczyźni nigdy nie mają żadnej styczności z naszym pismem, ale teraz, gdy zamieszkałam w domu Lu, gdzie wszyscy mężczyźni znali męskie pismo, zrozumiałam, że nasze sekretne znaki nie są żadną tajemnicą. Później w głowie zaświtała mi myśl, że znaczy to, iż mężczyźni w całym okręgu muszą wiedzieć o *nu shu*. Jak może być inaczej? Naszym pismem zdobione przecież były ich buty, słyszeli, jak śpiewamy pieśni i recytujemy księgi trzeciego dnia. Mężczyźni uważali po prostu, że nasze pismo nie zasługuje na ich uwagę.

Mówi się, że mężczyźni mają żelazne serca, natomiast serca kobiet zrobione są z wody. Bardzo dobrze widać to na przykładzie pisma mężczyzn i kobiet. Męskie pismo składa się z ponad pięćdziesięciu tysięcy znaków – każdy z nich jest inny, każdy pełen głębokich znaczeń i niuansów. *Nu shu* ma mniej więcej sześćset znaków, którymi posługujemy się fonetycznie, jak dzieci, budując z nich koło dziesięciu tysięcy słów. Poznanie i zrozumienie pisma mężczyzn zajmuje całe życie, natomiast my uczymy się swojego jako dziewczynki i nadajemy wyrazom znaczenie w zależności od kontekstu. Mężczyźni piszą o zewnętrznym świecie literatury, rachunków i zbiorów, a kobiety o wewnętrznym świecie dzieci, codziennych zajęć i uczuć. Mężczyźni z domu Lu chlubili się płynną znajomością *nu shu*, jaką wykazywały się ich kobiety, a także ich biegłością w haftowaniu, chociaż te zdolności były akurat tak ważne dla przetrwania rodu jak pierdnięcie świni.

Ponieważ mężczyźni uważali nasze pismo za rzecz całkowicie pozbawioną znaczenia, nie zwracali uwagi na listy, które pisałam i otrzymywałam. Zupełnie inaczej przedstawiała się sprawa z moją teściową. Musiałam ostrożnie poruszać się na granicy jej świadomości. Na razie nie chciała wiedzieć, do kogo pisuję, dzięki czemu w ciągu kilku tygodni Kwiat Śniegu i ja udoskonaliłyśmy system dostarczania korespondencji. Yonggang biegała między naszymi wioskami, przenosząc listy, haftowane chusteczki i fragmenty tkanin. Lubiłam siadywać przy okienku i podążać za nią wzrokiem. Wiele razy myślałam, że sama bez trudu przebyłabym tę drogę. Nie była zbyt długa, a moje stopy były wystarczająco wytrzymałe, musiałam jednak podporządkować się zasadom. Nawet jeżeli kobieta umie pokonać spory dystans, nie powinna pokazywać się sama na drodze. Mogliby ją porwać bandyci, a na jeszcze większe niebezpieczeństwo narażona była reputacja podróżującej bez odpowiedniej eskorty, czyli bez męża, synów, swatki lub w najgorszym razie tragarzy. Mogłam dotrzeć do domu Kwiatu Śniegu, ale nigdy nie podjęłabym takiego ryzyka.

Lilio,

Pytasz o moją nową rodzinę.

Mam wielkie szczęście.

W moim rodzinnym domu nie było radości.

Moja matka i ja musiałyśmy zachowywać się cicho przez cały dzień i noc.

Konkubiny, moi bracia, siostry, służba – wszyscy odeszli.

Dom ział pustką.

Tutaj mam teściową, teścia, męża i jego młodsze siostry.

W tym domu nie ma konkubin ani służących.

Tylko ja wypełniam ich obowiązki.

Nie mam nic przeciwko ciężkiej pracy.

Wszystkiego, co jest mi potrzebne, nauczyłam się od ciebie, twojej siostry, matki i stryjenki.

Ale kobiety z tego domu nie są podobne do ciebie i twoich bliskich.

Nie lubią zabaw ani śmiechu.

Nie opowiadają sobie ciekawych historii.

Moja teściowa urodziła się w Roku Szczura.
Czy możesz sobie wyobrazić gorsze towarzystwo dla osoby urodzonej w Roku Konia?
Szczur uważa, że Koń jest samolubny i bezmyślny, chociaż ja wcale taka nie jestem.
Koń uważa, że Szczur jest podstępny, przebiegły i wymagający, i moja teściowa właśnie taka jest.
Tak czy inaczej, nie bije mnie.
I nie wrzeszczy na mnie więcej niż zwykle robią to teściowe.
Słyszałaś o mojej matce i ojcu?
Niedługo po tym, jak na stałe przeprowadziłam się do domu męża,
Mama i ojciec sprzedali resztki majątku i odeszli w noc.
Jako żebracy nie będą musieli spłacać podatków ani długów.
Ale gdzie są?
Martwię się o matkę.
Czy jeszcze żyje?
A może jest już w zaświatach?
Nic nie wiem.
Może nigdy już jej nie zobaczę.
Kto by pomyślał, że moją rodzinę prześladuje aż tak zły los?
Musieli popełnić wiele złych czynów w poprzednim życiu.
Może tak było, ale co ze mną?
Czy docierają do ciebie jakieś wieści, które mogłabyś mi przekazać?
I czy jesteś szczęśliwa?

Kwiat Śniegu

Dowiedziawszy się o tragicznym losie rodziców Kwiatu Śniegu, zaczęłam uważniej przysłuchiwać się domowym plotkom. Docierały do mnie rozmaite wiadomości od kupców i domokrążców, którzy podróżowali po kraju. Niektórzy widzieli rodziców Kwiatu Śniegu, śpiących pod drzewem, żebrzących, odzianych w brudne, podarte rzeczy. Często myślałam o tak potężnej kiedyś rodzinie mojej *laotong*, a także o tym, jak musiała czuć się jej piękna matka, wchodząc do rodu cesarskiego urzędnika. Jakże nisko upadła... Obawiałam się o nią, czułam, że musi być zupełnie bezradna, chodząc po drogach na stopach podobnych do kwiatu lilii.

Bez wpływowych przyjaciół rodzice Kwiatu Śniegu byli zdani na łaskę sił przyrody. Bez rodzinnego domu Kwiat Śniegu czekała przyszłość sieroty, a nawet jeszcze gorsza. Wydawało mi się, że lepiej jest mieć nieżyjących rodziców, których można czcić i szanować jako przodków, niż takich, którzy przekroczyli granicę normalnego życia, stając się żebrakami. W jaki sposób Kwiat Śniegu pozna czas i miejsce ich śmierci? Jak wyprawi im odpowiedni pogrzeb? Nie będzie mogła uprzątać ich grobów na Nowy Rok ani koić ich skołatanych dusz... Było mi ciężko, kiedy myślałam, że przeżywa rozpacz w samotności, beze mnie, a dla niej musiało to być po prostu nie do zniesienia.

Jeśli chodzi o ostatnie pytanie Kwiatu Śniegu, to nie bardzo wiedziałam, jak na nie odpowiedzieć. Czy powinnam napisać jej o kobietach w moim nowym domu? W izbie dla kobiet w domu Lu przebywało za dużo kobiet, niedarzących się sympatią. Byłam pierwszą synową, ale niedługo po moim przybyciu w domu pojawiła się żona drugiego syna, która od razu zaszła w ciążę. Miała niecałe osiemnaście lat i ciągle płakała z tęsknoty za rodziną. Urodziła córkę, co zirytowało teściową i pogorszyło sytuację. Próbowałam zaprzyjaźnić się z drugą szwagierką, ale ona wiecznie tkwiła w kącie, pisząc listy do matki i zaprzysiężonych sióstr z rodzinnej wioski. Mogłam opowiedzieć mojej *laotong*, w jak podstępny i niegodny sposób druga szwagierka stara się zrobić dobre wrażenie na pani Lu, kłaniając się jej uniżenie, szepcząc słodkie słówka i walcząc o pozycję, a także o tym, jak trzy konkubiny pana Lu bezustannie dogryzają sobie nawzajem, jak zazdrość szpeci ich twarze i źle wpływa na trawienie, ale nie śmiałam przelać tego wszystkiego na papier.

Czy mogłam napisać coś o moim mężu? Pewnie tak, lecz nie wiedziałam, co powiedzieć. Rzadko go widywałam, a kiedy już spotykałam w ciągu dnia, zwykle zajęty był rozmową lub jakimiś ważnymi sprawami. Doglądał prac polowych oraz irygacyjnych, a ja w tym czasie haftowałam lub wykonywałam inne obowiązki w izbie na górze. Usługiwałam mu przy śniadaniu, obiedzie i kolacji, usiłując zachowywać się tak łagodnie i cicho jak Kwiat Śniegu w moim rodzinnym domu, ale on nigdy się do mnie nie odzywał. Czasami przychodził wcześniej do naszej izby, aby popatrzeć na syna lub zająć się sprawami łóżkowymi. Sądziłam, że niczym nie różnimy się od innych małżeńskich par, więc nie miałam nic ciekawego do napisania.

Jak mogłam odpowiedzieć na pytanie dotyczące szczęścia, kiedy główny konflikt w moim życiu był bezpośrednio związany właśnie z Kwiatem Śniegu?

– Przyznaję, że dużo nauczyłaś się od Kwiatu Śniegu – powiedziała pewnego dnia teściowa, przyłapawszy mnie na pisaniu listu. – I oczywiście jesteśmy jej za to wdzięczni, ale Kwiat Śniegu nie mieszka już w naszej wiosce i nie znajduje się pod opieką pana Lu, który nie może i nie powinien próbować zmienić jej losu. Jak ci wiadomo, mamy zasady dotyczące żon, związane z wojnami i innymi nieporozumieniami granicznymi. Kobieta, która jest gościem w czyimś domu, podlega ochronie w czasie napadów, najazdów i wojen, ponieważ zgodnie z prawem należymy i do wioski męża, i do tej, gdzie się urodziłyśmy. Widzisz, Lilio, jako żony możemy liczyć na obronę i lojalność z obu stron, ale gdyby coś ci się stało w wiosce Kwiatu Śniegu, wszelkie podjęte przez nas kroki mogłyby doprowadzić do zemsty, a może nawet długotrwałych walk...

Słuchałam przytaczanych przez panią Lu argumentów i myślałam, że w gruncie rzeczy kierują nią zupełnie inne motywy. Rodzina Kwiatu Śniegu była zniesławiona, ona poślubiła nieczystego mężczyznę, więc moi teściowie po prostu nie chcieli, żebym utrzymywała z nią kontakty.

– Los Kwiatu Śniegu został przesądzony i jej ścieżka w żadnym punkcie nie zbiega się z twoją – ciągnęła teściowa, ostrożnie zbliżając się do prawdy. – Pan Lu i ja bardzo przychylnie patrzylibyśmy na synową, która zdecydowałaby się zerwać stosunki z osobą, niebędącą już jej prawdziwą *laotong*. Jeśli pragniesz towarzystwa, chciałabym przypomnieć ci kilka młodych mężatek z Tongkou, którym cię przedstawiłam...

– Pamiętam je – wymamrotałam. – Dziękuję.

Jakiś głos w mojej głowie krzyczał z przerażeniem: Nigdy, nigdy, nigdy!

– Byłyby szczęśliwe, gdybyś przyłączyła się do ich siostrzanego związku.

– Dziękuję raz jeszcze...

– Powinnaś uważać ich zaproszenie za zaszczyt.

– Jestem tego samego zdania.

– Mówię ci tylko, że powinnaś jak najszybciej wyrzucić Kwiat Śniegu z myśli – oświadczyła teściowa, kończąc swoje zwykłe upomnienia. – Nie chcę, aby wspomnienia tej nieszczęsnej dziewczyny wywarły zły wpływ na mojego wnuka.

Konkubiny zachichotały, zasłaniając usta palcami. Oglądanie mojego cierpienia sprawiało im przyjemność, bo w takich chwilach ich pozycja się poprawiała. Jednak mimo nieustannie wypowiadanych krytycznych uwag, które cieszyły inne kobiety, a mnie głęboko przerażały, teściowa traktowała mnie łagodniej niż moja własna matka. Przestrzegała określonych zasad, ale o tym już wcześniej uprzedziła mnie Kwiat Śniegu. „Kiedy jesteś młodą dziewczyną, słuchaj ojca, kiedy zostaniesz żoną, słuchaj męża, a jako wdowa bądź posłuszna synowi" – powtarzano mi to przez całe życie, więc nie byłam zaskoczona. Moja teściowa nauczyła mnie innego powiedzenia, a zrobiła to tego dnia, gdy mąż sprawił jej poważną przykrość: „Słuchaj, słuchaj, słuchaj, potem zaś czyń to, co chcesz". Teściowie mogli mi zabronić widywania się z Kwiatem Śniegu, ale nie mogli zmusić, abym przestała ją kochać.

Kwiecie Śniegu,

Mąż dobrze mnie traktuje.

Nie wiem nawet, gdzie kończą się pola należące do naszej rodziny.

Pracuję ciężko, podobnie jak ty.
Teściowa uważnie obserwuje wszystkie moje poczynania.
Kobiety w moim domu dobrze znają *nu shu*.
Teściowa uczy mnie nowych znaków
Pokażę ci je przy naszym następnym spotkaniu.
Haftuję, przędę i robię buty.
Tkam i przygotowuję posiłki.
Mam syna.
Modlę się do Bogini, żeby kiedyś obdarzyła mnie drugim.
Ty także powinnaś się o to modlić.
Posłuchaj mnie, proszę.
Musisz być posłuszna mężowi.
Musisz wypełniać polecenia teściowej.
Nie martw się tak bardzo, proszę cię.
Przypomnij sobie, jak haftowałyśmy razem i szeptałyśmy
w nocy.
Jesteśmy jak dwie kaczki mandarynki.
Jesteśmy dwoma feniksami, które wzbijają się w niebo.

Lilia

W następnym liście Kwiat Śniegu nie wspominała już
o nowej rodzinie; napisała tylko, że jej synek nauczył się siadać. Na końcu znowu pytała o moje życie:

Napisz mi, jak wyglądają wasze posiłki i o czym toczy się rozmowa.
Czy twoi teściowie i inni domownicy recytują podczas jedzenia
dzieła klasyków?
Czy teściowa zabawia mężczyzn opowiadaniem rozmaitych historii?
Czy śpiewa, żeby dopomóc im w trawieniu?

Starałam się odpowiedzieć na te pytania zgodnie z prawdą. Mężczyźni w moim domu zwykle rozmawiali o finan-
sach, o tym, który kawałek ziemi mogliby wydzierżawić
i komu, jakiej opłaty zażądać i ile zapłacić podatku. Pragnęli
„wspiąć się wyżej", „dotrzeć na szczyt góry". W każdej rodzinie mówi się o takich rzeczach w dzień Nowego Roku
i przygotowuje się specjalne potrawy, które mają sprawić,

aby marzenia stały się rzeczywistością, lecz moi teściowie po prostu ciężko pracowali, żeby je spełnić. Tak czy inaczej, rozmowy o sprawach finansowych nudziły mnie, nie rozumiałam ich i nie starałam się zrozumieć. Rodzina Lu i tak miała już więcej niż jakakolwiek inna w całym Tongkou, więc nie byłam w stanie pojąć, czego jeszcze mogliby pragnąć i dlaczego ani na chwilę nie odrywają wzroku od szczytu góry.

Miałam nadzieję, że Kwiat Śniegu jest już szczęśliwsza, przynajmniej trochę przystosowała się do nowych warunków, bo cóż innego może zrobić młoda żona... Pewnego mrocznego popołudnia, kiedy karmiłam syna, usłyszałam, jak przed domem zatrzymuje się palankin, a zaraz potem głos pani Wang. Spodziewałam się, że ciotka mojej przyjaciółki wejdzie na górę, lecz zamiast niej do izby wkroczyła teściowa i rzuciła list na stolik, przy którym siedziałam. Jej brwi były ściągnięte w wyrazie widocznej dezaprobaty. Gdy synek zasnął, przysunęłam olejną lampkę i otworzyłam list. Od razu zauważyłam, że został napisany w innym układzie wierszy niż zwykle. Ogarnięta uczuciem niepokoju, szybko zaczęłam czytać.

Lilio,

Siedzę w izbie na górze i płaczę. Przed domem mój mąż zabija świnię. Po raz kolejny gwałci prawo czystości.

Na samym początku mojego pobytu w tym domu teściowa zmusiła mnie, bym stała na platformie przed drzwiami i patrzyła, jak zabija się świnię, a to dlatego, żebym się dowiedziała, z czego biorą się pieniądze na nasze utrzymanie. Mąż i teść przynieśli świnię pod sam próg, przywiązaną do drąga, opartego na ich ramionach. Świnia zwisała między nimi i rozpaczliwie krzyczała, krzyczała, krzyczała. Dobrze wiedziała, co ją czeka. Później słyszałam te dźwięki wiele razy, bo zwierzęta przeczuwają, co się z nimi stanie i ich krzyki aż zbyt często niosą się przez całą wioskę.

Teść przytrzymał świnię nad krawędzią dużego woka, wypełnionego wrzącą wodą. (Pamiętasz ten wok przed moim domem? Ten wpuszczony w platformę? Pod nim znajduje się duże pale-

218

nisko). Mąż poderżnął świni gardło. Najpierw zebrał krew na krwawy sos, a potem wepchnął truchło do woku. Świnię obgotowuje się, żeby jej skóra zmiękła. Mąż kazał mi zdrapać z niej szczecinę. Płakałam i płakałam, ale nie tak głośno jak świnia. Powiedziałam im, ze już nigdy nie będę patrzeć na ten nieczysty akt ani brać w nim udziału. Teściowa ma mnie w pogardzie za tę słabość.

Codziennie staję się coraz bardziej podobna do żony pana Wanga. Pamiętasz, jak moja ciotka opowiedziała nam tę historię? Zostałam wegetarianką. Teściom jest to zupełnie obojętne, są nawet zadowoleni, bo w ten sposób więcej mięsa zostaje dla nich.

Nie mam na świecie nikogo poza tobą i moim synkiem.

Żałuję, że cię okłamałam. Obiecałam, że zawsze będę mówiła ci prawdę, ale nie chciałam, żebyś poznała brzydotę mojego życia.

Siedzę przy oknie i patrzę na pola, w stronę mojej rodzinnej wioski. Wyobrażam sobie ciebie, jak patrzysz na mnie. Moje serce szybuje ku tobie ponad polami. Siedzisz przy oknie? Widzisz mnie? Czujesz moją obecność?

Bez ciebie pogrążam się w smutku. Napisz albo odwiedź mnie, błagam.

Kwiat Śniegu

To było straszne! Spojrzałam przez okno ku Jintian, żałując, że nie mogę przynajmniej na moment zobaczyć Kwiatu Śniegu. Czułam się okropnie, bo wiedziałam, że cierpi, a ja nie mogę jej objąć i pocieszyć. Na oczach teściowej i innych kobiet w izbie wyjęłam kawałek papieru i wymieszałam tusz. Zanim sięgnęłam po pędzelek, jeszcze raz przeczytałam list. Za pierwszym razem dostrzegłam tylko jej smutek, dopiero teraz uderzyło mnie, że Kwiat Śniegu złamała zasady wersyfikacji, które tradycyjnie stosują mężatki, i posłużyła się *nu shu*, aby szczerze i bezpośrednio opisać swoje życie.

Jej śmiałe posunięcie uświadomiło mi prawdziwe przeznaczenie naszego sekretnego pisma. Jego celem nie był zapis dziewczęcych liścików czy nawet przedstawienie młodej żony innym kobietom z rodu męża. *Nu shu* miało pełnić rolę naszego głosu, środka komunikacji, dzięki któremu i wbrew ograniczonym możliwościom skrępowanych stóp myśli mogły przepływać ponad polami, jak napisała Kwiat Śniegu. Mężczyźni z naszych rodzin nie spodziewali się, abyśmy miały coś naprawdę ważnego do powiedzenia. Nie przypuszczali, że mamy uczucia i potrafimy wyrażać twórcze myśli. Kobiety – teściowe i inne krewne – odgradzały się od nas jeszcze potężniejszymi przeszkodami. Tak czy inaczej, po otrzymaniu listu Kwiatu Śniegu w moim sercu obudziła się nadzieja, że od tej pory będziemy mogły szczerze pisać o swoim życiu, niezależnie od tego, czy dane nam będzie być razem, czy z dala od siebie. Pragnęłam odłożyć do lamusa ustalone zwroty, którymi najczęściej posługiwały się żony w Dniach Ryżu i Soli, i wreszcie wyrażać swoje prawdziwe myśli. Chciałam pisać do przyjaciółki w taki sposób, jak rozmawiałyśmy dawniej, gdy siedziałyśmy tuż obok siebie w izbie na piętrze mojego rodzinnego domu.

Musiałam zobaczyć się z Kwiatem Śniegu i powiedzieć jej, że wkrótce wszystko ułoży się lepiej, gdybym jednak ośmieliła się odwiedzić ją wbrew życzeniom mojej teściowej, popełniłabym najgorsze z przestępstw. Pisanie i odbieranie listów w tajemnicy było niczym w porównaniu z takim wykroczeniem. Ale ja nie miałam wyjścia – pragnęłam spotkać się z Kwiatem Śniegu, nie wyobrażałam sobie, aby mogło być inaczej.

Kwiecie Śniegu,

Płaczę na myśl, że przebywasz w takim miejscu. Jesteś za dobra, aby w twoim życiu było tyle brzydoty. Musimy się zobaczyć. Proszę, przyjedź do mojego rodzinnego domu na święto Wyganiania Ptaków. Zabierzemy ze sobą synów i znowu będziemy szczęśliwe. Zapomnisz o kłopotach. Pamiętaj, że ten, kto żyje blisko studni, nie zazna pragnienia, a ta, która ma obok siebie siostrę, nie pogrąży się w rozpaczy. W głębi serca na zawsze jestem twoją siostrą.

Lilia

Siedząc w izbie dla kobiet, planowałam i wybiegałam myślą w przyszłość, ale byłam przerażona. Czułam, że najlepszy okaże się plan najmniej skomplikowany – postanowiłam wstąpić po Kwiat Śniegu i zabrać ją do palankinu w drodze do domu – nie ulegało jednak wątpliwości, że mogę zostać przyłapana. Wystarczy, że któraś z konkubin wyjrzy przez okno i zobaczy, jak mój palankin skręca w prawo, w kierunku Jintian. Jeszcze większe zagrożenie wynikało z faktu, że drogi zatłoczone będą kobietami, podążającymi na święto do rodzinnych domów, musiałam więc brać pod uwagę, że natkniemy się na moją teściową albo że ktoś zauważy nas i doniesie komuś z rodziny Lu, choćby po to, aby przypodobać się rodzicom mego męża. Kiedy jednak nadeszły świąteczne dni, zgromadziłam w sercu dość odwagi, by z nadzieją myśleć o trudnym przedsięwzięciu.

Pierwszy dzień drugiego miesiąca księżycowego wyznaczał początek okresu zbiorów, stąd właśnie Święto Wyganiania Ptaków. Tego ranka kobiety z naszej rodziny wstały wcześnie, aby przygotować kleiste kuleczki ryżowe. A na polach gromadziły się już ptaki, czekające, aż mężczyźni przystąpią do sadzenia ryżu. Pracowałam ramię w ramię z teściową, mocno ugniatając kuleczki z ryżu, które miały ochronić inny ryż, najcenniejszy z naszych codziennych pokarmów. Gdy nadszedł czas, niezamężne kobiety z Tongkou wyniosły kulki na dwór i powtykały je na paliki, aby zwabić ptaki, mężczyźni zaś wysypali zatrute ziarno na obrzeżach pól. Kiedy ptaki zaczęły przełykać pierwsze zatrute ziarenka, mężatki z Tongkou wsiadły do palankinów, na wozy lub wdrapały się na plecy służących o dużych stopach, które miały przetransportować je do rodzinnych wiosek. Stare kobiety mówią, że jeżeli nie opuścimy mężowskich domów, ptaki zjedzą świeże ziarno, które mężczyźni mają dopiero rzucić w ziemię, a my nie będziemy mogły urodzić kolejnych synów.

Zgodnie z planem, moi tragarze zatrzymali się w Jintian. Nie wysiadłam z palankinu, ponieważ bałam się, że ktoś mógłby mnie zobaczyć. Drzwi otworzyły się i do kabiny wsiadła Kwiat Śniegu, trzymając w ramionach uśpionego synka. Ostatni raz widziałam ją przed ośmioma miesiącami, w świątyni Gupo. Wyobrażałam sobie, że skoro tak ciężko pracuje, to na pewno pozbyła się już pulchności z okresu ciąży, ale ona wciąż była kształtnie krągła pod tuniką i spódnicą. Piersi miała większe od moich, chociaż widziałam, że jej synek jest chudziutki, szczególnie w porównaniu z moim, a brzuch dość wydatny i dlatego łatwiej jej było trzymać synka opartego na ramieniu niż na kolanach.

Delikatnie odwróciła chłopczyka w moją stronę, żebym mu się przyjrzała, ja odstawiłam od piersi mojego i uniosłam go, tak że niemowlęta znalazły się naprzeciwko siebie. Synek Kwiatu Śniegu miał siedem miesięcy, mój sześć. Ludzie mówią, że wszystkie małe dzieci są piękne. Mój synek naprawdę był śliczny, lecz chłopczyk Kwiatu Śniegu wydawał się chudy jak łodyga trzciny, skórę miał chorobliwie żółtą, twarzyczkę wiecznie wykrzywioną, ładną miał jedynie gęstą, czarną czuprynę. Naturalnie, bardzo chwaliłam jego wygląd, a Kwiat Śniegu odwzajemniła się komplementami pod adresem mojego dziecka.

Podskakując na wyboistej drodze, rozmawiałyśmy o naszych nowych projektach. Kwiat Śniegu tkała gobelin zawierający wers pewnego poematu – było to wyzwanie trudne, wymagające niezwykłej cierpliwości. Ja uczyłam się, jak marynować ptaki, co było stosunkowo łatwe, choć wymagało dokładności i czujności, bo mięso łatwo ulega zepsuciu. Tak czy inaczej, były to przyjemne głupstewka, a my miałyśmy poważne sprawy do omówienia. Kiedy zapytałam moją *laotong*, jak przedstawia się jej sytuacja w domu, nie wahała się ani chwili.

– Gdy budzę się rano, jedyną moją radością jest syn – wyznała, patrząc mi prosto w oczy. – Lubię śpiewać przy praniu i zbieraniu drewna na opał, ale mąż się denerwuje, kiedy mnie usłyszy, a to oznacza, że nie pozwala mi wychodzić za próg, chyba że na podwórku jest jakaś praca do wykonania. Jeżeli jest zadowolony, wieczorami pozwala mi siadać na platformie, gdziu aurmyna świnie, lecz gdy tam jestem, potrafię myśleć tylko o tych nieszczęsnych zwierzętach... Zasypiam w nocy, i choć wiem, że rano wstanę, to wydaje mi się, że nie ujrzę blasku świtu, tylko niekończącą się ciemność...

Spróbowałam dodać jej odwagi.

– Mówisz tak, bo niedawno urodziłaś dziecko i mamy za sobą ciężką zimę...

Nie miałam prawa porównywać własnej samotności z jej przeżyciami, ale nawet mnie ogarniała melancholia, kiedy tęskniłam za rodziną, a głębokie cienie krótkich dni przygniatały mi serce.

– Zaczęła się już wiosna – podjęłam, pocieszając ją i siebie. – Dni stają się coraz dłuższe. Będzie nam teraz weselej, zobaczysz...

– Wolę krótsze dni – odparła spokojnie. – Przestaję słuchać narzekań dopiero wtedy, gdy kładę się z mężem spać. Przez cały dzień teść skarży się, że dostaje za słabą herbatę, teściowa karci mnie za zbyt miękkie serce, szwagierki upominają się o czyste ubrania, mąż powtarza, że przynoszę mu wstyd w wiosce, a synek ciągle czegoś ode mnie chce...

Przeraziło mnie, że sytuacja mojej *laotong* jest aż tak zła. Kwiat Śniegu cierpiała, a ja zupełnie nie wiedziałam, co jej powiedzieć, chociaż zaledwie kilka dni wcześniej obiecałam sobie, że będziemy ze sobą bardziej szczere. Ogarnięta poczuciem zagubienia i zażenowania, pozwoliłam znowu spętać się konwencjonalnym zasadom.

– Od początku starałam się dogodzić mężowi i teściowej, dzięki temu moje życie stało się łatwiejsze – powiedziałam. – Powinnaś robić to samo. Teraz cierpisz, ale pewnego dnia teściowa umrze i ty zostaniesz panią domu. Wszystkie żony pierworodnych synów, które wydają na świat synów, ostatecznie zawsze odnoszą zwycięstwo.

Uśmiechnęła się lekko, ja zaś pomyślałam o jej dziwnej skardze na syna. Naprawdę nie byłam w stanie tego zrozumieć. Syn jest całym życiem kobiety. Spełnianie jego żądań było zadaniem i celem życia Kwiatu Śniegu, powinna znajdować w tym radość i satysfakcję.

– Twój syn zacznie niedługo chodzić – dorzuciłam. – Będziesz biegać za nim po całym domu i poczujesz się szczęśliwa.

Mocniej objęła dziecko.

– Znowu jestem w ciąży – oświadczyła.

Próbowałam rozjaśnić twarz radosnym uśmiechem, ale w mojej głowie kołatało się wiele niespokojnych myśli. To tłumaczyło jej wygląd, wezbrane piersi i wystający brzuch, ciąża musiała być już dość zaawansowana... Ale jak to możliwe? Tak szybko? Czy to o tej nieczystości pisała w ostatnim liście? Czy ona i jej mąż poszli do łóżka przed upływem nakazanych przez tradycję stu dni? Nie widziałam innego wyjaśnienia.

– Życzę ci drugiego syna... – wykrztusiłam niepewnie.

– Mam nadzieję, że to będzie syn – westchnęła. – Mój mąż powtarza, że lepiej jest mieć psa niż córkę...

Wiedziałyśmy, jak uzasadnione jest to powiedzenie, ale kto powtarzałby coś takiego w obecności ciężarnej żony...

W tej samej chwili poczułam, że tragarze stawiają palankin na ziemi i usłyszałam wesołe okrzyki moich braci. Uwolniło mnie to od konieczności wymyślania właściwej odpowiedzi na jej wyznanie. Wreszcie byłam w domu.

Ileż zaszło tu zmian! Starszy brat i jego żona mieli już dwoje dzieci. Moja bratowa udała się do domu na święta, ale zostawiła maluchy, żebym mogła je zobaczyć. Młodszy brat jeszcze się nie ożenił, ale przygotowania do uroczystości weselnych były już w toku. Oficjalnie był teraz mężczyzną. Starsza siostra przybyła z dwiema córkami i synem. Starzała się na naszych oczach, lecz ja ciągle myślałam o niej jako o młodej dziewczynie. Mama nie mogła krytykować mnie tak otwarcie jak kiedyś, chociaż próbowała. Ojciec był dumny, widziałam jednak, że odczuwa ciężar obowiązku wykarmienia tylu osób. Pod naszym dachem przebywało teraz siedmioro dzieci w wieku od sześciu miesięcy do sześciu lat. Dom aż trząsł się od tupotu drobnych, ruchliwych stóp, od krzyków i piosenek. Stryjenka była uszczęśliwiona – dom pełen dzieci zawsze był jej największym marzeniem. Mimo to widziałam, jak jej oczy co jakiś czas wzbierają łzami. Gdyby świat był bardziej sprawiedliwy, Piękny Księżyc byłaby teraz tutaj ze swoimi dziećmi.

Spędziliśmy całe trzy dni, gawędząc, śmiejąc się, jedząc i śpiąc – nikt się nie kłócił, nie spierał, nie okazywał złośliwości, nie odgryzał się, nie potępiał i nie oskarżał. Kwiat Śniegu i ja najlepsze chwile spędziłyśmy w izbie na górze, kiedy udawałyśmy się na spoczynek. Układałyśmy wtedy naszych synków na łóżku między nami i przyglądałyśmy się im z uśmiechem. Kiedy chłopcy leżeli tuż obok siebie, różnice między nimi były jeszcze bardziej wyraźne. Mój syn był grubaskiem z czarną czuprynką, sterczącą jak u ojca. Uwielbiał jeść i pogodnie gulgotał przy mojej piersi, dopóki nie opił się mlekiem. Przerywał ssanie tylko po to, aby spojrzeć na mnie i się uśmiechnąć. Syn Kwiatu Śniegu miał kłopoty z jedzeniem i mleko ciągle mu się ulewało, kiedy opierała go sobie na ramieniu. Był trudnym dzieckiem także i pod innymi względami – zwykle długo płakał po południu, aż buzia czerwieniała mu ze złości, a jego pupa była nieustannie pokryta wysypką. Gdy jednak tuliliśmy się do siebie we czworo pod kołdrą, dzieci cichły i z wyraźnym zaciekawieniem przysłuchiwały się naszym szeptom.

– Lubisz sprawy łóżkowe? – zapytała Kwiat Śniegu, kiedy cały dom zapadł już w sen.

Tyle lat słuchałyśmy rubasznych dowcipów, opowiadanych przez stare kobiety i rzucanych przez stryjenkę dwuznacznych uwag o dobrej zabawie w łóżku ze stryjem... Wszystko to dawniej wydawało nam się zupełnie niezrozumiałe, ale teraz wiedziałam już, o co chodzi.

– Mój mąż i ja jesteśmy jak dwie kaczki mandarynki –

szepnęła Kwiat Śniegu, zachęcając mnie do odpowiedzi. – Znajdujemy wspólne szczęście we wzbijaniu się aż pod chmury...

Jej słowa całkowicie mnie zaskoczyły. Czyżby znowu kłamała, podobnie jak dawniej? Długo milczałam.

– Ale chociaż oboje czerpiemy z tego wielką radość, niepokoi mnie, że mąż nie przestrzega zasad wstrzemięźliwości po porodzie – podjęła Kwiat Śniegu. – Odczekał tylko dwadzieścia dni...

Znowu przerwała, jakby zabrakło jej słów.

– Nie winię go za to – powiedziała po chwili. – Zgodziłam się, chciałam tego...

Chociaż nie byłam w stanie pojąć jej pragnienia uprawiania spraw łóżkowych, odetchnęłam z ulgą. Nie wątpiłam, że mówi prawdę, bo przecież nikt nie kłamałby w ten sposób, wymyślając coś jeszcze gorszego od rzeczywistości. Cóż może być powodem większego wstydu niż popełnienie nieczystego aktu?

– To niedobrze – odszepnęłam. – Musisz postępować zgodnie z zasadami...

– Bo co? Stanę się tak nieczysta jak mój mąż?

Spodziewałam się takiej reakcji z jej strony.

– Nie chcę, żebyś rozchorowała się albo umarła – odparłam.

Kwiat Śniegu parsknęła śmiechem.

– Nikt nie choruje z powodu spraw łóżkowych – powiedziała. – One dają człowiekowi tylko przyjemność. Cały dzień ciężko pracuję dla teściowej, więc czy nie zasługuję na rozkosze, jakie niesie noc? Poza tym, jeżeli urodzę kolejnego syna, będę bardziej szczęśliwa...

Wiedziałam, że akurat w tym ma zupełną rację. Chłopiec, który spał między nami, był kapryśny i słaby. Kwiat Śniegu powinna urodzić drugiego syna, na wszelki wypadek.

Trzy dni minęły zbyt szybko. Odjeżdżałam z lżejszym sercem. Kwiat Śniegu wysiadła z palankinu w Jintian, a ja udałam się do domu teściów. Nikt nie zauważył, że skręciłam z głównej drogi, a pieniądze, które dałam tragarzom, stanowiły gwarancję ich milczenia. Zachęcona i ośmielona tym sukcesem, zrozumiałam, że odtąd będę mogła częściej spotykać się z Kwiatem Śniegu. W ciągu roku było kilka świąt, kiedy mężatki wracały do rodzinnych domów, miałyśmy także przed sobą coroczną pielgrzymkę do świątyni Gupo. Byłyśmy kobietami zamężnymi, ale to nie znaczyło, że przestałyśmy być *laotong*, niezależnie od tego, co miała na ten temat do powiedzenia moja teściowa.

W następnym roku nadal pisywałyśmy do siebie, a nasze słowa przelatywały nad polami, wolne jak dwa ptaki, unoszone mocnym wiatrem. Kwiat Śniegu nie skarżyła się już tak często na warunki w domu, podobnie jak ja. Byłyśmy młodymi matkami i naszą codzienność urozmaicały i rozjaśniały przygody synków – wyrzynające się ząbki, pierwsze wypowiedziane słowa, pierwsze chwiejne kroki. Wydawało mi się, że obie ze spokojnym zadowoleniem przyzwyczajamy się do rytmu nowych domów, uczymy się, jak zadowalać teściowe i wypełniać obowiązki żon. Zaczęłam nawet pisać do niej o mężu i naszych intymnych chwilach. Pojmowałam teraz sens starego powiedzenia: „Kiedy mężczyzna wchodzi do łóżka, winien zachowywać się jak mąż, a gdy z niego wychodzi, niech postępuje jak dobrze wychowany człowiek". Mąż bardziej podobał mi się w chwilach, gdy opuszczał nasze małżeńskie łoże. Za dnia przestrzegał Dziewięciu Zasad. Myślał jasno i klarownie, słuchał czujnie i uważnie, był miły i spokojny, skromny, lojalny, prawy i grzeczny. Kiedy miał wątpliwości, zadawał ojcu pytania, a jeśli już wpadał w gniew, co zdarzało się niezwykle rzadko, ze wszystkich sił starał się tego nie okazywać. Tak więc w nocy, gdy wchodził do łóżka, z radością sprawiałam mu przyjemność, ale czułam ulgę, kiedy zasypiał. Nie rozumiałam zachwytów stryjenki nad zabawami w łóżku, którym często dawała wyraz w latach mojej wczesnej młodości, i naprawdę nie miałam pojęcia, z czego moja *laotong* czerpie tak wielką satysfakcję. Tak czy inaczej, niezależnie od głębi mojej ignorancji w tej kwestii, wiedziałam jedno – za pogwałcenie zasad nieczystości płaci się wysoką cenę.

Lilio,

Moja córka przyszła na świat martwa. Odeszła stąd, nie zapuszczając korzeni, nie dane jej więc było poznać smutków tego życia. Trzymałam w dłoniach jej stópki i powtarzałam sobie, że nigdy nie zaznają straszliwego bólu krępowania. Musnęłam dłonią jej oczy. Nigdy nie odbije się w nich smutek wywołany odejściem z rodzinnego domu, pożegnaniem z matką i śmiercią dziecka. Położyłam palce na jej sercu, które nigdy nie odczuje cierpienia, smutku, samotności czy wstydu. Wyobrażam ją sobie w zaświatach. Czy jest z nią moja matka? Nie wiem, co dzieje się z nimi obiema.

Wszyscy w domu obwiniają mnie za to, co się stało. Teściowa mówi: „Po co przyjęliśmy cię do domu, skoro nie rodzisz synów?". Mąż powtarza: „Jesteś młoda, będziesz miała więcej dzieci. Następnym razem urodzisz mi syna".

Nie wiem, jak uporać się ze smutkiem. Nie mam nikogo, kto zechciałby mnie wysłuchać. Wiele bym dała, żeby usłyszeć twoje kroki na schodach.

Wyobrażam sobie, że jestem ptakiem. Gdybym miała skrzydła, mogłabym wzbić się wysoko i stamtąd patrzeć na świat.

Kawałek nefrytu, który nosiłam na szyi dla ochrony nienarodzonego dziecka, przygniata mnie do ziemi. Nie mogę przestać myśleć o mojej zmarłej córeczce.

Kwiat Śniegu

Poronienia często zdarzały się w naszym regionie i wszyscy oczekiwali, że kobieta szybko przejdzie nad tym do porządku dziennego, zwłaszcza jeżeli dziecko było płci żeńskiej. Narodziny martwego maleństwa budziły smutek i współczucie tylko wtedy, gdy chodziło o chłopca; przyjście na świat martwej dziewczynki rodzice zwykle witali z wdzięcznością. Nikomu nie potrzebna jest jeszcze jedna bezwartościowa gęba do wykarmienia. Ja sama, chociaż w ciąży bardzo bałam się o zdrowie dziecka, teraz musiałam szczerze przyznać, że nie wiem, jak bym zareagowała, gdybym wydała na świat martwą dziewczynkę. Staram się tu powiedzieć, że odczucia Kwiatu Śniegu wzbudziły we mnie niepokój i wielką niepewność.

Błagałam ją, żeby zawsze mówiła prawdę, a teraz, kiedy spełniła tę prośbę, nie miałam pojęcia, jak zareagować. Chciałam okazać jej współczucie, pocieszyć i ukoić ból, lecz bałam się o nią i nie wiedziałam, co napisać. Wszystko, co działo się w życiu Kwiatu Śniegu – rzeczywistość dzieciństwa, strasznego małżeństwa, a teraz tego wydarzenia – wykraczało poza granice mojego zrozumienia. Skończyłam dopiero dwadzieścia jeden lat. Nigdy nie doświadczyłam prawdziwego nieszczęścia, miałam dobre życie i chyba właśnie dlatego nie potrafiłam wejść w jej przeżycia.

Długo szukałam odpowiednich słów, jakie mogłabym ofiarować kobiecie, którą kochałam, i ze wstydem przyznaję, że w końcu pozwoliłam, aby konwencjonalne przekonania i zasady spętały moje serce tak samo jak tamtego dnia w palankinie. Gdy sięgnęłam po pędzelek, uciekłam w bezpieczne, formalne zwroty, właściwe dla mężatki. Miałam nadzieję, że w ten sposób przypomnę przyjaciółce, iż jedyną tarczą kobiety jest pogodna twarz, spokojna nawet w chwilach największej rozpaczy. Kwiat Śniegu musiała postarać się znowu zajść w ciążę – i to szybko – ponieważ obowiązkiem każdej kobiety jest podejmowanie prób wydania na świat synów.

Kwiecie Śniegu,

Siedzę w izbie na górze, pogrążona w głębokim zamyśleniu.
Piszę, żeby cię pocieszyć.
Posłuchaj mnie, proszę.
Moja droga, ucisz swoje serce.
Wyobraź sobie, że jestem przy tobie i kładę dłoń na twojej ręce.
Wyobraź sobie, że płaczę razem z tobą.
Nasze łzy tworzą cztery strumyki, które nigdy nie przestaną płynąć.

Bądź tego pewna.

Twój smutek jest głęboki, ale nie jesteś sama.

Nie rozpaczaj.

Takie było przeznaczenie, które decyduje o wszystkim, także i o tym, komu przypada w udziale bogactwo, a komu ubóstwo. Dużo dzieci umiera.

Serce matki cierpi, to zrozumiałe.

Nie mamy żadnej władzy nad tymi rzeczami.

Możemy tylko wciąż próbować.

Następnym razem urodzisz syna...

Lilia

Minęły dwa lata. Nasi synowie nauczyli się chodzić i mówić. Synek Kwiatu Śniegu przekraczał te granice jako pierwszy i nie było w tym nic dziwnego – był przecież sześć tygodni starszy, chociaż jego nogi nie były tak silne jak u mojego dziecka. Nieszczęsny chłopiec wciąż był chudy jak w niemowlęctwie i wydawało się, że jego osobowość także jest dziwnie cienka, skąpa, niemal trudna do dostrzeżenia. Nie znaczy to, że nie był bystry. Był mądry, ale nie tak mądry jak mój synek, który już w wieku trzech lat sięgał po pędzelek do kaligrafii. Mój mały był wspaniały, wszyscy go uwielbiali, nawet konkubiny obsypywały go czułościami, wyrywając go sobie jak nowe sztuki jedwabiu.

Trzy lata po narodzinach mojego pierwszego syna na świat przyszedł drugi. Kwiat Śniegu nie miała tyle szczęścia. Możliwe, że rzeczywiście lubiła chodzić do łóżka z mężem, ale nic z tego nie wynikało – nic poza drugą martwą córką. Po tej stracie poradziłam jej, żeby udała się do miejscowego zielarza po mieszanki, które pomogłyby jej urodzić syna, a także obdarzyły jej męża większą tężyzną poniżej pasa. Kwiat Śniegu poinformowała mnie, że dzięki moim radom oboje doznają wielorakiej satysfakcji.

Radość i smutek

Kiedy mój starszy syn skończył pięć lat, mąż zaczął wspominać o potrzebie sprowadzenia wędrownego nauczyciela, który zająłby się formalną edukacją chłopca. Ponieważ mieszkaliśmy w domu teściów i nie dysponowaliśmy własnymi środkami, musieliśmy zwrócić się do nich z prośbą o pokrycie kosztów nauki. Chyba powinnam wstydzić się pragnień mojego małżonka, ale wcale nie czułam wstydu i nigdy tego nie żałowałam, a teściowie byli naprawdę bardzo szczęśliwi, kiedy nauczyciel wprowadził się do domu i mój synek opuścił izbę na piętrze. Żegnałam go łzami, lecz była to jedna z najwspanialszych chwil mojego życia. W sercu piastowałam nadzieję, że może pewnego dnia mój chłopczyk przystąpi do egzaminów na cesarskiego urzędnika. Byłam tylko kobietą, ale wiedziałam, że zdanie tych egzaminów jest bramą, przez którą nawet najubożsi, lecz wykształceni ludzie mają szansę przejść do życia pełnego dostatku i zaszczytów. Tak czy inaczej, nieobecność synka w izbie na górze była niczym czarna dziura, której nie mogły wypełnić zabawne psoty młodszego dziecka, jazgot konkubin, sprzeczki szwagierek czy nawet spotkania z Kwiatem Śniegu. Całe szczęście, że w pierwszym miesiącu nowego roku księżycowego odkryłam, iż znowu jestem w ciąży.

W tym czasie izba na górze była już mocno zatłoczona.

Do naszego domu sprowadziła się trzecia szwagierka, która szybko urodziła córkę, po niej zaś czwarta szwagierka, zajęta głównie narzekaniem na wszystko i wszystkich. Ona także wydała na świat dziewczynkę. Moja teściowa ze szczególnym okrucieństwem traktowała właśnie czwartą szwagierkę, która wcześniej straciła dwóch synków przy porodach. Mogę śmiało powiedzieć, że pozostałe kobiety przywitały nowinę o mojej ciąży z zazdrością. W izbie na piętrze nic nie wywoływało większej konsternacji niż wystąpienie comiesięcznego krwawienia u jednej z żon. Wszystkie kobiety natychmiast się o tym dowiadywały. Pani Lu zawsze dawała wyraz swojemu niezadowoleniu z synowej, o którą chodziło, i przeklinała ją na głos.

– Żonę, która nie rodzi synów, zawsze można z łatwością zastąpić – mawiała, chociaż sama z całego serca nienawidziła konkubin swojego małżonka.

Teraz, rozglądając się po izbie, widziałam zawiść i słabo ukrywane pretensje, lecz co niby mogły zrobić pozostałe kobiety? Mogły tylko czekać, czy i tym razem urodzę syna. Tymczasem ja zapragnęłam córki, chociaż pragnienie to brało się z bardzo praktycznej przyczyny. Drugi syn miał mnie wkrótce opuścić i przejść do świata mężczyzn, natomiast córka opuszcza matkę dopiero po wyjściu za mąż. Ta skrywana na dnie serca ambicja zapłonęła żywym płomieniem, kiedy się dowiedziałam, że Kwiat Śniegu także oczekuje dziecka. Nie potrafię nawet powiedzieć, jak gorąco się modliłam, aby ona również urodziła córkę.

Pierwsza i najlepsza okazja do spotkania i podzielenia się aspiracjami i nadziejami nadarzyła się wraz ze Świętem Smakowania, przypadającym szóstego dnia szóstego miesiąca. Po pięciu latach życia w rodzinie Lu dobrze wiedziałam, że teściowa nie zmieniła zdania w sprawie Kwiatu Śniegu. Podejrzewałam, że nasze spotkania nie były dla niej tajemnicą, ale tak długo, jak sama o nich nie wspominałam i wykonywałam wszystkie domowe obowiązki, nie zamierzała chyba podejmować tego tematu.

Jak zwykle, Kwiat Śniegu i ja znalazłyśmy radość w izbie na górze mojego rodzinnego domu, chociaż nie mogłyśmy doświadczyć dawnej intymnej bliskości, bo przecież miałyśmy przy sobie dzieci. Długo szeptałyśmy jednak w ciemności, a ja wyznałam przyjaciółce, że pragnę urodzić córkę, która mogłaby stać się moją towarzyszką. Kwiat Śniegu pogładziła swój wystający brzuch i cicho przypomniała, że dziewczynki są tylko bezużytecznymi gałązkami, które nie mogą przedłużyć linii rodu ojców.

– Dla nas na pewno nie będą bezużyteczne – powiedziałam. – Mogłybyśmy związać je jako *laotong*, i to już teraz, przed ich narodzinami, nie sądzisz?

– Lilio, my naprawdę jesteśmy bezużyteczne... – Kwiat Śniegu usiadła na łóżku. Widziałam jej twarz, oświetloną promieniem księżyca. – Wiesz o tym, prawda?

– Kobiety są matkami synów – sprostowałam.

Ta funkcja umocniła moją pozycję w domu męża i myślałam, że w podobny sposób zmieniła się sytuacja Kwiatu Śniegu.

– Wiem, są matkami synów, ale...

– Więc córki mogą być naszymi towarzyszkami – uśmiechnęłam się.

– Straciłam już dwie dziewczynki...

– Nie chcesz, żeby nasze córeczki zostały *laotong*? – Nagła niepewność ścisnęła serce lodowatą ręką.

Spojrzała na mnie ze smutnym uśmiechem.

– Oczywiście że chcę, jeżeli urodzimy dziewczynki... Mogłyby ponieść naszą miłość dalej, kiedy my przejdziemy już w zaświaty.

– W takim razie wszystko ustaliłyśmy. Połóż się teraz przy mnie, dobrze? Nie marszcz brwi, to szczęśliwa chwila... Cieszmy się nią razem.

Rok później wróciłyśmy do Puwei z maleńkimi córeczkami. Daty ich urodzin nie pasowały do siebie. Wyjęłyśmy je z powijaków i przystawiłyśmy jedną malutką stópkę do drugiej. Wielkość ich stóp także była wyraźnie inna. Patrzyłam na moją córkę o imieniu Nefryt oczami matki, ale nawet ja widziałam, że córeczka Kwiatu Śniegu, Wiosenny Księżyc, jest prawdziwą pięknością w porównaniu z moją małą. Skóra Nefrytu była ciemniejsza niż u innych członków rodziny Lu, natomiast cera Wiosennego Księżyca do złudzenia przypominała delikatną skórkę białej brzoskwini. Miałam nadzieję, że Nefryt będzie tak mocna jak kamień, którego imię otrzymała, i z całego serca pragnęłam, aby Wiosenny Księżyc okazała się zdrowsza i silniejsza niż moja kuzynka, którą Kwiat Śniegu uczciła poprzez imię swojej córki. Żaden z ośmiu znaków dziewczynek nie odpowiadał wymogom podobieństwa, lecz my nie zamierzałyśmy przywiązywać do tego wagi. Te małe miały zostać *laotong*.

Otworzyłyśmy nasz wachlarz i przyjrzałyśmy mu się uważnie. Zapisałyśmy na nim tyle szczęśliwych wydarzeń. Nasz związek. Nasze małżeństwa. Narodziny synów. Narodziny córek. Ich przyszły związek.

Pewnego dnia dwie dziewczynki spotkają się i zostaną laotong. *Będą jak dwie kaczki mandarynki. Druga para kaczek – z radością w sercach – usiądzie na moście i odprowadzi wzrokiem młodsze ptaki, które wzbiją się wysoko w niebo.* Nad girlandą pod górną krawędzią Kwiat Śniegu namalowała dwie pary skrzydeł, ulatujących w kierunku księżyca. Dwa inne ptaki, przytulone do siebie, patrzyły na nie z ziemi.

Kiedy skończyłyśmy, usiadłyśmy obok siebie, trzymając córeczki w ramionach. Czułam wielką radość i nie zastanawiałam się, że ignorując odwieczne zasady rządzące zawieraniem umowy łączącej dwie dziewczynki, przełamujemy tabu.

Dwa lata później Kwiat Śniegu przysłała mi list z wiadomością, że wreszcie urodziła drugiego syna. Była ogromnie szczęśliwa, a ja cieszyłam się wraz z nią, pewna, że jej pozycja w domu męża się umocni. Nie miałyśmy jednak czasu na przeżywanie radości, bo już w trzy dni później do okręgu dotarła smutna wieść o śmierci cesarza Daoguanga. Nasz region pogrążył się w żałobie. Niedługo potem nowym cesarzem został syn zmarłego, Xianfeng.

Gorskie doświadczenia rodziny Kwiatu Śniegu nauczyły mnie, że po śmierci cesarza cały stary dwór wypada z łask, a każdej zmianie władzy towarzyszy okres chaosu i niepokoju, nie tylko w pałacu, ale i w całym kraju. Przy kolacji, kiedy mój teść, mąż i jego bracia rozmawiali o tym, co dzieje się poza Tongkou, przyjmowałam do wiadomości tylko to, czego po prostu nie mogłam zignorować. Rebelianci sprawiali poważne problemy w jakiejś części kraju, a właściciele ziemscy uparcie dążyli do podniesienia opłat za dzierżawę gruntów. Współczułam ludziom, którzy mogli ucierpieć z tej racji, zwłaszcza że dotyczyło to także mojej rodziny, ale te sprawy wydawały mi się bardzo odległe od wygodnego, bezpiecznego życia domu Lu.

Parę tygodni później stryj Lu stracił stanowisko i wrócił do Tongkou. Gdy wysiadł z palankinu, wszyscy złożyliśmy mu głęboki pokłon, dotykając czołami ziemi. Kazał nam wstać i wtedy ujrzałam starego człowieka w jedwabnej szacie, z dwoma dużymi znamionami na twarzy. Ludzie zwykle chlubią się włosami, które wyrastają z ich znamion, ale włosy stryja Lu były naprawdę imponujące – sztywne, białe, długie na co najmniej trzy centymetry, skupione w obfitych kępkach. Kiedy poznałam go bliżej, zauważyłam, że bardzo lubił bawić się tymi włosami i często szarpał je lekko, jakby chciał jeszcze pobudzić je do wzrostu.

Jego bystre oczy przesunęły się po zebranych i spoczęły na twarzy mojego pierworodnego syna. Chłopiec miał już osiem lat. Stryj Lu, który powinien był przywitać się najpierw z bratem, wyciągnął pokrytą supłami żył rękę i położył ją na ramieniu mojego syna.

– Przeczytaj tysiąc ksiąg, a twoje słowa popłyną jak rzeka – powiedział głosem wykształconego człowieka, naznaczonym długimi latami, które spędził w stolicy. – A teraz pokaż mi drogę do domu, mój mały...

Z tymi słowami cieszący się najwyższym szacunkiem członek naszej rodziny wziął mojego synka za rękę i razem przeszli przez wioskową bramę.

Minęły kolejne dwa lata, urodziłam trzeciego syna. Wszyscy ciężko pracowaliśmy, starając się, aby nasze życie było takie jak dawniej, lecz doskonale zdawaliśmy sobie sprawę, że utrata stanowiska na dworze przez stryja Lu i rebelia wywołana podwyższeniem opłat dzierżawnych odmieniły świat. Teść zaczął ograniczać palenie tytoniu, a mój mąż więcej czasu spędzał na polach, czasami chwytając narzędzia i pracując ramię w ramię z chłopami. Nauczyciel wyjechał i udzielaniem lekcji mojemu najstarszemu synowi zajął się stryj Lu. W izbie na górze żony i konkubiny kłóciły się coraz częściej, w miarę jak ilość jedwabiu i nici do haftowania wyraźnie malała.

Kiedy Kwiat Śniegu i ja spotkałyśmy się tamtego roku w Puwei, niewiele czasu poświęciłam mojej rodzinie. Och, naturalnie siadałam z nimi do stołu, a wieczorami wychodziliśmy razem przed dom, tak samo jak w latach mojego dzieciństwa, ale nie przyjechałam do domu ze względu na mamę i ojca. Chciałam być z Kwiatem Śniegu, to wszystko. Obie skończyłyśmy trzydzieści lat, a nasz związek trwał już dwadzieścia jeden. Z trudem przychodziło mi uwierzyć, że minęło aż tyle czasu, a jeszcze trudniej, że kiedyś byłyśmy sobie tak bardzo bliskie. Kochałam Kwiat Śniegu jako *laotong*, ale moje dni wypełnione były sprawami dzieci i obowiązkami. Byłam teraz matką trzech synów i córki, natomiast Kwiat Śniegu miała dwóch chłopców i dziewczynkę. Łączył nas silny związek uczuciowy. Wierzyłyśmy, że nic nie jest w stanie go zniszczyć, ponieważ wydawał nam się mocniejszy i trwalszy niż uczucia, jakie żywiłyśmy do mężów, lecz ogień naszej wzajemnej miłości wyraźnie przygasł. Nie martwiło nas to, wszystkie głębokie związki podlegają przemianom, jakie niesie rzeczywistość Dni Ryżu i Soli. Wiedziałyśmy, że kiedy przyjdą Dni Spokojnego Siedzenia, wszystko znowu będzie jak dawniej. Na razie musiałyśmy dzielić się swoją codziennością i spokojnie czekać.

Ostatnia szwagierka Kwiatu Śniegu wyszła wreszcie za mąż, dzięki czemu moja przyjaciółka miała teraz mniej obowiązków. Co więcej, w ostatnim czasie zmarł jej teść. Świnia, którą zarzynał, w ostatniej chwili szarpnęła się tak mocno, że nóż wysunął się z ręki rzeźnika i rozciął mu ramię aż do kości. Stary wykrwawił się na śmierć na progu domu, w tym samym miejscu, gdzie wcześniej pod jego nożem padło tyle świń. Teraz panem domu był mąż Kwiatu Śniegu, chociaż i on, i wszyscy domownicy nadal pozwalali, aby rządziła nimi jego matka. Świadoma, że Kwiat Śniegu nie ma nic i nikogo, teściowa nasiliła prześladowania, a syn nie potrafił czy może nie chciał bronić żony. Mimo to Kwiat Śniegu znajdowała dużo radości w zajmowaniu się drugim synkiem, który wyrósł już z okresu niemowlęcego i był zdrowym, tryskającym energią dzieckiem. Wszyscy go kochali i byli przekonani, że pierwszy syn nie dożyje nie tylko dwudziestych, ale nawet dziesiątych urodzin.

Chociaż warunki życia Kwiatu Śniegu nie były tak dobre jak moje, to własnie ona nasłuchiwała nowin i wiadomości ze świata dużo uważniej niż ja. Nie powinno to nikogo dziwić, bo przecież zawsze bardziej interesowała się tym, co dzieje się w naszym okręgu i poza jego granicami. Powiedziała mi, że buntownicy, o których słyszałam, nazywają się Taipingami i dążą do stworzenia harmonijnego porządku rzeczy. Wierzą, podobnie jak lud Yao, że duchy, bogowie i boginie mają wpływ na zbiory, nasze zdrowie i narodziny synów. Taipingowie zakazywali konsumpcji wina, opium i tytoniu, uprawiania hazardu i tańców. Twierdzili, że właścicielom ziemskim należy odebrać ich posiadłości, ponieważ stanowią one dziewięćdziesiąt procent gruntów w naszym kraju, z których pochodzi siedemdziesiąt procent zbiorów, i że pracujący w polu chłopi powinni otrzymać własne działki. W naszej prowincji kilkaset tysięcy ludzi opuściło domy, aby przyłączyć się do Taipingów i powoli opanowywało wioski i miasta. Kwiat Śniegu opowiedziała mi także o przywódcy rebeliantów, który uważał się za syna boga, o tym, co nazywał swoim Niebieskim Królestwem Wielkiego Pokoju, o jego nienawiści do obcokrajowców i politycznej korupcji. Nie rozumiałam, co próbowała mi przekazać Kwiat Śniegu. Dla mnie obcy był kimś z innego okręgu. Żyłam wśród czterech ścian izby na piętrze, ale Kwiat Śniegu posiadała umysł, który podejmował dalekie wędrówki, szukając, badając i rozważając rozmaite sprawy.

Po powrocie do domu zapytałam męża o Taipingów.

– Żona powinna myśleć o dzieciach i uszczęśliwiać swoich bliskich – oświadczył surowo. – Jeżeli pobyt w rodzinnym domu budzi w tobie takie niepokoje, następnym razem nie pozwolę ci tam pojechać.

Nie wspomniałam już ani słowem o zewnętrznym świecie.

Susza i nieurodzaj sprawiły, że wszyscy w Tongkou cierpieli głód – od najniżej postawionej czwartej córki ubogiego rolnika po ogólnie szanowanego stryja Lu – lecz ja poczułam niepokój dopiero w chwili, gdy zobaczyłam, że nasza spiżarnia nie jest już tak pełna jak do niedawna. Wkrótce teściowa zaczęła nas karcić, kiedy rozsypałyśmy odrobinę herbaty lub rozpaliłyśmy zbyt duży ogień. Teść brał tylko jeden kawałek mięsa z misy, zostawiając większe porcje dla ukochanych wnuków. Stryj Lu, który tak długo mieszkał w cesarskim pałacu, skarżył się znacznie mniej, niż się spodziewałam, ale im lepiej pojmował zmianę warunków życia, tym większe wymagania stawiał mojemu synowi, z nadzieją, że ten mały chłopiec przywróci rodzinie utraconą pozycję.

Mąż przyjął to jako poważne wyzwanie.

– Stryj Lu widzi coś w naszym synu – powiedział mi którejś nocy, kiedy zgasiliśmy lampy. – Byłem szczęśliwy, kiedy zajął się jego edukacją, ale teraz wybiegam myślą w przyszłość i widzę, że może będziemy musieli wysłać go do miasta na studia. Jak to zrobimy, skoro już niedługo będzie trzeba sprzedać ziemię, żebyśmy nie umarli z głodu? – W ciemności wziął mnie za rękę. – Lilio, wpadłem na pomysł, który przypadł do serca także ojcu, ale martwię się o ciebie i naszych synów...

Czekałam w milczeniu, bojąc się jego następnych słów.

– Są rzeczy, bez których ludzie nie mogą się obyć niezależnie od okoliczności – ciągnął. – Powietrze, słońce, woda i drewno na opał nic nie kosztują, lecz sól trzeba kupić, a nie da się bez niej żyć...

Mocniej ścisnęłam jego dłoń. Do czego prowadził ten wstęp?

– Zapytałem ojca, czy pozwoli mi wziąć resztkę naszych oszczędności, udać się do Guilin, kupić sól, przewieźć ją do Tongkou i sprzedać. Zgodził się.

Taka wyprawa była najeżona niebezpieczeństwami. Guilin leżało w następnej prowincji. Aby tam dotrzeć, mąż musiałby przebyć terytorium opanowane przez rebeliantów. Poza buntownikami było tam też bez liku zdesperowanych chłopów, którzy postradali domy i zostali bandytami, rabusiami, brutalnie okradającymi podróżnych. Handel solą zawsze niósł ze sobą poważne ryzyko i właśnie dlatego towaru tego zwykle brakowało. Ludzie, którzy kontrolowali handel solą w naszej prowincji, posiadali własne armie, tymczasem mój mąż był sam. Nie miał żadnego doświadczenia w rozmowach z bogatymi, potężnymi panami i sprytnymi kupcami. Jakby tego nie było dosyć, kobieca wyobraźnia natychmiast podsunęła mi obraz męża, otoczonego pięknymi damami z Guilin. Gdyby odniósł sukces, niewykluczone, że zechciałby sprowadzić jedną z nich jako konkubinę. Byłam tylko słabą kobietą i od razu dałam wyraz swoim obawom.

– Nie zrywaj dzikich kwiatów – poprosiłam, posługując się eufemistycznym określeniem kobiet, jakie mógłby spotkać na swojej drodze.

– Wartość żony zależy od jej cnót, nie twarzy – zapewnił

mnie. – Dałaś mi synów, Lilio. Moje ciało pokona wielkie odległości, lecz oczy nawet nie spojrzą na to, czego nie powinny widzieć... – przerwał na chwilę. – Bądź mi wierna, unikaj pokus, słuchaj mojej matki i służ naszym synom.

– Na pewno będę trzymać się twoich wskazań – obiecałam. – Ale nie martwię się o siebie...

Próbowałam powiedzieć mu o moich lękach, lecz przerwał mi w pół zdania.

– Czy mamy przestać żyć dlatego, że jakaś grupa ludzi jest nieszczęśliwa? – odezwał się. – Musimy nadal korzystać z naszych dróg i rzek, bo one należą do wszystkich Chińczyków.

Jego nieobecność miała trwać nawet do roku.

Od dnia wyjazdu męża bezustannie się zamartwiałam. Miesiące mijały, a ja byłam coraz bardziej niespokojna i przestraszona. Co będzie ze mną, jeżeli przydarzy mu się coś złego, myślałam. Jako wdowa miałabym bardzo ograniczone możliwości wyboru dalszej ścieżki życia. Ponieważ moje dzieci były jeszcze za małe, żeby się mną zaopiekować, teść mógłby sprzedać mnie jakiemuś mężczyźnie. Wiedziałam, że w takim wypadku najprawdopodobniej nigdy więcej nie zobaczyłabym synów i córki, i coraz lepiej rozumiałam, dlaczego tyle wdów popełnia samobójstwo. Na szczęście roztkliwianie się nad sobą z powodu nieszczęść, które jeszcze nie nadeszły, zupełnie nie leżało w moim charakterze, więc starałam się zachować spokojną twarz, chociaż serce ściskało mi się ze strachu o męża.

Znajdowałam pewną pociechę w widoku pierworodnego syna, więc w ciągu dnia często wyrażałam gotowość przynoszenia herbaty do izby na górze, a gdy schodziłam na dół, cichutko siadałam w kącie i przysłuchiwałam się jego lekcjom.

– Trzy najważniejsze potęgi to Niebiosa, Ziemia i Człowiek – recytował mój syn. – Trzy wielkie źródła światła to Słońce, Księżyc i Gwiazdy. Możliwości, jakimi obdarzają nas

Niebiosa, nie można porównać z tymi, które daje Ziemia, a te ostatnie nie mogą się równać z błogosławieństwami płynącymi z harmonii między ludźmi...

– Każdy chłopiec moze zapamiętać te słowa, ale co one właściwie znaczą? – Stryj Lu był wymagającym nauczycielem.

Myślicie, że mój chłopiec udzielił błędnej odpowiedzi? Nie, i zaraz wam powiem, dlaczego byłam o tym przekonana. Jeżeli popełnił błąd, stryj Lu wymierzał mu uderzenie bambusową linijką w otwartą dłoń, a jeśli następnego dnia mały powtórzył błąd, otrzymywał podwójną karę.

– Niebiosa dają Człowiekowi pogodę, lecz bez żyznej gleby Ziemi nie ma to żadnego znaczenia – odparł mój syn. – Żyzna gleba zaś jest bezużyteczna, jeśli wśród ludzi brakuje harmonii...

Uśmiechnęłam się z dumą w swoim ciemnym kącie, ale stryj Lu nie zakończył lekcji z powodu jednej dobrej odpowiedzi.

– Bardzo dobrze. Teraz pomówmy o cesarstwie. Jeżeli umocnisz rodzinę i będziesz postępował zgodnie z zasadami zapisanymi w *Księdze obowiązków*, w twoim domu zawsze będzie panował porządek i harmonia. Takie wartości przechodzą z jednego domostwa na inne i budują bezpieczeństwo i pokój w państwie, od najuboższego domu po cesarski pałac. Podobnie jeden buntownik płodzi kolejnych i szerzy nieład. Słuchaj mnie uważnie, mały. Nasza rodzina posiada ziemię. Twój dziadek zarządzał posiadłością pod moją nieobecność, ale teraz ludzie wiedzą, że nie mam już dworskich koneksji. Widzą i słyszą rebeliantów, więc musimy być bardzo, bardzo ostrożni...

Jednak niebezpieczeństwo, którego obawiał się stryj Lu, nie miało nic wspólnego z Taipingami. Zanim dopadły nas duchy śmierci, dowiedziałam się jeszcze, że Kwiat Śniegu znowu jest w ciąży. Wyhaftowałam dla niej chusteczkę z życzeniami zdrowia i szczęścia w nadchodzących miesiącach, a po namyśle ozdobiłam ją obrazkiem przedstawiającym srebrzyste rybki, wyskakujące ponad powierzchnię jasno-niebieskiego strumienia. Uznałam, że jest to najbardziej od-powiedni i kojący (bo sugerujący chłód) obraz dla osoby, która miała nosić dziecko w czasie upalnego lata.

Tego roku wielkie upały przyszły bardzo wcześnie. Nie mogłyśmy jeszcze udać się do rodzinnych domów, więc ra-zem z dziećmi czekałyśmy, czekałyśmy i czekałyśmy. Kiedy temperatura wciąż rosła, mężczyźni z Tongkou i okolicz-nych wiosek zaczęli zabierać dzieci nad rzekę, żeby mogły brodzić w wodzie i pływać. Była to ta sama rzeka, w której jako mała dziewczynka moczyłam nogi, więc z radością przyjęłam propozycję teścia i szwagrów. Niestety, była to także ta sama rzeka, w której służące o wielkich stopach robiły pranie i z której czerpały wodę do gotowania i picia, ponieważ w wioskowych studniach zagnieździły się larwy insektów.

Pierwszy przypadek tyfusu miał miejsce w najzamożniej-szej wiosce okręgu – w moim Tongkou. Ofiarą choroby padł pierworodny syn jednego z naszych dzierżawców. Potem zaraza przeniosła się na cały dom, nie szczędząc nikogo. Wszyscy domownicy umarli. Choroba zaczynała się od go-rączki, później pojawiał się dotkliwy ból głowy i skurcze żołądka oraz jelit. Czasami chory cierpiał na ostry kaszel, a na jego skórze występowały różowe plamy. Wreszcie przychodziła biegunka, a po kilku godzinach kres straszli-wym cierpieniom kładła litościwa śmierć. Kiedy tylko do-wiedzieliśmy się, że dziecko zachorowało, nie mieliśmy już wątpliwości, co będzie dalej. Najpierw umarł chłopiec, któ-ry zachorował jako pierwszy, potem jego bracia i siostry, matka i ojciec. Przewidywaliśmy, że tak się stanie, bo prze-cież matka nie może odwrócić się od chorego dziecka, a mąż nie zostawi konającej żony. Wkrótce przypadki za-chorowań zaczęły się mnożyć w całym okręgu.

Rodzina Lu wycofała się z publicznego życia i zamknęła drzwi domu. Służące zniknęły; może odprawił je mój teść,

a może same uciekły ze strachu, do dziś nie wiem, jak to
się stało. Kobiety zabrały dzieci do izby na górze, wierząc,
że jest to najbezpieczniejsze miejsce. Najmłodszy syn trzeciej szwagierki zachorował jako pierwszy. Jego czoło było
suche i gorące, policzki płonęły ciemnym rumieńcem. Wtedy zdecydowałam się przejść z dziećmi do mojej izby sy-
pialnej i wezwałam najstarszego syna. Powinnam była ulec
jego pragnieniu i zostawić go ze stryjem Lu oraz pozostałymi mężczyznami, ale nie pozostawiłam mu wyboru.
    – Nikt poza mną nie będzie wychodził z izby – oznaj-
miłam dzieciom. – Kiedy wyjdę, opiekę nad wami przejmie
starszy brat. Macie go słuchać we wszystkim.
    W tym strasznym okresie opuszczałam izbę dwa razy
dziennie – raz wczesnym rankiem i raz w nocy. Wiedząc, że
źródłem zakażenia są chorzy ludzie, ostrożnie wynosiłam
pełny nocnik i sama go wylewałam, dbając, aby nie dotknąć
dołu kloacznego ręką, nogą, ubraniem czy nocnikiem. Czerpałam brunatną wodę ze studni i gotowałam ją, potem zaś
przecedzałam, żeby była w miarę przejrzysta. Bałam się
żywności, ale musieliśmy coś jeść. Nie wiedziałam, co robić.
Czy dawać dzieciom surowe warzywa z ogrodu? Skłania-
łam się ku temu, lecz kiedy pomyślałam o zawartości klo-
aki, którą nawoziliśmy pola, i o chorobie, która wylewała
się z tylu ciał, zrozumiałam, że nie mogę karmić dzieci suro-
wizną. Przypomniałam sobie, że kiedy w dzieciństwie cho-
rowałam, mama zawsze gotowała ryżowy kleik, *congee* i postanowiłam robić go dwa razy dziennie.
    Cały dzień spędzaliśmy zamknięci w izbie. Codziennie
docierał do nas tupot stóp oraz rozpaczliwe krzyki chorych
i matek, których dzieci umierały. Rano przykładałam ucho
do drzwi i nasłuchiwałam wieści, kto już odszedł w zaświaty. Pozostawione same sobie konkubiny konały w samotności, mogąc liczyć wyłącznie na pomoc tych kobiet, przeciwko którym jeszcze niedawno bezustannie spiskowały.
    Dniem i nocą dręczył mnie niepokój o Kwiat Śniegu i jej
męża. Czy Kwiat Śniegu przestrzegała takich samych zasad

243

bezpieczeństwa jak ja? Czy była zdrowa? A może już umarła? Czy jej żałośnie słaby pierworodny padł ofiarą zarazy? Może choroba zabrała całą jej rodzinę? Co działo się z moim mężem? Czy umarł w innej prowincji, w obcym domu lub gdzieś przy drodze? Nie wyobrażałam sobie, co zrobiłabym bez męża i Kwiatu Śniegu, żyłam więc w bezustannym strachu, zupełnie jak w klatce.

Moja izba miała tylko jedno okno, umieszczone zbyt wysoko, żebym mogła przez nie wyjrzeć. Odór puchnących i gnijących zwłok, ułożonych przed domami, przesycał wilgotne powietrze. Zasłanialiśmy nosy i usta, ale nie było ucieczki – ohydny smród drażnił oczy i pozostawiał gorzki posmak na języku. W myśli odliczałam codzienne zajęcia – modlitwy do Bogini, pilnowanie, aby dzieci nosiły ciemnoczerwone ubrania, zamiatanie izby trzy razy dziennie, aby odstraszyć polujące na ofiary duchy. Stale myślałam także o rzeczach, których powinniśmy się wystrzegać – żadnych smażonych ani gotowanych potraw, jeżeli mąż wróci do domu – żadnych spraw łóżkowych. Mąż jednak nie wracał i wciąż byłam zdana tylko na siebie.

Pewnego dnia, gdy gotowałam ryżowy kleik, teściowa weszła do kuchni z martwym kurczakiem w ręce.

– Nie ma sensu ich oszczędzać – rzuciła ostro, zabierając się do czyszczenia mięsa i siekania czosnku. – Twoje dzieci umrą bez mięsa i warzyw – dodała ostrzegawczo. – Zagłodzisz je na śmierć, zanim dopadnie was choroba...

Spojrzałam na kurczaka. Do ust napłynęła mi ślina, w brzuchu zaburczało donośnie, ale pierwszy raz od wyjścia za mąż udałam, że w ogóle nie słyszę głosu teściowej i nie odpowiedziałam. Przelałam *congee* do miseczek i ustawiłam je na tacy. W drodze do izby przystanęłam pod drzwiami stryja Lu, zapukałam i postawiłam miskę z ryżem na podłodze. Musiałam to zrobić, rozumiecie? Stryj Lu był nie tylko najstarszym i najbardziej szanowanym członkiem rodziny, ale także nauczycielem mojego syna. Autorzy klasycznych dzieł pouczają nas, że związek nauczyciela i ucznia pod względem ważności ustępuje tylko związkowi rodzica i dziecka.

Zaniosłam ryż dzieciom. Kiedy Nefryt zaczęła narzekać, że nie ma w nim skoruplaków, kawałków wieprzowiny ani marynowanych warzyw, wymierzyłam jej mocny policzek. Pozostałe dzieci przełknęły własne skargi razem z ryżem, a ich siostra zagryzła wargi, powstrzymując łzy. Nie zwracając na to wszystko najmniejszej uwagi, sięgnęłam po miotłę i zaczęłam zamiatać izbę.

Dni mijały, a my wciąż byliśmy zdrowi, lecz upały trwały i smród choroby i śmierci stawał się coraz gorszy. Pewnego wieczoru zastałam w kuchni trzecią szwagierkę, która stała nieruchomo w ciemnym pomieszczeniu, odziana w żałobną szatę i podobna do ducha. Natychmiast odgadłam, że jej dzieci i mąż już nie żyją. Zamarłam, zmrożona jej pustym, pozbawionym jakiegokolwiek wyrazu spojrzeniem. Nawet nie drgnęła, chociaż stałam najwyżej metr od niej, chyba po prostu mnie nie widziała. Byłam zbyt przestraszona, aby się wycofać czy zrobić krok naprzód. Na zewnątrz rozległy się nawoływania nocnych ptaków i niski ryk bawołu. W przerażeniu nagle przyszła mi do głowy głupia myśl – dlaczego zwierzęta nie umierają? A może umierają, tylko nie ma nikogo, kto by nam o tym powiedział...

– Ta bezużyteczna świnia nadal żyje! – usłyszałam za sobą ostry, pełen złości głos.

Trzecia szwagierka nie poruszyła się, ale ja odwróciłam głowę w kierunku drzwi. Stała tam moja teściowa. Uwolnione ze spinek włosy tłustymi strąkami opadały jej na ramiona.

– Nie powinniśmy byli przyjmować cię do domu. Zniszczyłaś ród Lu, nieczysta świnio!

Teściowa splunęła kłębem gęstej śliny. Trzecia szwagierka nie miała nawet siły otrzeć twarzy.

– Przeklinam cię! – ciągnęła teściowa, z twarzą czerwoną ze złości i smutku. – Mam nadzieję, że umrzesz, a jeżeli nie – błagam, Bogini, spraw jednak, żeby ta świnia skonała w męczarniach – to pan Lu wyda cię za mąż jeszcze przed nadejściem jesieni. Och, gdyby zależało to ode mnie, nie dożyłabyś świtu!

Z tymi słowami teściowa, nie dając żadnego znaku, że jest świadoma mojej obecności w kuchni, odwróciła się gwałtownie, przytrzymała ściany, żeby nie upaść i wyszła na korytarz. Spojrzałam na szwagierkę, która sprawiała wrażenie kompletnie zagubionej we własnym świecie. Instynkt podpowiadał mi, że nie wolno mi tego robić, ale wbrew sobie otoczyłam ją ramieniem i podprowadziłam do krzesła. Postawiłam wodę na ogniu i mobilizując całą odwagę, zmoczyłam szmatkę w misce z chłodną wodą i obmyłam jej twarz, potem wrzuciłam tkaninę do paleniska. Gdy woda się zagotowała, zaparzyłam herbatę, napełniłam filiżankę i podsunęłam ją szwagierce. Nie sięgnęła po nią. Nie wiedziałam, co jeszcze mogłabym zrobić, więc zajęłam się przygotowywaniem *congee*, cierpliwie mieszając kleik, żeby ryż nie przywarł.

– Nasłuchuję, ale nie słyszę płaczu dzieci... – wymamrotała trzecia szwagierka. – Szukam wzrokiem męża, ale nigdzie go nie ma...

Odwróciłam się, pewna, że mówi do mnie, lecz jej puste oczy powiedziały mi, że nadal nie zdaje sobie sprawy z mojej obecności.

– Jeżeli ponownie wyjdę za mąż, to jakże spojrzę w zaświatach w twarz mężowi i dzieciom?

Nie znalazłam żadnych słów, którymi mogłabym ją pocieszyć, bo chyba nic nie mogło ukoić jej bólu. Nie miała żadnego potężnego drzewa, pod którym mogłaby się schronić, ani wyniosłej góry, o którą mogłaby się oprzeć. Podniosła się i wyszła z kuchni, chwiejąc się na delikatnych liliowych stopach, krucha niczym lampion, który zerwał się z uwięzi w czasie święta i teraz kołysze się niepewnie nad drzewami, szarpany ostrymi podmuchami wiatru. Wróciłam do mieszania kleiku.

Kiedy następnego ranka zeszłam na dół, wyczułam w po-

wietrzu jakąś zmianę. Yonggang i dwie inne służące wróciły
i sprzątały kuchnię. Yonggang poinformowała mnie, że trzecią szwagierkę znaleziono o świcie – popełniła samobójstwo, połknąwszy sporą dawkę palącego ługu. Często się
zastanawiałam, jak potoczyłoby się jej życie, gdyby zacze-
kała parę godzin, gdyż już w południe teściowa dostała wysokiej gorączki. Musiała być chora wcześniej, w nocy, gdy
potraktowała trzecią synową z tak bezwzględnym okrucieństwem.

Stanęłam teraz przed strasznym wyborem. Zachowałam
dzieci w zdrowiu, ale miałam obowiązek zająć się rodzicami męża. Pojęcie służenia im nie ograniczało się do podawa-
nia rano herbaty, prania ich rzeczy czy pogodnego przyjmowania krytycznych uwag; odnosiło się przede wszystkim
do tego, że powinnam szanować ich bardziej niż własnych
rodziców, męża i dzieci. Wobec nieobecności męża musiałam zapomnieć o strachu przed chorobą, wyrzucić z serca
miłość do dzieci i zrobić to, co należało. Gdybym zlekcewa-
żyła głos obowiązku, a moja teściowa by umarła, nigdy nie
podźwignęłabym się ze wstydu.

Niełatwo było mi opuścić dzieci. Pozostałe szwagierki za-
mknęły się z rodzinami w swoich izbach i nie miałam pojęcia, co dzieje się za ich drzwiami. Może były chore, może
już umarły... Nie śmiałam powierzyć opieki nad dziećmi te-
ściowi, który przecież spędził noc u boku żony i w każdej
chwili mógł sam zachorować. Stryja Lu nie widziałam od
początku epidemii, chociaż codziennie rano i wieczorem
znajdowałam pod jego drzwiami pustą miseczkę.

Przysiadłam na brzegu krzesła, załamując ręce ze strachu
i niepewności. Yonggang podeszła i uklękła przede mną.

– Zajmę się dziećmi – powiedziała.

Przypomniałam sobie, jak odprowadziła mnie do domu
Kwiatu Śniegu zaraz po moim ślubie, jak dbała o mnie po
porodach i jak dowiodła swej lojalności oraz dyskrecji, no-
sząc listy do przyjaciółki. Robiła to wszystko dla mnie
i w ciągu tych lat niepostrzeżenie zmieniła się z dziewczyn-

ki w solidnie zbudowaną młodą kobietę, która miała już dwadzieścia cztery lata... W moich oczach nadal była brzydka jak świńskie jądra, wiedziałam jednak, że jest silna i zdrowa, i że zaopiekuje się dziećmi jak własnymi.

Zostawiłam jej dokładne wskazówki co do gotowania wody i ryżu, a także nóż na wypadek, gdyby sytuacja uległa pogorszeniu i gdyby musiała pilnować drzwi. Powierzyłam dzieci opiece losu i całą uwagę poświęciłam matce męża.

Przez następnych pięć dni zajmowałam się teściową jak najlepsza synowa. Obmywałam dolną część jej ciała, kiedy nie miała już siły korzystać z nocnika, podawałam kleik ryżowy, a pod koniec utoczyłam krwi z ręki i zmieszałam ją z jedzeniem, tak jak kiedyś zrobiła to moja matka. Jest to najwyższa ofiara ze strony synowej. Poniosłam ją bez żalu, z nadzieją, że krew z moich żył doda jej siły do pokonania choroby.

Nie muszę wam jednak mówić, jak przerażające żniwo zbiera tyfus, na pewno sami wiecie, że niezwykle rzadko chory wraca do zdrowia. Teściowa umarła. Zawsze była dla mnie dobra, więc trudno mi było ją pożegnać. Gdy wydała ostatnie tchnienie, zrozumiałam, że i tak zrobiłam dla niej za mało, była bowiem kobietą wielkiego ducha. Umyłam ciepłą wodą perfumowaną olejkiem z drzewa sandałowego jej wychudzone, znękane chorobą ciało, następnie odziałam ją w strój na wieczność i poutykałam zapisane przez nią kawałki papieru w jej kieszeniach, rękawach i pod tuniką. W przeciwieństwie do mężczyzn, nie pozostawiła żadnego wiekopomnego dzieła, które pozwoliłoby setkom pokoleń zapamiętać jej imię. Pisywała tylko do przyjaciółek, dzieląc się z nimi myślami i emocjami, a one odpisywały jej w podobny sposób. W innych okolicznościach spaliłabym te listy przy jej grobie, ale w tym upale, wobec wciąż trwającej epidemii, ciała trzeba było palić jak najszybciej, nie dbając o wskazania *fengshui*, *nu shu* i należnego rodzicom pobożnego posłuszeństwa. Mogłam tylko zapewnić teściowej pociechę płynącą z możliwości odczytania i zaśpiewania słów przyjaciółek w zaświatach. Ledwo skończyłam ją ubierać, a już ciało zostało zabrane.

Teściowa miała długie życie, mogłam w jej imieniu dziękować za to losowi. Po jej śmierci zostałam najważniejszą kobietą w rodzinie, chociaż mój mąż nadal był nieobecny. Teraz szwagierki musiały być mi posłuszne i zabiegać o moją życzliwość. Ponieważ konkubiny także nie żyły, spodziewałam się, że w domu zapanuje większy spokój. Poza tym jednego byłam absolutnie pewna – pod naszym dachem nie zamieszka już żadna konkubina.

Przeczucia służących się potwierdziły – zaraza powoli opuszczała nasz okręg. Otworzyliśmy drzwi domów i przystąpiliśmy do szacowania strat. W naszym domu straciliśmy teściową, trzeciego szwagra, całą jego rodzinę i konkubiny. Dwaj bracia mojego męża, drugi brat i czwarty brat, przeżyli zarazę razem z rodzinami. W moim rodzinnym domu zmarli mama i ojciec. Oczywiście gorzko żałowałam, że podczas ostatniej wizyty nie spędziłam z nimi więcej czasu, ale ojciec i ja straciliśmy ze sobą kontakt, kiedy skrępowano mi stopy, a po kłótni z mamą o jej kłamstwa w sprawie Kwiatu Śniegu nasze stosunki nigdy nie wróciły do normy. Jako zamężna córka, miałam obowiązek przez rok opłakiwać rodziców, i to wszystko. Starałam się oddać sprawiedliwość mojej urodzonej pod znakiem Małpy matce i wychwalać ją za wszystko, co zrobiła dla mnie i ze mną, lecz nie byłam chora z żalu.

Ogólnie rzecz biorąc, mieliśmy szczęście. Nie zamieniłam ani słowa ze stryjem Lu, bo to nie byłoby właściwe, ale kiedy opuścił swoją izbę, nie był już dobrodusznym stryjaszkiem, spokojnie dożywającym śmierci. Zaczął kształcić mojego syna z tak intensywnym skupieniem i poświęceniem, że nigdy nie musieliśmy sprowadzać innego nauczyciela. Chłopiec nigdy nie wymigiwał się od obowiązków, wspierany wiedzą, że noc jego ślubu oraz dzień, gdy jego imię pojawi się na złotej liście cesarskich urzędników, będą najwspanialszymi i najdonioślejszymi wydarzeniami jego życia.

Pierwszy umożliwi mu wypełnienie roli posłusznego syna, drugi natomiast pomoże wyjść z roli nieznanego mieszkańca małego okręgu i stać się sławnym w całych Chinach. Jednak zanim to się stało, mój mąż wrócił do domu. Nie potrafię opisać ulgi, jaka ogarnęła mnie na widok jego palankinu, podążającego główną drogą na czele karawany zaprzężonych w woły wozów, wyładowanych workami z solą oraz innymi towarami. Wdowi los, którego tak się obawiałam, mimo wszystko miał mnie ominąć, przynajmniej na razie. Uległam tej samej radości, którą czuły wszystkie kobiety z Tongkou, patrząc, jak nasi mężczyźni rozładowują wozy. Płakałyśmy wielkimi łzami, wreszcie wolne od ciężaru strachu i rozpaczy, który tak długo dźwigałyśmy. Dla mnie i innych kobiet powrót mojego męża był pierwszym dobrym znakiem w naszym życiu od kilku ostatnich miesięcy.

Sól została sprzedana zdesperowanym, lecz wdzięcznym ludziom z całego okręgu. Wpływy ze sprzedaży zakończyły nasze kłopoty finansowe. Zapłaciliśmy podatki i odkupiliśmy pola, których wcześniej musieliśmy się pozbyć. Pozycja rodziny Lu uległa znacznej poprawie, znowu byliśmy bardzo zamożni. Tegoroczne zbiory okazały się wyjątkowo obfite, dzięki czemu radośnie świętowaliśmy nadejście jesieni. Przeżyliśmy okropne chwile, ale na szczęście minęły. Teść sprowadził do Tongkou rzemieślników i malarzy, którzy mieli umieścić pod dachem domu dodatkowe fryzy, mówiące o naszym bogactwie i szczęściu. Dziś widać je tak samo wyraźnie jak wtedy – jest tam przedstawiony mój mąż, wsiadający na barkę, którą odbył podróż w dół rzeki, jego negocjacje z kupcami z Guilin, kobiety z naszej rodziny w powiewnych szatach, zajęte haftowaniem i szyciem w czasie jego nieobecności i wreszcie radosny powrót z długiej wyprawy.

Wszystko zostało namalowane z wielką dokładością, może poza portretem teścia. Na fryzie siedzi on na krześle o wysokim oparciu, mierząc dumnym wzrokiem swoją posiadłość, tymczasem w rzeczywistości tak bardzo tęsknił za żoną, że nie miał już serca do spraw tego świata. Pewnego dnia umarł spokojnie w czasie przechadzki po polach. Z racji pozycji naszej rodziny musieliśmy okazać się najlepszymi żałobnikami w okręgu. Ułożone w trumnie zwłoki teścia na pięć dni wystawiono przed domem. Dzięki zarobionym pieniądzom mogliśmy wynająć orkiestrę, która grała przez cały dzień i noc, gdy ludzie ze wszystkich zakątków okręgu przychodzili oddawać cześć zmarłemu. Przynosili ze sobą zapakowane w białe koperty dary pieniężne, jedwabne flagi i zwoje z wypisanymi pochwałami pod adresem teścia. Wszyscy bracia i ich żony udali się na cmentarz na kolanach, a mieszkańcy Tongkou i okolicznych wiosek szli za nami pieszo. W żałobnych strojach na tle zielonych pól wyglądaliśmy jak biała rzeka. Co siedem kroków wszyscy klękali i bili pokłony, dotykając czołami ziemi. Cmentarz znajdował się kilometr od wioski, więc możecie sobie wyobrazić, ile razy zatrzymywaliśmy się na skalistej drodze.

Młodzi i starzy zawodzili z żalu, a muzykanci dęli w rogi, dmuchali we flety, walili w cymbały i bębny. Mój mąż, jako najstarszy syn, spalił papierowe pieniądze i puścił sztuczne ognie. Mężczyźni i kobiety śpiewali głośno. Mąż wynajął także kilku mnichów, którzy dokonali rytualnych obrzędów, aby przeprowadzić mojego teścia i wszystkie ofiary epidemii tyfusu do szczęśliwego życia w świecie duchów. Po pogrzebie wydaliśmy ucztę dla całej wioski. Gdy goście rozchodzili się do domów, szacowni przedstawiciele rodu Lu wręczali każdemu owiniętą w papier monetę (na szczęście), coś słodkiego (aby pozbyć się gorzkiego smaku śmierci) oraz ręcznik (do obmycia ciała). Uroczystości, ceremonie, bankiety przy muzyce, przemowy i zawodzenie trwały czterdzieści dziewięć dni. Pod koniec, chociaż mój mąż i ja mieliśmy jeszcze przed sobą dość długi okres oficjalnej żałoby, wszyscy w okręgu wiedzieli, że zostaliśmy nowymi panem Lu i panią Lu, przynajmniej z imienia.

W góry

Wciąż nie wiedziałam, co w czasie epidemii działo się z Kwiatem Śniegu i jej rodziną. Wśród troski o dzieci, obowiązków wobec teściowej, radości z powrotu męża, potem smutku po śmierci teścia, wreszcie zaś konieczności objęcia nowej pozycji (być może wcześniej, niż byliśmy gotowi), pierwszy raz w życiu zapomniałam o mojej *laotong*. Niedługo po pogrzebie teścia dostałam od niej list.

Droga Lilio,

Słyszałam, że żyjesz. Przykro mi z powodu twoich teściów, a jeszcze bardziej zasmuciła mnie wieść o śmierci twoich rodziców. Bardzo ich kochałam.

Przeżyliśmy epidemię. W jej pierwszych dniach poroniłam – znowu dziewczynkę. Mój mąż mówi, że dobrze się stało. Gdybym donosiła wszystkie dzieci, miałabym cztery córki, a to byłoby katastrofą. Mam tę świadomość, ale wiem także, że trzy razy trzymałam w ramionach martwe dziecko i jest to o trzy razy za dużo.

Zawsze powtarzasz, abym dalej próbowała. Posłucham cię. Chciałabym być taka jak ty i mieć trzech synów. Mówisz, że synowie stanowią o wartości kobiety, i jest to prawda.

W naszej okolicy umarło dużo ludzi. Chciałabym móc powiedzieć, że w domu panuje większy spokój, ale moja teściowa nadal żyje. Codziennie mówi o mnie różne złe rzeczy i nastawia męża przeciwko mnie.

Zapraszam cię do siebie. Moje niskie progi nie mogą równać się z twoimi, lecz gorąco pragnę zostawić kłopoty za sobą i nacieszyć się twoją obecnością. Przyjedź, jeżeli mnie kochasz. Chciałabym spędzić z tobą trochę czasu, zanim zaczniemy krępować stopy naszych córek. Mamy w tej kwestii sporo do omówienia.

Kwiat Śniegu

Odkąd moja teściowa odeszła w zaświaty, stale myślałam o jej definicji obowiązków żony: „Słuchaj, słuchaj, słuchaj, potem zaś rób, co chcesz". Teraz, wolna od ciężaru jej czujnego spojrzenia, w końcu mogłam otwarcie spotkać się z Kwiatem Śniegu.

Mąż miał mnóstwo obiekcji – nasi synowie mieli teraz jedenaście, osiem i półtora roku, córka niedawno skończyła sześć i wszyscy pięcioro woleli, żebym była w domu. Przez kilka dni łagodziłam jego sprzeciw. Śpiewałam, aby go uspokoić i przydzieliłam każdemu dziecku jakieś zajęcie. Przygotowywałam ulubione potrawy męża. Co wieczór, gdy wracał po obchodzie pól, myłam i masowałam mu stopy. Dbałam o jego ciało poniżej pasa. Mimo tych wszystkich zabiegów nadal nie chciał mnie puścić. Żałuję, że go nie usłuchałam.

Dwudziestego ósmego dnia dziesiątego miesiąca przywdziałam tunikę z lawendowego jedwabiu, którą wyhaftowałam w chryzantemy, najbardziej odpowiedni wzór na jesień. Kiedyś sądziłam, że do końca życia będę nosiła wyłącznie stroje uszyte w okresie upinania włosów. Nie przewidziałam, że teściowa umrze i pozostawi nietknięte zwoje materiałów, ani że mój mąż zarobi tyle pieniędzy, iż będę mogła kupić sobie każdą ilość najlepszego jedwabiu z Suzhou, lecz teraz, wybierając się do przyjaciółki i wspominając, jak w czasie wizyt w moim domu nosiła moje ubrania, nie wzięłam ze sobą nic więcej poza tuniką i spodniami. Byłam pewna, że spędzę poza domem tylko trzy noce.

Wysiadłam z palankinu przed domem Kwiatu Śniegu, która czekała na mnie na platformie, ubrana w tunikę, spodnie, fartuch i nakrycie głowy z poplamionej, spranej i marnie ufarbowanej biało-fioletowej bawełny. Nie od razu weszłyśmy do środka. Kwiat Śniegu cieszyła się, że ma mnie przy sobie w to miłe popołudnie. Kiedy tak gawędziłyśmy o tym i owym, pierwszy raz dokładnie przyjrzałam się gigantycznemu wokowi, w którym rzeźnicy obgotowywali świńskie truchła, aby zmiękczyć skórę i pozbyć się szczeciny. Przez otwarte drzwi jednego z zewnętrznych budynków zobaczyłam zwisające z belek zwierzęce tusze. Od zapachu mięsa natychmiast zrobiło mi się niedobrze, ale jeszcze gorszy był widok maciory i prosiąt, które ciągle wchodziły na platformę w poszukiwaniu jedzenia. Gdy Kwiat Śniegu i ja skończyłyśmy obiad złożony z gotowanego ryżu z ziołami, moja przyjaciółka postawiła miseczki u naszych stóp, żeby świnie mogły wyjeść resztki.

Dostrzegłszy rzeźnika, który wracał do domu, pchając wóz wyładowany czterema koszami (w każdym leżała wyciągnięta na brzuchu świnia), umknęłyśmy na górę, gdzie córka Kwiatu Śniegu haftowała, a teściowa czesała bawełnę. Izba cuchnęła pleśnią i była ponura, może dlatego, że okienko było tu jeszcze mniejsze niż w moim rodzinnym domu, a także ubożej zdobione. Wyjrzałam i zorientowałam się, że rzeczywiście widać stąd moje okno w Tongkou. Nawet tutaj docierał ostry odór świń.

Usiadłyśmy i zaczęłyśmy rozmawiać o tym, co wydawało nam się najważniejsze – o związku naszych córek.

– Zastanawiałaś się, kiedy powinnyśmy rozpocząć krępowanie stóp? – zapytała Kwiat Śniegu.

Właściwy czas przypadał jeszcze w tym roku, ale pytanie przyjaciółki wzbudziło we mnie nadzieję, że obie myślimy o tym samym.

– Nasze matki przedłużyły nam czas dzieciństwa do siódmego roku życia i byłyśmy z tego powodu bardzo szczęśliwe – zaczęłam ostrożnie.

Twarz Kwiatu Śniegu rozjaśnił szeroki uśmiech.

– Właśnie! – przytaknęła. – Ty i ja miałyśmy doskonale

dopasowane osiem znaków. Czy nie powinnyśmy porównać nie tylko ośmiu znaków naszych córek, ale także sprawdzić, jak mają się one do naszych własnych? Mogłybyśmy przystąpić do krępowania ich stóp tego samego dnia i dokładnie w tym samym wieku, kiedy nam założono bandaże...

Zerknęłam na córkę Kwiatu Śniegu. Wiosenny Księżyc była równie piękna jak jej matka w tym wieku – miała jedwabistą skórę i miękkie czarne włosy – lecz jej sposób zachowania uderzał dziwną rezygnacją, kiedy tak siedziała z pochyloną głową i wzrokiem wbitym w haft, starając się nie podsłuchiwać, co ją czeka.

– Będą niczym dwie kaczki mandarynki – powiedziałam.

Czułam ulgę, że tak łatwo doszłyśmy do porozumienia i wierzyłam, iż nasze idealnie dopasowane znaki w jakiś sposób zrekompensują brak równie doskonałej zgodności u dziewcząt.

Kwiat Śniegu naprawdę mogła się cieszyć, że ma Wiosenny Księżyc, w przeciwnym razie całe dnie spędzałaby sam na sam z teściową. No cóż, ta kobieta wciąż była tak samo zjadliwa i małoduszna, jak zapamiętałam. W kółko powtarzała ten sam refren: „Twój starszy syn nie jest w niczym lepszy od dziewczyny! Co za słabeusz! Czy kiedykolwiek zdobędzie się na to, żeby zabić świnię?". Przyszła mi do głowy myśl, która nigdy nie powinna pojawić się w umyśle pani Lu: dlaczego duchy nie zabrały jej z tego świata w czasie epidemii?

Wieczorny posiłek przypomniał mi okres dzieciństwa, jeszcze zanim do domu zaczęto znosić pierwsze posagowe dary – marynowana fasolka szparagowa, wieprzowe nóżki w sosie chili, smażone w woku kawałki dyni i czerwony ryż. Każdy posiłek w czasie mojej wizyty w Jintian był w pewnym sensie podobny, gdyż zawsze jedliśmy wieprzowinę. Słonina z czarną fasolą, wieprzowe uszy marynowane w glinianym garnku, flaki na ostro, wieprzowy penis gotowany z czosnkiem i chili. Kwiat Śniegu nawet nie patrzyła na mięso, spokojnie jedząc swoje warzywa z ryżem.

Po kolacji teściowa udała się na spoczynek. Chociaż zgodnie z tradycją *laotong* powinny podczas odwiedzin dzielić łóżko, co oznaczało, że mąż przenosił się do innej izby, rzeźnik oświadczył, że ani mu to w głowie. A dlaczego? Ponieważ „nie ma na świecie rzeczy równie złej jak serce kobiety". Było to stare powiedzenie i może nawet prawdziwe, ale chyba nie należało go przytaczać w obecności pani Lu. Tak czy inaczej, przebywałyśmy w jego domu i musiałyśmy stosować się do jego życzeń.

Kwiat Śniegu znowu zaprowadziła mnie do izby dla kobiet, gdzie przygotowała posłanie z czystych, chociaż już mocno postrzępionych posagowych kołder. Na szafce postawiła płaską miseczkę z ciepłą wodą, żebym mogła umyć twarz. Och, jakże pragnęłam zanurzyć kawałek płótna w wodzie i zetrzeć zatroskanie, malujące się na twarzy mojej *laotong*... Kwiat Śniegu wyjęła ze skrzyni strój prawie taki sam jak jej własny – prawie, bo pamiętam, jak kiedyś przerabiała go z pięknych posagowych tunik swojej matki. Potem pochyliła się i pocałowała mnie w policzek.

– Jutro będziemy miały cały dzień dla siebie – szepnęła. – Pokażę ci moje hafty i nowe rysunki, które zrobiłam na naszym wachlarzu. Będziemy rozmawiać i wspominać...

Z tymi słowami zostawiła mnie samą.

Zdmuchnęłam lampę i wyciągnęłam się pod kołdrą. Księżyc był już prawie w pełni i błękitnawy blask, sączący się między deszczułkami w oknie, przypomniał mi lata wczesnej młodości. Zanurzyłam twarz w miękkiej tkaninie, gdzie zapach Kwiatu Śniegu był tak świeży i delikatny jak w okresie upinania włosów. Wspomnienie cichych jęków rozkoszy wypełniło moje uszy. Sama w ciemnej izbie, zarumieniłam się, odsuwając obrazy, o których powinnam zapomnieć, lecz dźwięki nie ucichły. Usiadłam. Ależ tak, te dźwięki dobiegały z izby Kwiatu Śniegu... Moja *laotong* i jej mąż uprawiali sprawy łóżkowe! Kwiat Śniegu została wegetarianką, to prawda, ale pod innymi względami bynajmniej nie przypominała żony pana Wanga ze znanej opowieści! Zatkałam uszy palcami i próbowałam zasnąć, lecz nie było to łatwe. Dobre, dostatnie życie uczyniło mnie niecierpliwą i nietolerancyjną. Nieczysty i zanieczyszczający charakter tego domu oraz mieszkających w nim ludzi atakował moje zmysły, ciało i duszę.

Następnego ranka rzeźnik wyszedł na cały dzień, a jego matka po śniadaniu wróciła do swojej izby. Pomogłam przyjaciółce zmyć i powycierać naczynia, przynieść drewno na opał oraz wodę ze studni, pokroić warzywa na obiad i wieprzowe mięso, po które trzeba było pójść do szopy, i zająć się córką. Kiedy zrobiłyśmy to wszystko, Kwiat Śniegu nastawiła wodę, żebyśmy mogły się wykąpać. Potem zaniosła czajnik do izby na górze i zamknęła za nami drzwi. Nigdy nie czułyśmy żadnych zahamowań, więc dlaczego teraz miałybyśmy czegoś się wstydzić? Powietrze w małym domu było zaskakująco ciepłe, choć przecież zaczynał się już dziesiąty miesiąc, ale gdy Kwiat Śniegu dotknęła mojego ciała mokrą ściereczką, dostałam gęsiej skórki.

Jak mam to powiedzieć, aby moje słowa nie zabrzmiały jak słowa męża? Patrząc na nią, dostrzegłam, że jej jasna skóra, zawsze taka piękna, stała się grubsza i ciemniejsza. Dłonie, zawsze tak miękkie i gładkie, teraz wydały mi się szorstkie i spierzchnięte. Nad górną wargą i w kącikach oczu pojawiły się zmarszczki. W upiętych na karku włosach widziałam siwe pasma. Kwiat Śniegu miała trzydzieści dwa lata. Kobiety w naszym okręgu bardzo rzadko dożywają pięćdziesiątki, lecz przecież moja teściowa, która w chwili śmierci miała pięćdziesiąt jeden lat, wyglądała bardzo młodo jak na ten zaawansowany wiek.

Na kolację znowu jedliśmy wieprzowinę.

Wtedy jeszcze nie zdawałam sobie z tego sprawy, ale zewnętrzny świat, ten niespokojny świat mężczyzn, wdzierał się już w życie Kwiatu Śniegu i moje. Drugiej nocy mojej wizyty obudziły nas okropne odgłosy. Zebraliśmy się w głównej izbie, wszyscy, nawet rzeźnik, pełni przerażenia. Za

257

oknem kłębił się dym, gdzieś niedaleko płonął dom, może nawet cała wioska. Z zewnątrz dobiegał szczęk metalu i tętent końskich kopyt. Było bardzo ciemno, więc zupełnie nie wiedzieliśmy, co się dzieje. Czy ta katastrofa dotknęła tylko jedną wioskę, czy też rozgrywało się coś znacznie gorszego?

Zorientowaliśmy się w sytuacji dopiero wtedy, gdy ujrzeliśmy ludzi z wiosek za Jintian, uciekających z domów w kierunku gór. Rano zobaczyliśmy ich z okna izby Kwiatu Śniegu – mężczyźni, kobiety i dzieci podążali w góry na wózkach i wozach, pieszo i na kucach. Rzeźnik pobiegł na skraj wioski.

– Co się stało? – krzyknął do uciekinierów. – Czy wybuchła wojna?

– Cesarz przysłał wiadomość do Yongming, że rząd musi podjąć kroki przeciwko Taipingom! – odpowiedziały mu liczne głosy. – Przybyły już cesarskie wojska, aby wyprzeć rebeliantów! Wszędzie toczą się walki!

– Co mamy robić?! – wrzasnął rzeźnik, otaczając usta złożonymi dłońmi.

– Uciekać!

– Wkrótce zacznie się tu bitwa!

Byłam sztywna z przerażenia i zupełnie ogłupiała. Dlaczego mąż nie przyjechał po mnie? Gorzko wyrzucałam sobie, że po tylu latach wybrałam właśnie ten moment na odwiedziny u Kwiatu Śniegu, ale cóż, taki jest los – dokonujemy wyborów, które wydają nam się dobre i rozważne, tymczasem bogowie mają dla nas inne plany.

Pomogłam przyjaciółce spakować rzeczy. Z kuchni zabrałyśmy duży worek ryżu, herbatę i alkohol do picia i opatrywania ran. Potem ciasno zwinęłyśmy cztery posagowe kołdry Kwiatu Śniegu i położyłyśmy to wszystko przy drzwiach. Przebrałam się w jedwabny podróżny strój, stanęłam na platformie i czekałam na męża, ale nie przybył. Wpatrywałam się w drogę do Tongkou. Stamtąd także wypływał strumień ludzi, nie podążali jednak ku górom, lecz w stronę Yongming. Nie wiedziałam, co o tym myśleć.

Kwiat Śniegu zawsze mówiła, że wzgórza są jak obejmujące nas opiekuńcze ramiona, więc dlaczego ludzie z Tongkou szli w odwrotnym kierunku?

Późnym popołudniem ujrzałam palankin, który oddzielił się od większej grupy z Tongkou i ruszył ku Jintian. Wiedziałam, że jadą po mnie, ale rzeźnik nie chciał dłużej czekać.

– Już czas! – ryknął.

Powiedziałam, że zostanę i poczekam na rodzinę, lecz się nie zgodził.

– W takim razie wyjdę na spotkanie palankinu – rzuciłam.

Siedząc przy oknie, wiele razy wyobrażałam sobie, jak idę pieszo do Jintian, więc dlaczego nie miałabym teraz wprowadzić w czyn tej wizji...

Rzeźnik machnął ręką, aby mnie uciszyć.

– Niedługo przybędzie tu wielu mężczyzn – oświadczył. – Wiesz, co zrobią z samotną kobietą? I co twoja rodzina zrobi ze mną, jeśli stanie ci się coś złego?

– Ale...

– Chodź z nami, Lilio – wtrąciła Kwiat Śniegu. – To wszystko potrwa tylko kilka godzin, potem odeślemy cię do rodziny. Musimy zadbać o twoje bezpieczeństwo.

Rzeźnik wsadził matkę, żonę, najmłodsze dzieci i mnie na wóz, i razem z najstarszym synem zaczął pchać go w kierunku gór. Z pól za Jintian wzbijały się już w powietrze pióropusze dymu.

Kwiat Śniegu wciąż podawała wodę do picia mężowi i synowi. Była już jesień, więc po zachodzie słońca zrobiło się chłodno, ale mąż i syn Kwiatu Śniegu pocili się jak w upalny dzień. Wiosenny Księżyc zeskoczyła z wozu i wzięła ze sobą najmłodszego braciszka, chociaż nikt jej o to nie prosił. Najpierw niosła małego opartego na biodrze, potem posadziła go sobie na plecach. Po jakimś czasie postawiła go na ziemi i poprowadziła za rękę, drugą trzymając się krawędzi wozu.

Rzeźnik wciąż zapewniał żonę i matkę, że niedługo się zatrzymamy, ale nic z tego nie wyszło. Tamtej nocy byliśmy częścią długiego szlaku rozpaczy. Tuż przed świtem, w najbardziej ponurej ciemności, znaleźliśmy się u stóp stromego wzgórza. Twarz rzeźnika napięła się, żyły wystąpiły na skroniach, ramiona zadygotały z wysiłku. W końcu musiał się poddać. Kwiat Śniegu zsunęła nogi na ziemię i spojrzała na mnie. Odpowiedziałam jej przerażonym spojrzeniem. Obejrzałam się. Niebo za nami było czerwone od pożogi. Niesione na skrzydłach wiatru odgłosy dosłownie zepchnęły mnie z wozu. Kwiat Śniegu i ja wzięłyśmy na plecy po dwie kołdry, rzeźnik zarzucił sobie na ramię worek z ryżem, dzieci chwyciły resztę zapasów. Nagle przez głowę przemknęła mi paraliżująca myśl – dlaczego zabraliśmy tyle jedzenia, skoro ucieczka miała trwać tylko kilka godzin? Zrozumiałam, że może nie zobaczę męża przez kilka dni, a w tym czasie będę zdana na siebie, siły przyrody, no i na rzeźnika... Na moment ukryłam twarz w dłoniach, żeby się opanować. Nie mogłam pozwolić, aby wszyscy zobaczyli moją słabość.

Dołączyliśmy do innych pieszych uciekinierów. Kwiat Śniegu i ja wzięłyśmy matkę rzeźnika pod ręce i pociągnęłyśmy ją po zboczu. Było nam ciężko i niewygodnie. Nie mogłam pozbyć się myśli, jak bardzo ta sytuacja pasuje do szczurzej osobowości teściowej Kwiatu Śniegu. Kiedy Budda kazał szczurowi ponieść swoje słowo w świat, przebiegłe stworzenie usiłowało namówić konia, żeby wziął je na grzbiet, lecz mądry koń odmówił i dlatego od tamtej pory oba znaki nie są do siebie przyjaźnie nastawione. Ale co innego my, dwa konie, mogłyśmy zrobić tej strasznej nocy?

Wszyscy mieli smutne, ponure twarze. Ludzie zostawili domy i cały dobytek i teraz dręczyła ich myśl, czy za jakiś czas nie wrócą do wypalonych gruzów. Policzki kobiet były brudne od łez i pyłu. Wiele z nich w ciągu tej jednej nocy pokonała pieszo większą odległość niż kiedykolwiek wcześniej od rozpoczęcia krępowania stóp. Dzieci nie narzekały, były zbyt przestraszone. Nasza ucieczka dopiero się zaczęła.

Następnego dnia po południu (nie zatrzymaliśmy się ani na jeden postój) zobaczyliśmy, że droga przechodzi w wąską ścieżkę, pnącą się nadal w górę. Za dużo bolesnych obrazów raziło nasze oczy, za dużo okropnych dzwięków raniło uszy. Czasami mijaliśmy starych mężczyzn lub stare kobiety, którzy usiedli na chwilę, żeby odpocząć i już się nie podnieśli. Wcześniej nie wyobrażałam sobie, by ktokolwiek mógł opuścić rodziców. Często słyszeliśmy mamrotane cicho prośby, ostatnie słowa wypowiadane do syna lub córki: „Zostaw mnie tutaj. Wróć jutro, kiedy będzie już po wszystkim", albo: „Idź dalej, ratuj swoich synów. Pamiętaj, żeby ustawić dla mnie ołtarzyk na Święto Wiosny". Za każdym razem, gdy mijaliśmy kogoś takiego, myślałam o matce. Nie przeszłaby nawet jednego kilometra. Czy ona także by poprosiła, żeby ją zostawić? Czy ojciec zdecydowałby się ją opuścić? A starszy brat?

Stopy bolały mnie tak dotkliwie jak w czasie krępowania, przy każdym kroku ostre igły wbijały się w nogi. I tak miałam szczęście, bo po drodze widziałam wiele kobiet w moim wieku i młodszych, które pogruchotały stopy na ostrych skałach. Od kostek w górę były zdrowe i sprawne, ale nie mogły już zrobić ani kroku. Leżały tam, płacząc i bezradnie czekając na śmierć z pragnienia, głodu i zimna, a my szliśmy dalej, nie oglądając się, chowając wstyd w pustych sercach i usiłując nie słyszeć krzyków agonii i rozpaczy.

Wraz z nadejściem drugiej nocy i ciemności ogarnął nas jeszcze większy strach i poczucie kompletnego zagubienia. Ludzie porzucali swoje rzeczy, tracili z oczu najbliższych. Mężowie szukali żon, matki nawoływały dzieci. Była jesień, pora krępowania stóp, więc wiele razy widzieliśmy młodziutkie dziewczęta, których kości niedawno popękały i które teraz pozostawiano przy drodze razem z żywnością, ubraniami, wodą, podróżnymi ołtarzykami, posagowymi darami i rozmaitymi rodzinnymi skarbami. Spotykaliśmy także małych chłopców – trzecich, czwartych lub piątych synów – którzy błagali wszystkich o pomoc. Ale jak pomagać innym, kiedy trzeba wciąż iść naprzód, mocno ściskając rękę ukochanego dziecka lub męża? Kiedy boimy się o własne życie, nie myślimy o innych, stać nas tylko na pamiętanie o tych, których kochamy, a czasami wyrzucamy z serca nawet miłość.

Nie słyszeliśmy żadnych dzwonków, które podpowiedziałyby nam, jaką mamy porę nocy, ale wciąż było bardzo ciemno. Przekroczyliśmy już granicę zwyczajnego zmęczenia. Byliśmy w drodze od ponad trzydziestu sześciu godzin – bez odpoczynku, jedzenia, prawie bez wody. Z ciemności dobiegały przerażające długie krzyki. Nie wiedzieliśmy, co się dzieje. Temperatura spadała, na liściach i gałęziach widać było szron. Kwiat Śniegu miała na sobie strój z fioletowej bawełny, ja jedwabny. Drżałyśmy z zimna, ślizgałyśmy się na wilgotnych kamieniach. Byłam pewna, że moje stopy krwawią, bo były dziwnie ciepłe. Wciąż szłyśmy naprzód. Matka rzeźnika kuśtykała między nami. Była słabą staruszką, ale duch Szczura charakteryzuje się ogromną wolą życia.

Ścieżka zwęziła się jeszcze bardziej. Po prawej góra, już nie wzgórze, wznosiła się tak stromo, że dotykaliśmy jej ramionami, gęsiego posuwając się przed siebie, po lewej ziała czarna przepaść. Nie widziałam, co jest w dole. Przede mną i za mną szło wiele kobiet o malutkich stopach, a wszystkie byłyśmy jak szarpane wichurą kwiaty. Nasze stopy nie były naszą jedyną słabą stroną – mięśnie nóg, które nigdy dotąd nie pracowały tak ciężko, bolały, drżały i kurczyły się spazmatycznie.

Przez jakąś godzinę szliśmy za rodziną złożoną z ojca, matki i trojga dzieci. W pewnej chwili kobieta poślizgnęła się na kamieniu i runęła w ciemną przepaść pod nami. Jej długi i głośny krzyk urwał się raptownie. Tamtej nocy wiele osób zginęło w podobny sposób. Starałam się chwytać gałęzi i roślin, poraniłam dłonie ostrymi kamieniami, wystającymi ze zbocza po prawej stronie, ale byłam gotowa zrobić wszystko, byle tylko nie skończyć z takim strasznym krzykiem na ustach.

Dotarliśmy do osłoniętej niecki. Ze wszystkich stron góry ostro rysowały się na niebie. Ludzie rozpalali niewielkie ogniska. Znajdowaliśmy się wysoko, ale dzięki temu zagłębieniu w terenie Taipingowie nie mogli dostrzec ognia, w każdym razie taką mieliśmy nadzieję. Ostrożnie zeszliśmy na dno dolinki.

Może dlatego, że byłam tu bez rodziny, w blasku płomieni widziałam tylko twarze dzieci. Ich oczy były puste. Niektóre na pewno straciły babcię albo dziadka, może nawet matkę lub siostrę. Wszystkie były śmiertelnie przerażone. Żadne dziecko nie powinno doświadczać takich przeżyć.

Przystanęliśmy dopiero wtedy, gdy Kwiat Śniegu zauważyła trzy rodziny z Jintian, które przycupnęły w osłoniętym miejscu pod rozłożystym drzewem. Zobaczyli, że rzeźnik dźwiga na plecach worek ryżu i przesunęli się, robiąc dla nas miejsce przy ognisku. Kiedy usiadłam i zbliżyłam stopy i ręce do ognia, skóra zaczęła mnie palić – zziębnięte kości i ciało tajały powoli.

Razem z Kwiatem Śniegu rozcierałam dłonie jej dzieci. Płakały cicho, nawet najstarszy chłopiec. Usadziłyśmy je blisko siebie, przykrywając kołdrą, same otuliłyśmy się drugą. Teściowa Kwiatu Śniegu zabrała trzecią dla siebie, ostatnia została dla rzeźnika, lecz on lekceważąco machnął ręką. Wziął na stronę jednego z mężczyzn z Jintian, szepnął mu parę słów i skinął głową, potem ukląkł obok Kwiatu Śniegu.

– Idę poszukać drewna na opał – oznajmił.

Kwiat Śniegu mocno chwyciła go za ramię.

– Nie idź! Nie zostawiaj nas samych!

– Bez ognia nie przetrwamy nocy. Nie czujesz, że zanosi się na śnieg? – Łagodnie oderwał palce żony od swojej ręki. – Sąsiedzi zaopiekują się wami, nie bój się. A jeżeli będzie trzeba... – zniżył głos. – Jeżeli będzie trzeba, odepchnijcie tych ludzi od ogniska. Musisz pilnować miejsca dla nas i twojej przyjaciółki. Poradzisz sobie.

Nie byłam tego taka pewna jak on. Tak czy inaczej, nie

zamierzałam skonać w tym strasznym miejscu, z dala od rodziny.

Mimo potwornego zmęczenia baliśmy się zasnąć czy choćby przymknąć oczy. No i oczywiście wszyscy byliśmy głodni i spragnieni. W naszym małym kółku przy ognisku kobiety (później dowiedziałam się, że były zaprzysiężonymi siostrami) zaczęły śpiewać opowieść, by oderwać myśli od tego, co nas spotkało. Zabawne, że chociaż moja teściowa doskonale znała *nu shu* – a może właśnie dlatego – śpiew i recytacja nie były dla niej szczególnie ważne. Zawsze wolała poświęcić się komponowaniu listu czy pięknego poematu niż śpiewać dla rozrywki lub uspokojenia. Częściowo z tego powodu i moje szwagierki, i ja zapomniałyśmy wiele starych pieśni, które znałyśmy w dzieciństwie. Opowieść, którą tamte kobiety wtedy zaśpiewały, była właśnie jedną z tych od dawna niesłyszanych. Mówiła o plemieniu Yao, jego pierwszej osadzie i bohaterskiej walce o niezależność.

– Jesteśmy ludem Yao – zaczęła Lotos, co najmniej dziesięć lat starsza ode mnie. – W pradawnych czasach Gao Xin, dobry i łaskawy cesarz z dynastii Han, został zaatakowany przez złego i ambitnego generała. Panhu, bezdomny kundel, usłyszał o kłopotach cesarza i wyzwał generała na pojedynek. Gdy zwyciężył, w nagrodę otrzymał rękę jednej z cesarskich córek. Panhu był ogromnie szczęśliwy, lecz jego narzeczona umierała ze wstydu. Nie chciała zostać małżonką psa, ale spełniła obowiązek. Razem z Panhu uciekła w góry, gdzie wydała na świat dwanaścioro dzieci, pierwszych Yao. Kiedy dorośli, zbudowali miasto zwane Qianjiadong – Grota Tysiąca Rodzin...

Pierwsza część opowieści dobiegła końca i recytację podjęła druga kobieta, Wierzba. Kwiat Śniegu zadrżała obok mnie. Może wspominała dni naszej młodości, kiedy to słuchałyśmy, jak starsza siostra i jej zaprzysiężone albo mama i stryjenka śpiewają tę historię początków ludu Yao?

– Czy to możliwe, aby gdzieś istniało miejsce z tak łatwym dostępem do wody, otoczone tak żyznymi polami? – pytała śpiewnie Wierzba. – Ukryte przed okiem intruzów, chronione tajemnym przejściem pod skałami? To miasto było miejscem magicznym dla ludu Yao, lecz raj nie mógł istnieć wiecznie...

Pieśń podjęły kobiety skupione przy innych ogniskach w niecce. Mężczyźni powinni byli nam przerwać, bo nie ulegało wątpliwości, że buntownicy mogli nas usłyszeć, ale czyste, wysokie głosy dodawały wszystkim siły i odwagi.

– Wiele pokoleń później jakiś śmiałek z lokalnego rządu przeszedł przez tunel i znalazł plemię Yao – ciągnęła Wierzba. – Wszyscy nosili wspaniałe stroje i byli pulchni, ponieważ ziemia dawała ogromne plony. Dowiedziawszy się o tym niezwykłym miejscu, cesarz – chciwy i niewdzięczny – nałożył na Yao wysokie podatki...

Gdy pierwsze płatki śniegu zawirowały w powietrzu, osiadając na włosach i twarzach, Kwiat Śniegu objęła mnie i podniosła głos, aby opowiedzieć następną część.

– Ludzie Yao chcieli wiedzieć, dlaczego mają płacić podatki. Na szczycie góry, która osłaniała miasto przed intruzami, zbudowali kamienną platformę. Cesarz przysłał trzech poborców podatkowych do jaskini, aby wynegocjowali odpowiednią kwotę, ale oni nigdy do niego nie wrócili... Wysłał więc kolejnych trzech...

– I oni także nie wrócili – podjęły kobiety przy naszym ognisku.

– Cesarz wysłał trzeci zespół. – Głos Kwiatu Śniegu zabrzmiał mocniej, dobitniej.

Nigdy nie słyszałam, żeby śpiewała tak pięknie, wyraźnie i czysto. Gdyby buntownicy ją usłyszeli, na pewno rzuciliby się do ucieczki ze strachu, że zaraz napotkają ducha.

– I ci także nie wrócili – zaśpiewałyśmy.

– Cesarz wysłał zbrojne oddziały, rozpoczęło się krwawe oblężenie. Wielu Yao – mężczyzn, kobiet i dzieci – poniosło śmierć. Co mieli robić? Co mieli czynić? Naczelnik zabił bawołu i podzielił mięso na dwanaście części. Rozdał je dwunastu grupom i polecił im rozproszyć się i przetrwać...

– Rozproszyć się i przetrwać – powtórzyłyśmy.

– I tak Yao osiedlili się w dolinach i w górach, w tej prowincji i w innych... – zakończyła Kwiat Śniegu.

Historię dośpiewała do końca Kwiat Śliwy, najmłodsza kobieta w naszej grupie.

– Mówi się, że gdy upłynie pięćset lat od chwili wygnania, ludzie z plemienia Yao zgromadzą się, znowu przejdą przez jaskinię, poskładają bawoli róg z drobnych kawałków i odbudują magiczne miasto. Ten czas jest jeszcze przed nami...

Wiele lat nie słyszałam tej opowieści i teraz nie bardzo wiedziałam, jak ją przyjąć. Yao wierzyli, że są całkowicie bezpieczni, ukryci za swoją górą i tajemną jaskinią, ale okazało się, że jest inaczej. Zastanawiałam się, kto pierwszy zjawi się w naszej niecce i co się wtedy stanie. Niewykluczone, że Taipingowie próbowaliby przekonać nas do przejścia na ich stronę, ale żołnierze Wielkiej Armii Hunan mogliby wziąć nas za rebeliantów. Czy stanęlibyśmy do walki, jak kiedyś nasi przodkowie? Czy w ogóle kiedykolwiek wrócimy jeszcze do domów? Nie mogłam przestać myśleć o Taipingach, którzy, podobnie jak Yao, zbuntowali się przeciwko wysokim podatkom i feudalnemu systemowi. Czy mieli rację? Może powinniśmy się do nich przyłączyć? Czy hańbiliśmy pamięć przodków, nie dostrzegając ich racji?

Tej nocy nikt z nas nie zmrużył oka.

Zima

Cztery rodziny z Jintian trzymały się razem pod osłoną wielkiego drzewa o rozłożystych gałęziach, ale nasze przejścia nie zakończyły się ani po dwóch nocach, ani po tygodniu. Przeżyliśmy tam najgorsze, najbardziej obfite opady śniegu, jakie za pamięci starych ludzi kiedykolwiek zdarzyły się w naszej prowincji. Zrobiło się bardzo zimno. Oddech natychmiast zamieniał się w kłębek pary, który wchłaniało górskie powietrze. Ciągle byliśmy głodni. Każda rodzina czujnie strzegła swoich zapasów, bo nikt nie był pewny, ile czasu spędzimy z dala od wioski. Prawie wszyscy kasłali, skarżyli się na ból gardła i dygotali z zimna. Mężczyźni, kobiety i dzieci umierali z powodu chorób, najczęściej w czasie mroźnych nocy.

Moje stopy, podobnie jak stopy większości kobiet, które dotarły do niecki, były pokaleczone i obolałe po długim marszu. Nie miałyśmy żadnych szans na znalezienie miejsca, gdzie mogłybyśmy na osobności odwinąć bandaże, umyć stopy i ponownie owinąć je płótnem, więc byłyśmy zmuszone robić to na oczach mężczyzn. Musiałyśmy także przezwyciężyć zawstydzenie związane z innymi funkcjami ciała i nauczyć się załatwiać potrzeby fizjologiczne za drzewem lub we wspólnej latrynie, kiedy już została wykopana. W przeciwieństwie do zdecydowanej większości kobiet, ja uciekłam bez rodziny i teraz rozpaczliwie tęskniłam za najstarszym synem i pozostałymi dziećmi. Bezustannie martwiłam się o męża, jego braci, ich żony, dzieci, a nawet służbę, nie miałam bowiem żadnej pewności, czy bezpiecznie dotarli do miasta Yongming.

Rany na moich stopach zagoiły się dopiero po miesiącu, wcześniej często krwawiły. Na początku dwunastego miesiąca księżycowego postanowiłam codziennie szukać moich braci wraz z rodzinami oraz starszej siostry i jej rodziny. Miałam nadzieję, że nic im się nie stało, ale jak mogłam ich znaleźć, skoro w górach schroniły się tłumy ludzi? Każdego ranka otulałam ramiona kołdrą i wyruszałam na poszukiwania, starając się zapamiętać, dokąd dotarłam, wiedziałam bowiem, że jeżeli nie zdołam wrócić do miejsca, gdzie przebywała Kwiat Śniegu, czeka mnie pewna śmierć.

Któregoś dnia, chyba mniej więcej po dwóch tygodniach, natknęłam się na grupę z wioski Getan, skuloną pod skalnym nawisem. Zapytałam, czy znają starszą siostrę.

– Tak, tak, znamy ją! – zaćwierkała jedna z kobiet.

– Straciłyśmy ją z oczu już pierwszej nocy – dodała jej przyjaciółka. – Jeżeli ją znajdziesz, powiedz, żeby przyszła do nas. Z łatwością pomieścimy tu jeszcze jedną rodzinę.

Trzecia, która wyglądała na ich przywódczynię, dorzuciła ostrzegawczo, że mają miejsce tylko dla mieszkańców Getan – chyba jedynie po to, żebym nie robiła sobie niepotrzebnych nadziei.

– Rozumiem – skinęłam głową. – Gdybyście jednak wy zobaczyły ją pierwsze, powiedzcie, że jej szukam, dobrze? Jestem jej siostrą.

– Siostrą? Tą, która nosi tytuł pani Lu?

– Tak – odparłam ostrożnie.

Jeżeli myślały sobie, że mam coś, co mogłabym im dać, to były w błędzie.

– Szukali cię jacyś ludzie...

Mój żołądek podskoczył nerwowo.

– Kto to był? – zapytałam szybko. – Moi bracia?

Kobiety popatrzyły po sobie, potem zmierzyły mnie uważnym wzrokiem.

– Nie mówili, kim są, wiesz, jak to teraz jest... – odezwała się znowu ich przywódczyni. – Jeden z nich był ich panem – solidnie zbudowany, ubrany w rzeczy dobrej jakości, z włosami opadającymi na czoło, o, tak...

Mój mąż! To musiał być on!

– Co powiedział? Gdzie teraz jest? Jak...

– Nie wiemy – przerwała mi. – Jeżeli rzeczywiście jesteś panią Lu, to powinnaś wiedzieć, że szuka cię jakiś mężczyzna. Nie martw się... – poklepała mnie po ręce. – Obiecał, że wróci.

Jednak chociaż niestrudzenie rozpytywałam wśród innych, nikt nie potwierdził tej historii. Szybko doszłam do wniosku, że tamte kobiety oszukały mnie, ponieważ były zgorzkniałe i przestraszone, ale gdy wróciłam na miejsce, gdzie je spotkałam, pod skalnym występem siedziały już jakieś inne rodziny. Po tym odkryciu powoli zawróciłam do naszego obozu, pogrążona w głębokiej rozpaczy. Byłam panią Lu, ale nie wyglądałam na panią wielkiego i bogatego domu, bo mój strój z haftowanego w chryzantemy lawendowego jedwabiu był brudny i podarty, a buciki poszarpane i czarne od krwi. Wolałam sobie nie wyobrażać, co słońce, wiatr i zimno zrobiły z moją twarzą... Z dzisiejszej perspektywy przeżytych na świecie osiemdziesięciu lat mogę powiedzieć, że byłam wtedy frywolną i głupią młodą kobietą, skoro myślałam o tak niewiele znaczących rzeczach w chwili, gdy naszymi prawdziwymi wrogami był brak jedzenia i przenikliwy ziąb.

Mąż Kwiatu Śniegu został bohaterem naszej małej grupki. Ponieważ wykonywał nieczysty zawód, robił wiele niezbędnych rzeczy, nie narzekając i nie spodziewając się podziękowań. Urodził się pod znakiem Koguta, był przystojny, krytycznie nastawiony do ludzi, agresywny i w razie potrzeby śmiertelnie niebezpieczny. Zgodnie ze swoim charakterem, szukał środków do życia blisko ziemi – umiał polować, dzielić i czyścić mięso, gotować je nad otwartym ogniem oraz suszyć skóry, w które mogliśmy się otulać. Bez słowa skargi nosił drewno na opał i wodę, i nigdy nie był zmęczony. Tutaj, w górach, przestał być człowiekiem nieczystym, a przeistoczył się w strażnika i bohatera. Kwiat Śniegu była dumna z przywódczych zdolności męża, a ja zawsze byłam i będę mu wdzięczna, bo to dzięki jego wysiłkom przeżyłam tamte straszne dni.

Wszystko byłoby dobrze, gdyby nie ta jego matka-szczur, jak zawsze przebiegła i podstępna! W tych strasznych chwilach ciągle narzekała i zarzucała innym rozmaite przewiny, nawet w najmniej istotnych kwestiach. Nieodmiennie siadała najbliżej ogniska, ani na chwilę nie wypuszczała z rąk kołdry, którą dostała pierwszej nocy pobytu w górach, i przy każdej okazji przykrywała się drugą, cudzą, dopóki ktoś nie zażądał zwrotu. Chowała jedzenie w rękawach, wyciągała je wtedy, gdy sądziła, że nikt na nią nie patrzy i łapczywie wpychała do ust kawałki przypalonego nad ogniem mięsa. Ludzie często mówią, że szczury umiejętnie kontrolują swoich najbliższych, a my na własne oczy obserwowaliśmy to każdego dnia. Teściowa Kwiatu Śniegu manipulowała synem i nakłaniała go do różnych rzeczy, chociaż wcale nie musiała tego robić, gdyż on, jako posłuszny syn, wręcz uprzedzał życzenia matki. Kiedy więc starucha raz po raz powtarzała, że potrzebuje więcej jedzenia niż jej synowa, rzeźnik dbał, aby dostawała większe porcje. Jako posłuszna córka nie bardzo mogłam sprzeciwiać się tej logice, zaczęłam więc dzielić się z przyjaciółką moim przydziałem. Wreszcie pewnego dnia, gdy ujrzeliśmy dno w worku z ryżem, matka rzeźnika oświadczyła, że najstarszy syn nie powinien dostawać ani kawałka ze zdobytego przez ojca pożywienia.

– Jedzenie jest zbyt cenne, aby dawać je komuś tak słabemu – zawyrokowała. – Kiedy chłopak umrze, wszyscy odetchniemy z ulgą.

Spojrzałam na chłopca. Niedawno skończył jedenaście

lat, podobnie jak mój najstarszy syn. Patrzył na babkę zapadniętymi oczami, rzeczywiście zbyt słaby, aby walczyć o własne życie. Kwiat Śniegu powinna była przemówić w jego imieniu, ostatecznie był najstarszym synem, ale ona nie kochała chłopca tak jak należało. Jej oczy, nawet w tej przerażającej chwili, gdy wydano na niego wyrok śmierci, utkwione były w twarzy drugiego syna. To tamten był bystry, odporny i silny, lecz nie mogłam przecież pozwolić, aby coś złego spotkało najstarszego syna. Byłoby to całkowicie sprzeczne z tradycją. Co powiedziałabym moim przodkom, gdyby mnie zapytali, dlaczego dopuściłam do czegoś takiego? Jak powitałabym tego nieszczęsnego chłopca, kiedy spotkalibyśmy się w zaświatach? Jako najstarszy syn, powinien był dostawać porcje większe niż my wszyscy, nie wyłączając rzeźnika, zaczęłam więc dzielić się swoim jedzeniem z Kwiatem Śniegu i chłopcem. Gdy rzeźnik się zorientował, co się dzieje, uderzył najpierw syna, a potem żonę.

– To jest jedzenie pani Lu! – krzyknął.

Zanim któreś z nich zdążyło zareagować, odezwała się stara szczurzyca.

– Synu, dlaczego miałbyś żywić tę kobietę? To obca osoba, a my musimy myśleć o rodzinie – o tobie, twoim drugim synu i o mnie.

Oczywiście ani słowem nie wspomniała o pierwszym synu czy Kwiecie Śniegu, którzy jedli odpadki i z każdym dniem stawali się coraz słabsi.

Jednak tym razem rzeźnik nie ugiął się pod presją.

– Pani Lu jest naszym gościem. Jeżeli sprowadzę ją z gór żywą, może zostanę nagrodzony...

– Dostaniesz pieniądze? – zapytała.

Typowe pytanie dla tego znaku! Teściowa Kwiatu Śniegu nie potrafiła ukryć chciwości.

– Pan Lu może dla nas wiele zrobić, tu nie chodzi tylko o pieniądze...

Stara zmrużyła powieki, rozważając tę odpowiedź.

– Jeżeli masz otrzymać nagrodę, powinnam dostawać większe porcje – powiedziałam pośpiesznie, uprzedzając matkę rzeźnika. – W przeciwnym razie... – tu wykrzywiłam twarz w grymasie, który kiedyś podpatrzyłam u jednej z konkubin teścia – ...poskarżę się mężowi, że nie doznałam w tej rodzinie ani odrobiny gościnności, że widziałam tylko chciwość, wulgarność i obojętność.

Jakże wielkie ryzyko podjęłam tamtego dnia! Rzeźnik mógł natychmiast wyrzucić mnie z grupy, ale mimo nieustających narzekań jego matki, zaczęłam dostawać najwięcej jedzenia i dzieliłam się nim z Kwiatem Śniegu, jej najstarszym synem oraz Wiosennym Księżycem. Ciągle byliśmy tak potwornie głodni! Coraz bardziej upodobnialiśmy się do trupów – całymi dniami leżeliśmy nieruchomo, z zamkniętymi oczami, oddychając tak płytko, jak było to możliwe, usiłując oszczędzać i mobilizować siły. Dolegliwości, które w normalnych warunkach wszyscy uznają za lekkie, zbierały wśród nas obfite żniwo. Pozbawieni jedzenia, energii, gorącej herbaty i wzmacniających ziół, ludzie nie mieli siły zmagać się z chorobami. Coraz więcej chorych umierało i coraz mniej jeszcze względnie zdrowych było w stanie się poruszać.

Najstarszy syn Kwiatu Śniegu chętnie siadywał obok mnie. Najbliżsi go nie kochali, ale chłopiec nie był tak głupi, jak sądziła jego rodzina. Często wracałam myślami do dnia, gdy razem z Kwiatem Śniegu wybrałam się do świątyni Gupo, gdzie modliłyśmy się o synów i jak pragnęłyśmy, żeby mieli dobry gust. Widziałam teraz, że chłopiec otrzymał ten dar, chociaż nikt nie zadbał, aby go przebudzić i wydobyć na powierzchnię. Nie mogłam nauczyć go pisma mężczyzn, mogłam jednak powtórzyć mu wszystko to, czego stryj Lu uczył mojego syna.

– Pięć rzeczy, które Chińczycy cenią najwyżej, to Niebiosa, Ziemia, cesarz, rodzice i nauczyciele... – zaczęłam.

Gdy przekazałam mu wszystko, co podsłuchałam, siedząc za drzwiami izby stryja Lu, opowiedziałam dydaktyczną historyjkę o drugim synu, który zostaje mandarynem i wraca do swojej rodziny, zmieniłam jednak parę szczegółów w taki sposób, aby opowieść pasowała do okoliczności biednego chłopca.

– Pierwszy syn biega nad rzeką. Jest zielony jak pęd bambusa. Nic nie wie o życiu. Mieszka z mamą, tatą, młodszym bratem i siostrą. Młodszy brat pójdzie w ślady ojca, odziedziczy jego profesję. Młodsza siostra wyjdzie za mąż i opuści dom. Oczy rodziców prawie nigdy się na nim nie zatrzymują, a jeżeli już na niego spojrzą, biją go po głowie tak mocno, że jest cały opuchnięty...

Chłopiec poruszył się obok mnie, przenosząc wzrok z płonącego ognia na moją twarz.

– Pewnego dnia pierwszy syn wyjmuje trochę monet ze skrytki ojca i chowa je do kieszeni. Potem idzie do spiżarni i napełnia płócienny worek jedzeniem. Zarzuca go sobie na ramię i bez pożegnania wychodzi z domu. Przepływa rzekę i idzie dalej... – Tu pomyślałam o jakimś naprawdę odległym miejscu. – W końcu dociera do Guilin. Myślisz, że nasza podróż w góry była ciężka? A może sądzisz, że trudno jest zimą żyć pod gołym niebem? To wszystko nic... W drodze chłopiec nie mógł liczyć na żadnych przyjaciół ani dobroczyńców i nie miał nic poza marnym ubraniem na grzbiecie. Kiedy skończyło mu się jedzenie i pieniądze, zaczął żebrać...

Mały zaczerwienił się gwałtownie, nie od gorących płomieni, ale ze wstydu. Na pewno słyszał, że jego dziadkowie ze strony matki skończyli jako żebracy.

– Niektórzy mówią, że to haniebne, ale jeżeli inaczej nie da się przeżyć, wymaga to wielkiej odwagi...

Siedząca po drugiej stronie ogniska matka rzeźnika chrząknęła pogardliwie.

– To nie ta historia – wymamrotała.

Nie zareagowałam. Doskonale znałam oryginalną opowieść, lecz chciałam dać chłopcu coś, na czym mógłby się oprzeć.

– Chłopiec błąkał się ulicami Guilin, szukając wzrokiem ludzi, którzy nosili stroje mandarynów. Przysłuchiwał się, jak mówią, i starał się układać usta w podobny sposób, aby wydobyć z nich zbliżone dźwięki. Siadał pod herbaciarniami i odzywał się do wchodzących tam ludzi. Ktoś zwrócił na niego uwagę dopiero wtedy, gdy jego mowa stała się elegancka i wyrafinowana.

Tu przerwałam opowieść.

– Na świecie naprawdę żyją dobrzy ludzie, chłopcze. Może trudno ci w to uwierzyć, ale ja spotkałam wielu takich. Zawsze powinieneś szukać tych, którzy mogliby zrobić dla ciebie coś dobrego...

– Takich jak ty? – spytał.

Jego babka prychnęła głośno. I tym razem nie zareagowałam.

– Pewien mężczyzna przyjął chłopca na służbę – podjęłam. – I z czasem zaczął przekazywać mu wiedzę, którą sam posiadał, a kiedy nie mógł go już niczego nauczyć, zatrudnił nauczyciela. Po wielu latach chłopiec, wtedy już mężczyzna, przystąpił do cesarskich egzaminów i został mandarynem, oczywiście tylko najniższego szczebla, ale jednak... – dodałam, aby historia wydała się bardziej prawdopodobna.

– Mandaryn wrócił do rodzinnej wioski. Pies strzegący jego domu szczeknął trzy razy na powitanie. Mama i ojciec wyszli za próg, lecz nie poznali syna. Potem wyszedł drugi brat – on także nie poznał brata. A siostra? Siostra wyszła za mąż i wyprowadziła się z domu. Kiedy mandaryn powiedział im, kim naprawdę jest, oddali mu pokłon i po pewnym czasie zaczęli zwracać się do niego z rozmaitymi prośbami. „Potrzebna nam nowa studnia – powiedział ojciec. – Może zatrudnisz kogoś, kto ją nam wykopie?" „Nie mam jedwabiu – powiedziała matka. – Mógłbyś kupić mi parę bel?" „Wiele lat zajmowałem się naszymi rodzicami – oświadczył młodszy brat. – Zapłacisz mi za czas, który im poświęciłem?" Mandaryn przypomniał sobie, jak okropnie go dawniej traktowali, wsiadł do palankinu i wrócił do Guilin, gdzie wkrótce ożenił się, spłodził wielu synów i żył długo i szczęśliwie...

– Haaal Stara oplunęła do ognia i rzuciła mi wściekłe spojrzenie. – Opowiadasz mu takie historie, żeby zrujnować i tak już zrujnowane życie? Dajesz mu nadzieję, której nie ma? Dlaczego to robisz?

Znałam odpowiedź na to pytanie, ale nigdy nie udzieliłabym jej tej starej samicy szczura. Zdawałam sobie sprawę, że wszyscy znaleźliśmy się w nienormalnych warunkach, lecz oddzielona od własnej rodziny, bardzo potrzebowałam kogoś, kim mogłabym się zaopiekować. Oczami wyobraźni już widziałam mojego męża w roli dobroczyńcy tego chłopca. Dlaczego nie? Skoro Kwiat Śniegu pomogła mi w dzieciństwie, dlaczego moja rodzina nie miałaby odmienić przyszłości tego nieszczęśnika?

Wkrótce zwierzyna wśród okolicznych wzgórz została przetrzebiona. Zwierzęta uciekały, wygnane z nor obecnością tylu żywych i umarłych, a także okrucieństwem zimy. Uciekinierzy, w zdecydowanej większości chłopi, tracili siły. Zabrali ze sobą tylko to, co byli w stanie unieść, więc teraz głodowali wraz z rodzinami. Wielu mężów nakłaniało żony, aby schodziły w dolinę po zapasy. Jak wiecie, w naszym okręgu w okresie wojny nie wolno krzywdzić kobiet i właśnie dlatego często wysyła się nas po żywność, wodę lub inne rzeczy. Wyrządzenie krzywdy kobiecie podczas wrogich działań zawsze prowadzi do eskalacji walk, lecz ani Taipingowie, ani żołnierze z Wielkiej Armii Hunan nie pochodzili z naszych okolic i nie znali zwyczajów ludu Yao. Poza wszystkim, jak my, kobiety, osłabłe z głodu i ledwo trzymające się na skrępowanych stopach, miałyśmy zejść zimą z gór i wrócić z zapasami?

Ostatecznie więc w drogę wyruszyła niewielka grupa mężczyzn, którzy liczyli na to, że znajdą żywność i inne konieczne rzeczy w opuszczonych przez nas wsiach. Wróciło tylko kilku. Wszyscy opowiadali, że widzieli, jak członkowano ich przyjaciół i nadziewano na pale ich obcięte głowy. Świeżo owdowiałe kobiety, niezdolne znieść strasznych wieści, popełniały samobójstwo – rzucały się ze skał, na które jeszcze niedawno z takim trudem się wspinały, łykały płonące węgle z rozpalanych wieczorem ognisk, podrzynały sobie gardła lub głodziły się na śmierć. Te, które nie wybierały takiego rozwiązania, traciły honor, szukając szansy na nowe życie z innymi mężczyznami. Wyglądało na to, że w górach niektóre kobiety zapominały o zasadach rządzących wdowieństwem. Nawet jeśli wdowa jest uboga, młoda i obarczona dziećmi, lepiej, żeby umarła, pozostając wierna mężowi, niżby miała okryć jego pamięć wieczną niesławą.

Oddzielona od własnych dzieci, uważnie obserwowałam dzieci Kwiatu Śniegu, dostrzegając, jak duży wpływ na nie wywiera, w ten sposób poznając ją jeszcze lepiej. Ponieważ straszliwie tęskniłam za dziećmi, porównywałam potomstwo Kwiatu Śniegu i moje. Nasz najstarszy syn zajął już przysługujące mu miejsce w naszym domu i patrzył w rozciągającą się przed nim jasną przyszłość. W tej rodzinie najstarszy syn Kwiatu Śniegu zajmował jeszcze niższą pozycję niż jego matka. Nikt go nie kochał. Miałam wrażenie, że chłopiec unosi się na powierzchni życia niczym niedbale rzucony kawałek drewna, a jednak właśnie on najbardziej przypominał moją *laotong*, ponieważ był łagodny i delikatny. Może dlatego ona odwracała się od niego i nie okazywała mu ani odrobiny serca, kto wie...

Mój drugi syn był grzecznym i bystrym chłopcem, ale nie posiadał badawczego umysłu starszego. Wyobrażałam sobie, że przez całe życie będzie mieszkał z nami – ożeni się, spłodzi dzieci i będzie pracował dla starszego brata. Tymczasem drugi syn Kwiatu Śniegu był jasnym światłem rodziny. Miał budowę ojca – krępą, mocną sylwetkę, silne ramiona i nogi. Ten dzieciak nigdy nie okazywał lęku, nigdy nie dygotał z zimna ani nie płakał z głodu. Chodził wszędzie za ojcem jak cień, wyprawiał się z nim nawet na polowania. Musiał być dla niego pewną pomocą, bo inaczej rzeźnik nie zabierałby go ze sobą. Kiedy wracali ze zwierzęcym truchłem, chłopak przysiadał mu piętach obok ojca i uczył się, jak sprawiać mięso. Łączące ich obu podobieństwo dużo powiedziało mi o Kwiecie Śniegu. Jej mąż był wulgarny, śmierdzący i dużo gorzej urodzony od niej, to prawda, ale miłość, z jaką odnosiła się do chłopca, mówiła także o tym, jak głębokie uczucie żywiła do jego ojca.

Pod względem urody i sposobu zachowania Wiosenny Księżyc górowała nad moją córką. Rysy Nefrytu naznaczone były nie najlepszym pochodzeniem mojej rodziny i właśnie dlatego zawsze traktowałam ją z taką surowością. Ponieważ pieniądze z handlu solą powinny zapewnić jej spory posag, miała szansę na korzystne małżeństwo. Wierzyłam, że Nefryt będzie dobrą żoną, lecz Wiosenny Księżyc, gdyby dano jej takie możliwości rozwoju jak kiedyś mnie, mogła stać się żoną niezwykłą.

Wszystko to sprawiało, że coraz mocniej tęskniłam za rodziną.

Byłam samotna i przerażona, ale noce spędzane w towarzystwie Kwiatu Śniegu trochę mnie pocieszały, chociaż... Jak mam to powiedzieć? Nawet tutaj, w tych okolicznościach, w obecności tylu ludzi, rzeźnik chciał uprawiać sprawy łóżkowe z moją *laotong*. Robili to pod kołdrą, w zimnej, otwartej przestrzeni przy ognisku. Wszyscy odwracaliśmy oczy, lecz nie mogliśmy zamknąć uszu. Dobrze, że rzeźnik zachowywał się cicho, czasami tylko pochrząkując, kilka razy słyszałam jednak pełne zadowolenia westchnienia, które wydobywały się nie z jego piersi, ale z piersi mojej przyjaciółki. Nie rozumiałam tego. Gdy już skończyli, Kwiat Śniegu przysuwała się do mnie i otaczała mnie ramionami, zupełnie jak dawniej, kiedy byłyśmy młodymi dziewczętami. Czułam bijący od niej zapach seksu, lecz przy tak niskiej temperaturze byłam wdzięczna za ciepło, którym mnie obdarzała. Bez przytulonego do moich pleców ciała Kwiatu

Śniegu na pewno umarłabym którejś nocy, podobnie jak wiele innych kobiet.

Oczywiście, przy tak częstym uprawianiu spraw łóżkowych Kwiat Śniegu znowu zaszła w ciążę, chociaż ja miałam nadzieję, że jej comiesięczne krwawienie ustało z powodu zimna, trudnych warunków i niedożywienia, tak jak u mnie. Kwiat Śniegu nie chciała mnie słuchać.

– Byłam już w ciąży – powiedziała. – Znam objawy.

– W takim razie życzę ci kolejnego syna.

– Tym razem na pewno urodzę syna... – oświadczyła.

Jej oczy błyszczały prawdziwym szczęściem i niezachwianą pewnością.

– Synowie zawsze przynoszą błogosławieństwo, to prawda. Powinnaś być dumna ze swojego najstarszego...

– Tak – odparła cicho. – Widziałam, jak się z nim bawiłaś. Lubisz go, prawda? Czy na tyle, aby przyjąć go jako zięcia?

Polubiłam chłopca, nawet bardzo, ale ta propozycja była poza wszelką dyskusją.

– Między naszymi rodzinami nie ma miejsca na związek mężczyzny i kobiety – powiedziałam. Wiele zawdzięczałam przyjaciółce i pragnęłam pomóc Wiosennemu Księżycowi, lecz nigdy nie zgodziłabym się, aby moja córka zniżyła się do poziomu rodziny rzeźnika. – Nie sądzisz, że dużo ważniejszy jest związek serc między naszymi córkami?

– Masz rację, oczywiście – odparła Kwiat Śniegu, chyba zupełnie nieświadoma moich prawdziwych uczuć. – Po powrocie do domu spotkamy się z ciocią Wang, tak jak planowałyśmy, a gdy stopy dziewczynek osiągną ostateczny kształt, pojadą do świątyni Gupo, aby podpisać kontrakt, kupić wachlarz, na którym będą zapisywać swoje życie, i zjeść pyszne taro...

– My także powinnyśmy spotkać się w Shexia. Jeżeli będziemy dyskretne, może uda nam się je podpatrzyć...

– Podpatrzyć? – powtórzyła z niedowierzaniem Kwiat Śniegu, a na widok mojej miny zachichotała cicho. – Zawsze wydawało mi się, że to ja jestem tą niegrzeczną, tymczasem ty snujesz podstępne plany...

Pomimo wyrzeczeń i niewygód tych tygodni i miesięcy, planowanie przyszłości naszych córek dało nam pewną nadzieję i każdego dnia starałyśmy się pamiętać o dobrych stronach życia. Razem świętowałyśmy piąte urodziny młodszego syna Kwiatu Śniegu. Był zabawnym chłopczykiem i z rozbawieniem obserwowałyśmy, jak bawił się z ojcem. Udawali dwie świnki – węszyli, szukali pożywienia, zderzali się silnymi ciałami, brudnymi od kurzu i błota, zachwyceni swoim towarzystwem. Starszy chłopiec wolał siedzieć z kobietami. Widząc, że żywo się nim interesuję, Kwiat Śniegu także zaczęła zwracać na niego uwagę. Pod jej wzrokiem uśmiechał się radośnie. W wyrazie jego twarzy widziałam jego matkę w tym samym wieku – słodką, naturalną, inteligentną. Kwiat Śniegu patrzyła na niego uważnie – trudno powiedzieć, że z macierzyńską miłością, ale tak, jakby to, co ma przed sobą, podobało jej się trochę bardziej.

Pewnego dnia, kiedy uczyłam go piosenki, przystanęła obok nas.

– Nie powinien uczyć się piosenek dla dziewcząt – powiedziała. – Dawno temu poznałyśmy sporo wierszy...

– Dzięki twojej matce...

– Jestem pewna, że w domu męża jeszcze lepiej poznałaś poezję.

– To prawda – przytaknęłam.

Obie z podnieceniem wypowiedziałyśmy na głos tytuły znanych nam wierszy i poematów.

Kwiat Śniegu ujęła dłoń syna.

– Przekażmy mu to, co możemy, żeby kiedyś stał się wykształconym człowiekiem – rzekła.

Wiedziałam, że nie będzie to wiele, ponieważ obie nie posiadałyśmy głębokiej wiedzy, ale chłopiec był jak suszony grzyb, wrzucony do wrzątku – wchłaniał wszystko, co mogłyśmy mu dać. Bardzo szybko nauczył się na pamięć poematu z okresu dynastii Tang, w dzieciństwie bardzo lubiłyśmy ten wiersz. Recytował także duże fragmenty z klasycznej książki dla chłopców, której sama uczyłam się na pamięć, aby pomóc mojemu synowi w lekcjach. Pierwszy raz dostrzegłam prawdziwą dumę na twarzy Kwiatu Śniegu. Reszta rodziny potraktowała osiągnięcia małego zupełnie inaczej, lecz Kwiat Śniegu nie ugięła się wobec ich żądań, aby zaprzestać edukacji chłopca. Najwyraźniej przypomniała sobie małą dziewczynkę, która kiedyś rozsuwała zasłony palankinu, by popatrzeć na nieznany świat.

Tamte dni, zimne, trudne, pełne strachu i rozmaitych niedogodności, były jednocześnie wspaniałe, ponieważ Kwiat Śniegu czuła się szczęśliwsza niż w ciągu ostatnich kilku lat. Chociaż była w ciąży i wciąż chciało jej się jeść, promieniała wewnętrznym światłem, zupełnie jakby ktoś zapalił w niej olejną lampkę. Cieszyła się towarzystwem trzech zaprzysiężonych sióstr z Jintian oraz pewną wolnością, bo przecież teraz wreszcie nie była skazana na bliskie obcowanie z teściową. Siedząc z tamtymi kobietami, śpiewała pieśni, których od dawna nie słyszałam w jej ustach. Jej duch, duch osoby urodzonej w Roku Konia, wyrwał się z mrocznego, ponurego domu i płynął wysoko nad ziemią.

I wtedy, mniej więcej w dziesiątym tygodniu naszego pobytu w górach, drugi syn Kwiatu Śniegu usnął, zwinięty w kłębek przy ognisku, i już się nie obudził. Nie wiem, czy zabiła go choroba, głód czy zimno, ale wczesnym rankiem ujrzeliśmy, że jego ciało okrył szron, a twarzyczka stała się sinoniebieska. Rozpaczliwe zawodzenie Kwiatu Śniegu poniosło się echem wśród gór, lecz najciężej przeżył śmierć chłopca rzeźnik. Trzymał syna w ramionach, a łzy płynęły mu po policzkach, żłobiąc korytarze w pokrywających skórę warstwach brudu. Nic nie było w stanie ukoić jego żałości, nie chciał wypuścić dziecka z objęć. Nie słuchał ani żony, ani nawet matki. Ukrył twarz w tunice chłopca, nie dopuszczając do uszu błagań kobiet. Nie uspokoił się nawet wtedy, gdy kilku mężczyzn z naszej grupy usiadło dookoła niego, osłaniając go przed spojrzeniami innych i pocieszając szeptem. Co jakiś czas podnosił głowę i wołał prosto w niebo:

– Dlaczego straciłem ukochanego syna?!

To pełne bólu pytanie pojawia się w wielu opowieściach i pieśniach *nu shu*. Patrząc na twarze zgromadzonych przy ognisku kobiet, widziałam wyraźnie, że wszystkie zastanawiają się, czy mężczyzna – ten rzeźnik – czuje taką samą rozpacz i żal jak matka, która straciła dziecko.

Mąż Kwiatu Śniegu siedział tak całe dwa dni, podczas gdy my śpiewaliśmy żałobne pieśni. Trzeciego dnia wstał, przyciskając ciało chłopca do piersi, przedarł się przez utworzony wokół ognia ludzki krąg i pobiegł do lasu, tam, gdzie wcześniej tyle razy chodził z synkiem. Wrócił po dwóch dniach, sam. Kiedy Kwiat Śniegu zapytała, gdzie jest pochowany jej syn, rzeźnik odwrócił się i uderzył ją tak mocno, że poleciała kilka metrów w tył i z głuchym tąpnięciem padła na twardy, udeptany śnieg.

Potem pobił ją tak dotkliwie, że poroniła, wyrzucając z siebie gwałtowny strumień czarnej krwi, która splamiła lodowe wzgórki na terenie całego obozu. Nie była w zaawansowanej ciąży, więc nie znaleźliśmy płodu, ale rzeźnik z przekonaniem twierdził, że wybawił świat od kolejnej dziewczynki.

– Nie ma rzeczy równie złej jak serce kobiety – powtarzał raz po raz, zupełnie jakby nikt z nas nie znał tego powiedzenia.

Z pomocą innych kobiet rozebrałam Kwiat Śniegu, zdjęłam jej spodnie, rozpuściłam trochę śniegu, żeby je wyprać, zmyłam krwawe plamy z ud i wyjęłam wewnętrzną warstwę z jednej z jej pikowanych posagowych kołder, aby zatamować wciąż wypływającą spomiędzy nóg przyjaciółki śluzowatą wydzielinę. Przez cały ten czas żadna z nas nie spojrzała na rzeźnika ani nie odezwała się do niego.

Gdy spoglądam wstecz, widzę, że Kwiat Śniegu cudem przetrwała ostatnie dwa tygodnie w górach. Cudem, nie inaczej. Biernie przyjmowała bicie po biciu. Jej ciało było osłabione po poronieniu i codziennym biciu. Dlaczego nie powstrzymałam jej męża? Byłam przecież panią Lu i już wcześniej zmusiłam go do pełnienia mojej woli, więc dlaczego nie tym razem? Właśnie dlatego, że byłam panią Lu, nie mogłam zrobić nic więcej. Rzeźnik był sprawnym, silnym mężczyzną, który nie wahał się przed użyciem przemocy, a ja kobietą, która posiadała wprawdzie dość wysoką pozycję społeczną, ale była osamotniona i bezsilna. Mąż Kwiatu Śniegu wiedział o tym równie dobrze jak ja.

Dopiero w najgorszych dla mojej *laotong* chwilach uświadomiłam sobie, jak bardzo potrzebuję mojego małżonka. Wcześniej wydawało mi się, że nasze wspólne życie sprowadza się do wykonywania obowiązków i odgrywania pewnych ról, lecz teraz szczerze żałowałam, że nie zawsze byłam żoną, na jaką zasługiwał. Uroczyście obiecałam sobie, że jeżeli zejdę z gór, stanę się kobietą, która naprawdę godna jest tytułu pani Lu. Pragnęłam tego całym sercem i mogę chyba powiedzieć, że wprowadziłam swoje postanowienie w czyn, ale stało się to dopiero wtedy, gdy dowiodłam sobie, że potrafię być dużo bardziej okrutna i brutalna niż mąż Kwiatu Śniegu.

Kobiety spod naszego drzewa razem ze mną czuwały nad Kwiatem Śniegu. Opatrywałyśmy jej rany, rozpuszczałyśmy śnieg i gotowaną wodą obmywałyśmy ją, zmniejszając ryzyko zakażenia, bandażowałyśmy kawałkami własnych ubrań. Kobiety chciały ugotować dla niej wzmacniającą zupę ze szpiku kości zwierząt, które przynosił z lasu rzeźnik, ale kiedy przypomniałam, że jest wegetarianką, szukały ze mną ziół, zdrowych korzonków i kory. Wlewałyśmy jej uwarzony napój łyżeczką do ust i śpiewałyśmy kojące pieśni.

Niestety, nasze słowa i czyny nie mogły przynieść ulgi znękanemu umysłowi i sercu. Kwiat Śniegu nie mogła spać. Nieruchomo siedziała przy ognisku, obejmując wysoko podciągnięte kolana. Całe jej ciało dygotało z rozpaczy. Żadna z nas nie miała czystych ubrań, ale starałyśmy się w miarę możliwości dbać o swój wygląd. Kwiat Śniegu nie dbała już o nic. Przestała myć twarz grudkami śniegu i szorować zęby skrajem tuniki. Włosy opadały jej na ramiona, przywodząc mi na myśl noc, kiedy zachorowała moja teściowa. Z każdą chwilą coraz bardziej upodobniała się do trzeciej szwagierki, była coraz mniej obecna, a jej umysł odpływał, odpływał, odpływał.

Kwiat Śniegu codziennie wstawała ze swego miejsca przy ognisku i błąkała się wśród zaśnieżonych gór, poruszała się jak we śnie, zagubiona, oderwana od rzeczywistości. Codziennie towarzyszyłam jej w tej dziwnej przechadzce, chociaż nie prosiła o to. Trzymałam ją za ramię i obie niepewnie kołysałyśmy się na skrępowanych stopach, idąc aż na skraj urwiska, gdzie Kwiat Śniegu wypłakiwała swoją rozpacz w nieogarnioną przestrzeń, a porywisty północny wiatr daleko niósł żałosny szloch.

Byłam przerażona, ponieważ zawsze przypominała mi się nasza okropna ucieczka i straszne krzyki kobiet, które spadały ze skał prosto w ramiona śmierci. Kwiat Śniegu nie podzielała mojego niepokoju. Patrzyła na strome zbocza i odprowadzała wzrokiem szybujące na skrzydłach wichrów śnieżne jastrzębie. W przeszłości tak często marzyła o lataniu, że pewnie teraz z łatwością przyszłoby jej zrobienie tego ostatniego kroku poza krawędź zbocza, na którym stałyśmy, ale ja nigdy nie zostawiałam jej samej i nigdy nie puszczałam jej ręki.

Próbowałam rozmawiać z nią o sprawach, które mogłyby przywiązać ją do ziemi.

– Wolałabyś sama zagadnąć panią Wang o kontrakt dla naszych córek, czy ja powinnam to zrobić? – pytałam na przykład.

Kiedy nie odpowiadała, wymyślałam coś innego.

– Mieszkamy tak blisko, że może już teraz powinnyśmy poznać ze sobą nasze dziewczynki. Może obie złożyłybyście nam dłuższą wizytę? Skrępujemy im stopy tego samego dnia, wtedy będą miały mnóstwo wspólnych wspomnień...

Albo:

– Popatrz na te przebiśniegi... Niedługo przyjdzie wiosna, a my wreszcie opuścimy to miejsce.

Przez dziesięć dni odpowiadała wyłącznie monosylabami. Przemówiła dopiero jedenastego dnia, kiedy zbliżałyśmy się do krawędzi skały.

– Straciłam pięcioro dzieci i za każdym razem mój mąż winił mnie za to, co się stało. Zawsze wyładowuje swoją złość i frustrację na mnie, oczywiście pięściami. Znajduje w tym ulgę. Dawniej myślałam, że gniewa się, ponieważ nosiłam w łonie dziewczynki, ale teraz, teraz, gdy straciliśmy syna... Czy rzeczywiście czuł rozpacz i smutek? – Przerwała i przekrzywiła głowę, próbując rozwikłać dręczące ją wątpliwości. – Tak czy inaczej, musi znaleźć jakiś cel dla swoich pięści – zakończyła z rezygnacją.

Z jej słów wynikało jasno, że była bita od pierwszego roku, kiedy na stałe zamieszkała w domu rzeźnika. Chociaż postępowanie jej męża nie było niczym niezwykłym czy nieakceptowanym w naszym okręgu, zabolało mnie, że tak długo i skutecznie ukrywała przede mną te przeżycia. Wcześniej myślałam, że już nigdy nie będziemy miały przed sobą tajemnic, ale w gruncie rzeczy nie to mnie poruszyło – czułam się winna, że zbyt długo nie dostrzegałam oznak nieszczęścia mojej *laotong*.

– Kwiecie Śniegu...

– Nie, posłuchaj mnie... Myślisz, że mój mąż nosi w sercu zło, ale on nie jest złym człowiekiem.

– Traktuje cię jak zwierzę, nie jak człowieka...

– Lilio, mówisz o moim mężu – powiedziała ostrzegawczo.

Po chwili jej myśli ugrzęzły w jeszcze mroczniejszej toni.

– Od dawna chciałam umrzeć, ale zawsze ktoś jest w pobliżu i...

– Nie opowiadaj takich rzeczy – przerwałam jej.

Zignorowała mnie.

– Jak często myślisz o przeznaczeniu? Ja rozmyślam o nim prawie codziennie. Co by było, gdyby moja matka nie poślubiła mojego ojca? Co by było, gdyby ojciec nie zaczął palić opium? Gdyby rodzice nie wydali mnie za rzeźnika? Gdybym urodziła się jako chłopiec? Czy wtedy zdołałabym uratować swoją rodzinę? Och, Lilio, tak okropnie wstydziłam się przyznać przed tobą do prawdy o moim życiu...

– Przecież ja nigdy...

– Widziałam twoją litość od chwili, gdy przekroczyłaś próg mojego rodzinnego domu – potrząsnęła głową, żebym jej nie przerywała. – Nie zaprzeczaj, lepiej mnie wysłuchaj... Patrzysz na mnie i myślisz, że trudno upaść niżej, ale to, co spotkało moją matkę, było dużo gorsze. Gdy byłam mała, płakała całymi dniami i nocami. Jestem pewna, że chciała umrzeć, ale nie potrafiła mnie zostawić, potem zaś, kiedy na dobre wyprowadziłam się do męża, nie umiała porzucić ojca...

Zorientowałam się, w jakim kierunku zmierza, i przerwałam jej.

– Twoja matka nie pozwoliła, aby jej serce stało się zgorzkniałe. Nigdy się nie poddała...

– Poszła żebrać razem z ojcem – powiedziała Kwiat Śniegu. – Chyba się już nie dowiem, co się z nimi stało, lecz nie mam cienia wątpliwości, że pozwoliła sobie umrzeć dopiero po jego śmierci. Od ich odejścia minęło dwanaście lat. Często się zastanawiam, czy mogłam jej jakoś pomóc. Czy mogła zamieszkać ze mną? Odpowiem na to pytanie tak – marzyłam, że wyjdę za mąż i znajdę szczęście z dala od choroby ojca i rozpaczy matki. Nie przypuszczałam, że zostanę żebraczką w domu męża. Potem dowiedziałam się, w jaki sposób nakłonić męża, aby przynosił mi jedzenie, które byłam w stanie przełknąć. Widzisz, Lilio, są rzeczy, których nikt nie mówi nam o mężczyznach... Możemy ich uszczęśliwić, jeżeli okażemy im, że jest nam z nimi przyjemnie, zresztą rzeczywiście może tak być, jeśli pozwolimy sobie to odczuć...

Zupełnie jakbym słyszała jedną z tych starych kobiet, które zawsze próbują straszyć młode dziewczęta...

– Nie musisz mnie okłamywać – powiedziałam. – Jestem twoją *laotong*, ze mną możesz być szczera.

Oderwała wzrok od sunących po niebie chmur i przez króciutką chwilę patrzyła na mnie jak na obcą osobę.

– Masz wszystko, a przecież w gruncie rzeczy nie masz nic – szepnęła ze smutkiem i współczuciem.

Jej słowa zraniły mnie do żywego, ale nie mogłam myśleć o doznanej przykrości teraz, gdy Kwiat Śniegu zwierzała mi się ze swoich przeżyć.

– Mój mąż i ja nie przestrzegaliśmy zasad dotyczących okresu nieczystości po porodzie. Oboje chcieliśmy mieć więcej synów.

– Synowie stanowią o wartości kobiety...

– I sama widzisz, co się dzieje – ciągnęła dalej. – W moim ciele gnieździ się za dużo dziewczynek.

Miałam praktyczną odpowiedź na to, czemu nie byłam w stanie zaprzeczyć.

– Przeznaczenie zdecydowało, że powinny umrzeć – oświadczyłam. – Bądź za to wdzięczna, bo prawdopodobnie coś było z nimi nie tak... My, kobiety, możemy tylko próbować, wciąż od nowa...

– Och, Lilio, kiedy tak mówisz, mam pustkę w głowie i słyszę tylko świszczący wśród gałęzi wiatr... Czujesz, jak ziemia pragnie zapaść się pode mną? Musisz się cofnąć. Pozwól mi pójść na spotkanie z matką...

Minęło wiele lat od dnia, gdy Kwiat Śniegu straciła pierwszą córkę. Wtedy nie umiałam pojąć jej smutku, lecz potem sporo przeżyłam i zaczęłam inaczej patrzeć na wiele spraw. Jeżeli wszyscy rozumieją, dlaczego wdowa oszpeca się lub popełnia samobójstwo, aby rodzina męża nie straciła twarzy, to chyba matka także ma prawo straszliwie cierpieć po śmierci dziecka czy dzieci... W końcu to my opiekujemy się nimi i kochamy je, czuwamy nad nimi w czasie choroby. Przygotowujemy synów do stawiania pierwszych kroków w świecie mężczyzn, a córkom krępujemy stopy, uczymy je sekretnego pisma i tego, jak być dobrymi żonami, synowymi oraz matkami, aby zajęły poczesne miejsce w izbach na górze swoich nowych domów. Tak czy inaczej, żadna kobieta nie powinna żyć dłużej niż jej dzieci, bo jest to przeciwne prawom natury. Jeżeli musi patrzeć na ich śmierć, to dlaczego dziwimy się, że chce skoczyć ze skały, powiesić się na gałęzi albo wypić ług?

– Codziennie dochodzę do tego samego wniosku – przyznała Kwiat Śniegu, patrząc na rozciągającą się pod jej stopami głęboką dolinę. – Ale wtedy przypomina mi się twoja stryjenka... Pomyśl, jak bardzo musiała cierpieć i jak mało obchodziło nas jej cierpienie...

– To prawda, że potwornie cierpiała, chociaż wydaje mi się, że nasza obecność była dla niej pociechą – odpowiedziałam szczerze.

– Pamiętasz, jaka słodka i dobra była Piękny Księżyc? Jaka łagodna, nawet w chwili śmierci? Pamiętasz, jak twoja stryjenka wróciła do domu i stanęła nad ciałem córki? Nie chcieliśmy przyczynić jej jeszcze więcej bólu, więc zakryliśmy twarz Pięknego Księżyca. Stryjenka nigdy więcej nie zobaczyła córki... Jak mogliśmy być tacy okrutni?

Mogłam odpowiedzieć, że zwłoki Pięknego Księżyca stanowiły zbyt straszny widok i pragnęliśmy oszczędzić stryjence takich wspomnień, ale się powstrzymałam.

– Odwiedzimy stryjenkę przy pierwszej okazji – obiecałam. – Na pewno bardzo się ucieszy...

– Może ucieszy ją twoja wizyta, lecz nie moja – odparła Kwiat Śniegu. – Za bardzo przypominam jej ją samą. Powinnaś jednak wiedzieć, że to wspomnienie twojej stryjenki każe mi żyć dalej... – Uniosła głowę i potoczyła wzrokiem po zamglonych wzgórzach. – Powinnyśmy już wracać, widzę, że zmarzłaś. Chciałabym, żebyś pomogła mi coś napisać – sięgnęła pod tunikę i wyjęła nasz wachlarz. – Zabrałam go ze sobą, bo bałam się, że buntownicy spalą nasz dom, a to dla mnie bardzo cenna rzecz...

Spojrzała mi prosto w oczy. Była teraz zupełnie przytomna i spokojna. Westchnęła głęboko i potrząsnęła głową.

– Powiedziałam, że już nigdy cię nie okłamię. Widzisz, byłam pewna, że umrzemy tutaj, więc chciałam, żebyśmy miały go przy sobie... – Pociągnęła mnie za ramię. – Odsuń się od krawędzi, Lilio. Strach mnie przenika, gdy widzę cię tuż nad przepaścią.

Wróciłyśmy do obozu, gdzie postarałyśmy się o coś, co mogłoby zastąpić tusz i pędzelek. Wyciągnęłyśmy z ogniska dwie do połowy spalone szczapy drewna i zaczekałyśmy, aż ostygną, następnie ostrymi kamieniami zeskrobałyśmy zwęgloną powierzchnię i wymieszałyśmy to z wodą, w której wygotowałyśmy garść korzonków. Otrzymana substancja nie była tak czarna i nieprzejrzysta jak tusz, ale musiała nam wystarczyć. Obluzowałyśmy brzeg kosza, wyciągnęłyśmy pęd bambusa i zaostrzyłyśmy jego koniec. W sekretnym języku zapisałyśmy historię naszej podróży w góry, co jakiś czas przekazując sobie pędzelek. Upamiętniłyśmy w ten sposób stratę młodszego synka Kwiatu Śniegu oraz nienarodzonego dziecka, mroźne noce i błogosławieństwo przyjaźni. Kiedy skończyłyśmy, Kwiat Śniegu ostrożnie złożyła wachlarz i wsunęła go za tunikę.

Tej nocy rzeźnik nie zbił mojej *laotong*, chyba dlatego, że zależało mu na sprawach łóżkowych i dostał to, czego chciał. Potem Kwiat Śniegu przeszła na moją stronę ogniska, wśliznęła się pod kołdrę, ułożyła obok mnie i oparła dłoń na moim policzku. Była zmęczona wieloma bezsennymi nocami i szybko poczułam, jak jej ciało się rozluźnia.

– Kocha mnie jak umie – szepnęła, zanim ostatecznie zapadła w sen. – Teraz wszystko będzie lepiej, zobaczysz. On się zmieni.

Tak, pomyślałam. I wytrwa w tej zmianie aż do następnego razu, kiedy znowu zrzuci swój smutek lub gniew na plecy kochającej kobiety, która teraz leży obok mnie.

Następnego dnia dotarła do nas wiadomość, że możemy bezpiecznie wrócić do wioski. Chciałabym powiedzieć, że po trzech miesiącach w górach śmierć dała nam wreszcie spokój, ale tak nie było. Musieliśmy mijać tych, którzy zostali przy drodze podczas naszej ucieczki. Widzieliśmy mężczyzn, kobiety, dzieci, niemowlęta... Wszystkie ciała były naruszone rozkładem oraz zębami i pazurami dzikich zwierząt. Białe kości połyskiwały w jasnym słonecznym świetle. Zwłoki można było rozpoznać po detalach ubrania, więc aż zbyt często słyszeliśmy okrzyki żalu i rozpaczy.

Jakby tego nie było dosyć, większość z nas była tak osłabiona, że śmierć wydawała się nieunikniona – teraz, na ostatnim etapie, kiedy byliśmy już prawie w domu. W drodze z gór umierały głównie kobiety. Chwiejąc się na malutkich stópkach i z trudem zachowując równowagę, ściągane własnym ciężarem spadały z wąskiej ścieżki w przepaść. Tym razem, za dnia, nie tylko słyszeliśmy krzyki przerażenia, ale także widzieliśmy, jak nieszczęsne wymachują ramionami niczym skrzydłami, starając się stawić opór powietrzu. Dzień wcześniej bardzo martwiłabym się o Kwiat Śniegu, lecz teraz ze względnym spokojem patrzyłam, jak ze skupioną twarzą ostrożnie stawia stopy.

Rzeźnik niósł matkę na plecach. W pewnej chwili, kiedy Kwiat Śniegu przystanęła i cofnęła się, drżąca na widok jakiejś kobiety, która właśnie owijała gnijące szczątki swego dziecka w kawałek płótna, aby sprawić mu w domu godny pogrzeb, postawił matkę na ziemi i ujął żonę za łokieć.

– Proszę, idź dalej – powiedział łagodnie. – Wkrótce dotrzemy do naszego wozu i zawiozę cię aż do Jintian...

Mimo jego błagalnego tonu, Kwiat Śniegu nie mogła oderwać oczu od matki i dziecka.

– Wrócę tu wiosną i zabiorę jego kości do domu – dodał rzeźnik. – Obiecuję ci, że będziemy mieli go w pobliżu...

Kwiat Śniegu wyprostowała się i z wysiłkiem wyminęła kobietę z zawiniątkiem.

Wozu nie było w miejscu, gdzie go zostawiliśmy. Podobnie jak wiele innych rzeczy, został zabrany albo przez rebeliantów, albo przez Wielką Armię Hunan. Jednak z każdym krokiem, który zbliżał nas do domów, zapominaliśmy o obolałych, krwawiących i wygłodzonych ciałach. Jintian wyglądało na nietknięte. Pomogłam matce rzeźnika wejść do domu i wyszłam na zewnątrz. Chciałam wracać do Tongkou. Przebyłam już tak długą drogę, że równie dobrze mogłam przejść i tych ostatnich kilka *li*, lecz rzeźnik pobiegł przodem z wiadomością o moim szczęśliwym powrocie.

Kiedy się oddalił, Kwiat Śniegu chwyciła mnie za rękę.

– Chodź – powiedziała. – Mamy mało czasu.

Wciągnęła mnie do środka, chociaż chciałam dalej patrzeć, jak rzeźnik biegnie drogą do mojej wioski.

– Wiele lat temu bardzo pomogłaś mi z posagiem, a teraz mam szansę spłacić niewielką część tego długu... – wyjęła z kufra ciemnoniebieską kurtkę z aplikacją w kształcie chmur z błękitnego jedwabiu.

Nagle przypomniałam sobie, że strój z tego samego jasnego jedwabiu Kwiat Śniegu miała na sobie w dniu, kiedy się poznałyśmy. Z uśmiechem podała mi kurtkę.

– Poczuję się zaszczycona, jeżeli włożysz to na spotkanie z mężem.

Zdawałam sobie sprawę, jak okropnie wygląda Kwiat Śniegu, ale nawet nie przyszło mi do głowy, co pomyśli mój mąż, gdy mnie zobaczy. Nosiłam jedwabny komplet w kolorze lawendy przez ponad trzy miesiące, więc wszystko było brudne i podarte, a gdy spojrzałam w lustro, czekając, aż zagrzeje się woda na kąpiel, ujrzałam w błyszczącej od słońca tafli trzy miesiące życia w błocie i śniegu, wysoko w górach, w suchym, ostrym powietrzu.

Czasu wystarczyło mi tylko na tyle, by umyć ręce, ramiona, twarz, szyję, zagłębienia pod pachami, no i to miejsce między nogami. Kwiat Śniegu uczesała mnie, spinając brudną, matową masę w kok i owijając go czystą chustką. Właśnie pomagała mi zawiązać w pasie jej spodnie od jednego z wyprawnych strojów, gdy z dołu dobiegł nas tętent kopyt kuca i skrzypienie kół zbliżającego się wozu. Kwiat Śniegu pośpiesznie zapięła guziki mojej tuniki. Chwilę stałyśmy naprzeciwko siebie. Przyjaciółka położyła dłoń na jasnoniebieskim kwadracie na mojej piersi.

– Pięknie wyglądasz – powiedziała.

Miałam przed sobą osobę, którą kochałam najbardziej na świecie, lecz wciąż czułam niepokój i wzburzenie, jakie wywołały we mnie jej słowa o litości, wypowiedziane na krawędzi skały. Nie chciałam odejść bez wyjaśnienia.

– Nigdy nie miałam cię za... – chwilę starałam się znaleźć taktowne słowa, lecz szybko zrezygnowałam – ...gorszą od siebie – dokończyłam.

Uśmiechnęła się. Moje serce mocno biło pod jej palcami.

– Obiecałaś, że nie będziesz mnie już okłamywać...

I wtedy, zanim zdążyłam powiedzieć coś więcej, usłyszałam głos mojego męża.

– Lilio, Lilio!

Zbiegłam – tak, zbiegłam! – po schodach na dół i wypadłam przed dom. Na jego widok osunęłam się na kolana i dotknęłam czołem jego stóp, tak bardzo wstydziłam się tego, jak musiałam wyglądać i jaki zapach wydzielało moje nie do końca umyte ciało. Ale on podniósł mnie z ziemi i zamknął w ramionach.

– Och, Lilio, Lilio, Lilio... – Jego głos był stłumiony, bo wciąż mnie całował, nie zwracając najmniejszej uwagi na to, że nie jesteśmy sami.

– Dalang... – pierwszy raz w życiu nieśmiało wymówiłam jego imię.

Ujął mnie za ręce i odsunął od siebie, żeby zajrzeć w twarz. W jego oczach lśniły łzy. Znowu przytulił mnie mocno, z całej siły, gniotąc w uścisku.

– Musiałem wyprowadzić wszystkich z Tongkou – wyjaśnił. – Potem trzeba było jeszcze wyprawić w drogę dzieci...

Dopiero później zrozumiałam, że to wszystko zmieniło mojego męża z syna dobrego i szczodrego naczelnika wioski w pełnoprawnego naczelnika, który sam zasłużył sobie na najwyższy szacunek.

– Wiele razy szukałem cię w okolicy – dodał.

Drżał na całym ciele.

Jakże często w naszych kobiecych pieśniach powtarzamy: „Nie nosiłam w sercu żadnych uczuć do mojego męża" albo: „Mój mąż nie nosił w sercu żadnych uczuć do mnie"... Te zdania często służą jako refren pieśni, muszę tu jednak wyznać, że tamtego dnia miałam w sercu głębokie uczucie do męża, a on do mnie.

Ostatnie chwile w Jintian wydają mi się dziwnie niewyraźne, jakby ich obraz uległ zamazaniu. Mąż wypłacił rzeźnikowi sowitą nagrodę. Kwiat Śniegu objęła mnie, ja odwzajemniłam uścisk. Chciała, żebym zabrała nasz wachlarz, ale wolałam go zostawić, ponieważ jej smutek był jeszcze świeży, a ja czułam tylko radość i szczęście. Pożegnałam się z synem Kwiatu Śniegu i obiecałam przysłać mu podręczniki, by mógł uczyć się pisma mężczyzn. Na koniec nachyliłam się nad córką mojej przyjaciółki.

– Niedługo zobaczymy się znowu – powiedziałam.

Potem usadowiłam się na wozie. Mąż zebrał wodze i cmoknął na kuca. Obejrzałam się, pomachałam Kwiatowi Śniegu i zwróciłam się twarzą do Tongkou – do domu, do rodziny, do normalnego życia.

List Pełen Wyrzutów

W całym okręgu ludzie zajęli się odbudową życia, mam na myśli tych, którzy podobnie jak ja przetrwali ten pełen ciężkich doświadczeń rok, rok epidemii i rebelii. Byliśmy wyczerpani emocjonalnie i zasmuceni odejściem wielu bliskich, lecz mimo wszystko wdzięczni losowi, że żyjemy. Powoli dochodziliśmy do siebie. Mężczyźni wracali do pracy na polach, synowie do nauki, a kobiety i dziewczęta do izb na piętrze, gdzie haftowały i tkały. Wszyscy brnęliśmy naprzód, zachęcani myślą o szczęściu, jakie było naszym udziałem.

W przeszłości myślałam czasami z zaciekawieniem o świecie mężczyzn, lecz teraz przyrzekłam sobie, że będę unikać takich myśli jak ognia. Moim przeznaczeniem było życie w izbie na górze. Byłam zadowolona, że znowu widzę twarze szwagierek i że będę mogła spędzać z nimi długie popołudnia, urozmaicone ręcznymi robótkami, piciem herbaty, śpiewaniem i opowiadaniem rozmaitych historii. Wszystko to było jednak niczym w porównaniu z uczuciami, jakie ogarnęły mnie przy spotkaniu z dziećmi. Trzy miesiące wydawały się wiecznością i im, i mnie. Dzieci wyrosły i zmieniły się. W czasie mojej nieobecności najstarszy syn skończył dwanaście lat. Tygodnie wielkiego chaosu spędził w bezpiecznym miejscu, chronionym przez cesarskie od-

293

działy, skoncentrowany na nauce. Poznał najważniejszą prawdę – że wszyscy studenci i uczeni, niezależnie od tego, gdzie mieszkają i jakim posługują się dialektem, zgłębiają te same teksty i przystępują do takich samych egzaminów, a wszystko po to, aby w całym kraju panowały zasady lojalności, uczciwości i jedności. Nawet z dala od stolicy, w odległych okręgach, takich jak nasz, miejscowi urzędnicy – wyszkoleni w ten sam sposób – pomagali ludziom zrozumieć istotę więzi łączących ich z cesarzem. Wiedziałam, że jeżeli mój syn nie zboczy z obranej drogi, pewnego dnia przystąpi do egzaminów na cesarskiego urzędnika.

W ciągu tego roku widywałam Kwiat Śniegu częściej niż w latach wcześniejszych. Nasi mężowie nie próbowali nas powstrzymać, chociaż w innych częściach kraju wciąż szalała rebelia. Dalang uwierzył, że pod opieką rzeźnika nie grozi mi nic złego, natomiast rzeźnik przychylnym okiem patrzył na wizyty żony w naszym domu, świadomy, że zawsze wraca obdarowana żywnością, książkami i pieniędzmi. Sypiałyśmy razem, a nasi małżonkowie przenosili się na ten czas do innych izb, abyśmy mogły nacieszyć się swoim towarzystwem. Rzeźnik nie śmiał się sprzeciwiać, bo wiedział, jakie zdanie ma na ten temat mój mąż. Zresztą, jak mogliby nas powstrzymać, położyć kres naszym wizytom, wspólnym nocom, szeptanym sobie do ucha zwierzeniom? Nie bałyśmy się ani słońca, ani deszczu, ani śniegu. Słuchaj, słuchaj, słuchaj, a potem rób to, co chcesz.

Przy okazji świąt spotykałyśmy się także w Puwei. Kwiat Śniegu z radością odwiedzała stryjenkę i stryja, których dobroć zapewniła im miłość i szacunek całej rodziny. Stryjenka była ukochaną babcią wszystkich swoich „wnucząt", a pozycja stryja była teraz znacznie lepsza niż za życia mojego ojca. Starszy brat polegał na radach stryja w sprawach związanych z pracą na polu i prowadzeniem rachunków, Stryj zaś chętnie służył mu pomocą. Stryjenka i stryj dożywali swoich dni w szczęściu i spokoju, chociaż wcześniej nikt, włącznie z nimi samymi, nie wyobrażał sobie takiego zakończenia.

Kiedy tamtego roku Kwiat Śniegu i ja udałyśmy się do świątyni Gupo, nasze dziękczynne modły były szczere i głębokie. Złożyłyśmy ofiary i wiele razy biłyśmy czołem przed ołtarzem w podzięce za przeżycie zimy. Potem poszłyśmy na kostki taro w cukrze. Siedząc przy stoliku, planowałyśmy przyszłość naszych córek i omawiałyśmy rozmaite metody krępowania stóp, które miały zapewnić upragniony efekt w postaci idealnych złocistych lilii. Po powrocie do domów przygotowałyśmy bandaże, zakupiłyśmy kojące zioła, wyhaftowałyśmy miniaturowe pantofelki, które należało złożyć na ołtarzu Guanyin, ulepiłyśmy kleiste ryżowe kulki dla Pani o Maleńkich Stopach i zaczęłyśmy karmić córki kluseczkami z czerwoną fasolą, aby zmiękczyć ich kości. Obie, ale każda z osobna, odbyłyśmy z panią Wang rozmowy na temat związku naszych córek. Przy następnym spotkaniu podzieliłyśmy się wrażeniami z tych rozmów, ze śmiechem przyznając, że ciotka Kwiatu Śniegu w ogóle się nie zmieniła, że jej upudrowana twarz i zdecydowany sposób bycia wciąż były takie same jak dawniej.

Jeszcze dziś, wracając myślami do tamtej wiosny i wczesnego lata, widzę, jak bardzo byłam wtedy szczęśliwa. Miałam rodzinę i moją *laotong*. Mówiłam już, że zrobiłam wielki krok naprzód, lecz sytuacja Kwiatu Śniegu przedstawiała się inaczej. Kwiat Śniegu nie wróciła do normalnej wagi. Jadła niewiele, można powiedzieć, że tylko skubała jedzenie – kilka ziarenek ryżu, dwa kęsy warzyw – za to chętnie piła herbatę. Jej skóra znowu stała się bardzo jasna, ale policzki się nie wypełniły. Gdy w czasie pobytu w Tongkou zaproponowałam, żebyśmy odwiedziły jej stare znajome, uprzejmie odmówiła. Wciąż powtarzała, że na pewno wcale nie miałyby ochoty na takie spotkanie albo że już dawno zapomniały o jej istnieniu. Męczyłam ją tak długo, aż wreszcie zgodziła się pojechać ze mną w następnym roku na ceremonię Siedzenia i Śpiewania dziewczyny z rodu Lu, dalekiej kuzynki Kwiatu Śniegu i mojej sąsiadki.

Popołudniami, kiedy ja haftowałam, zwykle siedziała nieruchomo, zapatrzona w okno i głęboko zamyślona. Można było pomyśleć, że tamtego dnia, ostatniego dnia naszego pobytu w górach, jednak skoczyła ze skały i teraz wisiała w powietrzu, bardzo powoli, w milczeniu spadając na dno przepaści. Dostrzegałam jej smutek, ale uparcie wypierałam go ze świadomości. Mąż kilkakrotnie ostrzegał mnie, że dzieje się coś złego.

– Jesteś silna – powiedział pewnego wieczoru, kiedy Kwiat Śniegu odjechała już do Jintian. – Wróciłaś z gór, a ja każdego dnia jestem coraz bardziej dumny z tego, jak prowadzisz nasz dom i dajesz dobry przykład wszystkim kobietom z wioski, lecz... Proszę, nie złość się na mnie, ale jesteś ślepa, jeśli chodzi o twoją *laotong*. Kwiat Śniegu nie jest taka sama jak ty, w każdym razie nie we wszystkim. Może wydarzenia ostatniej zimy okazały się dla niej za trudne, nie wiem... Nie znam jej dobrze, ale przecież ty na pewno widzisz, że nadrabia miną. I chyba już wiesz, że nie każdy mężczyzna jest taki jak twój mąż, chociaż zrozumienie tego faktu zajęło ci wiele lat...

Jego zwierzenia wprawiły mnie w stan głębokiego zażenowania. Nie, to niezupełnie tak... Czułam raczej irytację, że śmie wtrącać się w wewnętrzne sprawy kobiet, ale nie sprzeczałam się z nim, gdyż znałam swoje miejsce. Tak czy inaczej, musiałam dowieść samej sobie, że mąż się myli, a ja mam rację, dlatego w czasie następnej wizyty Kwiatu Śniegu przyjrzałam się jej uważniej niż w ostatnich miesiącach. Po raz pierwszy od bardzo dawna słuchałam, naprawdę słuchałam tego, co miała mi do powiedzenia. Domowa sytuacja Kwiatu Śniegu przedstawiała się coraz gorzej. Teściowa skąpiła jedzenia, wydzielając jej zaledwie jedną trzecią normalnej dziennej porcji ryżu.

– Jem tylko czysty kleik – wyznała Kwiat Śniegu. – Ale

wcale mi to nie przeszkadza. Ostatnio prawie nigdy nie jestem głodna.

Jeszcze gorsze było to, że mąż wcale nie przestał jej bić.

– Mówiłaś, że już nigdy nie będzie cię tak traktował! – oburzyłam się, nie chcąc wierzyć, że spostrzeżenia mojego męża były słuszne.

– Co mam na to poradzić? Nie mogę przecież odpowiadać uderzeniem na uderzenie...

Siedziała naprzeciwko mnie, a płótno, które haftowała, leżało na jej kolanach, wiotkie i pogniecione jak skórka sera tofu.

– Dlaczego nic mi nie powiedziałaś?

– Dlaczego miałabym obarczać cię troskami, skoro i tak nie możesz zmienić mojego losu? – zapytała w odpowiedzi.

– Możemy odmienić los, jeżeli dołożymy starań – odrzekłam. – Ja zmieniłam swoje życie, więc ty także możesz to zrobić...

Patrzyła na mnie oczami szarej myszki.

– Jak często cię bije? – usiłowałam mówić spokojnie, chociaż byłam bardzo poruszona.

Byłam wściekła, że mąż nadal nią poniewiera, a ona przyjmuje to w tak bierny sposób, a także urażona, że nie powierzyła mi swoich zmartwień – znowu.

– Góry go zmieniły – powiedziała. – Zmieniły nas wszystkich, nie widzisz tego?

Jak często? – powtórzyłam nieustępliwie.

– Tyle razy sprawiłam mu zawód...

Krótko mówiąc, bił ją częściej, niż chciała przyznać.

– Zamieszkaj ze mną, proszę!

– Porzucenie męża to najgorsza rzecz, jaką może zrobić kobieta – odparła. – Dobrze o tym wiesz.

Wiedziałam. Był to występek, za który mąż miał prawo ukarać uciekinierkę śmiercią.

– Poza tym nigdy nie opuściłabym dzieci – dodała. – Mój syn potrzebuje kogoś, kto by go bronił...

– Własnym ciałem? – zapytałam.

Co mogła na to powiedzieć?

Gdy dziś, jako osiemdziesięcioletnia staruszka, wspominam tamte dni, doskonale widzę, że ze zbytnim zniecierpliwieniem potraktowałam moją zagubioną *laotong*. Wcześniej, gdy nie wiedziałam, jak zareagować na jej rozpacz, kazałam przestrzegać zasad rządzących naszym wewnętrznym światem i w ten sposób walczyć ze złem, które pojawiło się w jej życiu. Tym razem posunęłam się dalej, zachęcając ją, by przejęła kontrolę nad mężem-kogutem. Wierzyłam, że kobieta urodzona pod znakiem Konia może posłużyć się swoim uporem i dzięki niemu zmienić sytuację. Skoro Kwiat Śniegu miała tylko bezużyteczną córkę i niekochanego pierwszego syna, powinna postarać się znowu zajść w ciążę. Musiała więcej się modlić, jeść pożywne potrawy i poprosić zielarza o odpowiednie toniki – wszystko po to, aby urodzić syna. Jeżeli da mężowi to, na czym mu zależy, na pewno przypomni sobie, ile jest warta. Ale to nie wszystko...

Kiedy piętnastego dnia siódmego miesiąca spotkałyśmy się z okazji Święta Duchów, zasypałam ją pytaniami, które powinna była zrozumieć jako sugestie służące poprawie jej sytuacji. Dlaczego nie stara się być lepszą żoną? Dlaczego nie próbuje uszczęśliwić męża tak jak umie? Dlaczego nie szczypie się w policzki, żeby przywrócić im rumieniec? Dlaczego nie je więcej, żeby mieć więcej energii? Dlaczego po powrocie do domu nie miałaby ukłonić się teściowej, przygotować coś dobrego do jedzenia, pośpiewać i zrobić wszystko, aby sprawić staruszce przyjemność? Dlaczego bardziej się nie stara, żeby sprawy ułożyły się jak należy? Sądziłam, że udzielam jej praktycznych rad, ale nie miałam pojęcia o zmartwieniach i troskach Kwiatu Śniegu. Byłam panią Lu, uważałam, że mam rację, i tyle.

Gdy wyczerpałam listę rzeczy, które Kwiat Śniegu mogłaby zrobić w swoim domu, zaczęłam wypytywać ją, jak czuje się u mnie. Czy nie jest szczęśliwa, że jest ze mną? Czy nie podobają jej się jedwabne stroje, które ode mnie dostaje?

A może nie przekazuje mężowi darów nieustającej wdzięczności od rodziny Lu z odpowiednią pokorą? Może właśnie dlatego rzeźnik nie jest z niej zadowolony? Czy nie docenia, że zatrudniłam nauczyciela dla mieszkających w Jintian chłopców w wieku jej syna? Czy nie dostrzega, że czyniąc nasze córki *laotong*, odmienimy los Wiosennego Księżyca, podobnie jak kiedyś odmieniono mój?

Jeżeli naprawdę mnie kocha, dlaczego nie może postępować tak jak ja – ukryć się w kokonie chroniących kobietę konwencjonalnych zasad i w ten sposób poprawić swoją sytuację? W odpowiedzi na wszystkie te pytania Kwiat Śniegu wzdychała lub kiwała głową. Jej reakcja budziła we mnie jeszcze większe zniecierpliwienie. Zadawałam coraz więcej pytań, podawałam coraz więcej starannie przemyślanych działań i w końcu Kwiat Śniegu poddała się i obiecała, że zrobi to, o czym mówię. Tyle że nic nie zrobiła i następnym razem moje rozczarowanie i zniecierpliwienie były jeszcze ostrzejsze. Nie rozumiałam, że duch dzielnego konia, jakim moja *laotong* była w latach dzieciństwa, został nieodwracalnie złamany. Byłam tak uparta, że wierzyłam, iż mogę uleczyć rumaka, który okulał.

Moje życie zmieniło się raz na zawsze piętnastego dnia ósmego miesiąca księżycowego szóstego roku panowania cesarza Xianfenga. Przyszło święto Środka Jesieni, za parę dni miałyśmy rozpocząć krępowanie stóp naszych córek. Tego roku Kwiat Śniegu z dziećmi zamierzała spędzić święto u nas, ale na progu mojego domu pojawił się ktoś inny. Była to Lotos, jedna z kobiet, która znalazła schronienie pod naszym drzewem w górach. Zaprosiłam ją na herbatę do izby na górze.

– Dziękuję, ale przyszłam do Tongkou z wizytą do mojej rodziny – powiedziała.

– Rodzina z radością wita zamężną córkę – odparłam uprzejmie, jak kazały zasady dobrego wychowania. – Jestem pewna, że bardzo ucieszą się na twój widok...

– Ja także z przyjemnością wracam do domu – rzekła, sięgając do koszyka z księżycowymi ciasteczkami, który zawiesiła sobie na ramieniu. – Nasza przyjaciółka prosiła mnie, żebym ci coś przekazała...

Wyjęła z kosza długą, wąską paczuszkę, zawiniętą w kawałek seledynowego jedwabiu, którego sztukę dałam ostatnio Kwiatowi Śniegu. Położyła ją na mojej dłoni, wypowiedziała życzenia szczęścia dla mnie i domu, po czym, chwiejąc się z gracją, zniknęła za rogiem.

Kształt paczuszki powiedział mi, co znajduje się w środku, ale nie byłam w stanie odgadnąć, dlaczego Kwiat Śniegu nie przybyła na święto i przysłała wachlarz. Poszłam na górę i zaczekałam, aż szwagierki wybiorą się do wioski, aby obdarować przyjaciół księżycowymi ciastkami. Wysłałam z nimi córkę, mówiąc, że powinna wykorzystać ostatnie dni wolności. Po ich wyjściu usiadłam na krześle przy oknie. Popołudniowe światło wpadało do izby przez rzeźbioną kratę, rysując wzór liści i pędów winorośli na stoliku do robótek ręcznych. Długo wpatrywałam się w seledynowy jedwab. Skąd wiedziałam, że powinnam się bać? Wreszcie ostrożnie odwinęłam jeden koniec materiału, potem drugi i odsłoniłam nasz wachlarz. Wzięłam do ręki i powolutku rozłożyłam fałdy. Obok wypisanych węglowym tuszem znaków, które umieściłyśmy tam ostatniej nocy przed zejściem z gór, ujrzałam nową kolumnę.

Mam za dużo kłopotów – napisała Kwiat Śniegu. Jej pismo zawsze było piękniejsze od mojego, cieniutkie linie tak delikatne, że ich zakończeń prawie nie było widać. *– Nie potrafię być taka, jaką chciałabyś mnie widzieć. Nie będziesz już więcej musiała słuchać moich narzekań. Trzy zaprzysiężone siostry obiecały kochać mnie taką, jaka jestem. Napisz do mnie, nie po to, aby mnie pocieszać, jak robiłaś to do tej pory, ale by wspominać szczęśliwe dni, które razem przeżyłyśmy.*

To wszystko.

Poczułam się tak, jakby ktoś przebił mnie mieczem. Mój żołądek skurczył się z nieoczekiwanego bólu. Obiecały ją kochać? Czy naprawdę pisała o miłości zaprzysiężonych sióstr na naszym sekretnym wachlarzu? Jeszcze raz przeczytałam list, zaskoczona i zagubiona. „Trzy zaprzysiężone siostry obiecały kochać mnie taką, jaką jestem"... Ale przecież Kwiat Śniegu i ja byłyśmy *laotong*, nasz uczuciowy związek był silny jak małżeństwo, dość silny, aby przetrwać najdłuższą rozłąkę, ważniejszy niż związek z mężczyzną... Złożyłyśmy uroczystą obietnicę, że będziemy sobie wierne aż do śmierci. Fakt, że Kwiat Śniegu łamała tę przysięgę, tworząc nowy związek z zaprzysiężonymi siostrami, był niewypowiedzianie bolesny, sugestia zaś, iż w jakiś sposób nadal powinnyśmy być przyjaciółkami, dosłownie zaparła mi dech w piersiach. To, co napisała, było znacznie gorsze, niż gdyby mój mąż oświadczył nagle, że sprowadza do domu konkubinę. Sama także miałam możliwość wejścia w związek zaprzysiężonych sióstr, młodych mężatek z Tongkou. Teściowa uparcie popychała mnie w ich kierunku, lecz ja dołożyłam wszelkich starań, aby Kwiat Śniegu pozostała najważniejszą częścią mojego życia. A teraz... Teraz to ona postanowiła mnie odrzucić? Wszystko wskazywało na to, że Kwiat Śniegu, kobieta, którą obdarzyłam głęboką miłością, którą wysoko ceniłam i z którą związałam się na całe życie, wcale nie żywiła do mnie takich samych uczuć.

W chwili, gdy byłam pewna, że znalazłam się na samym dnie rozpaczy, uświadomiłam sobie, iż te trzy zaprzysiężone siostry muszą być tymi kobietami z jej wioski, które spotkałyśmy w górach. Zaczęłam przypominać sobie wszystko, co wydarzyło się ostatniej zimy, dzień po dniu. Czyżby podstępnie planowały odebrać mi ją już od tamtej pierwszej nocy, kiedy śpiewały opowieść o plemieniu Yao? Czy Kwiat Śniegu poczuła do nich pociąg, niczym mąż do nowych konkubin, które są młodsze, ładniejsze i bardziej uległe niż wierna, lojalna żona? Czy łóżka tych kobiet były cieplejsze, ich ciała jędrniejsze, opowieści ciekawsze? Czy patrząc w ich twarze, dostrzegała tylko brak oczekiwań i zobowiązań?

Ten ból był niepodobny do jakiegokolwiek innego – ostrzejszy, sięgający głębiej, bardziej rozdzierający, bardziej dotkliwy niż bóle porodowe... I wtedy nagle coś się we mnie zmieniło. Zaczęłam reagować nie jak mała dziewczynka, która bez pamięci zakochała się w Kwiecie Śniegu, lecz jak pani Lu, kobieta przesiąknięta mocną wiarą, że konwencjonalne zasady mogą przynieść spokój umysłu. W tym stanie łatwiej było mi rozpocząć wyliczanie wad Kwiatu Śniegu niż ogarnąć myślą kłębiące się we mnie uczucia.

Ponieważ kochałam Kwiat Śniegu, zawsze wynajdywałam dla niej rozmaite usprawiedliwienia, lecz teraz, skupiwszy się na jej słabych punktach, ujrzałam plątaninę kłamstw i zdradliwych przemilczeń. Okłamała mnie wiele razy – chciała ukryć przede mną prawdę o swojej rodzinie, o życiu małżeńskim, nawet o tym, że mąż regularnie ją bił. Nie była wierną *laotong*, więcej, nie była nawet bardzo dobrą przyjaciółką, bo nie była ze mną szczera. Jakby tego nie było dosyć, pozwoliłam, aby wspomnienia ostatnich tygodni ogarnęły mnie wielką falą. Kwiat Śniegu korzystała z moich pieniędzy i pozycji, aby zapewnić sobie lepsze stroje i jedzenie, a także lepszą pozycję dla córki, ignorując moje propozycje pomocy, sugestie i rady. Poczułam się oszukana i potwornie naiwna.

Wtedy stało się coś naprawdę bardzo dziwnego – nagle ujrzałam twarz mojej matki. Przypomniałam sobie, jak rozpaczliwie pragnęłam jej miłości, gdy byłam mała. Sądziłam, że spełniając wszystkie jej polecenia i znosząc ból zabiegu krępowania stóp, zasłużę na uczucie, więcej, wierzyłam, że udało mi się je zdobyć, tymczasem ona nie czuła do mnie zupełnie nic. Tak jak Kwiat Śniegu, której chodziło tylko o własne korzyści. Moją pierwszą reakcją na kłamstwa i brak uczucia matki był gniew; nigdy jej nie wybaczyłam, ale z czasem zaczęłam coraz bardziej się od niej odsuwać, aż wreszcie nie miała już nade mną żadnej emocjonalnej władzy. Aby ochronić swoje serce, musiałam zrobić to samo w odniesieniu do Kwiatu Śniegu. Nie mogłam pozwolić, by kto-

kolwiek się zorientował, że umieram z rozpaczy, ponieważ ona już mnie nie kocha, musiałam też ukryć wściekłość i rozgoryczenie, bo prawdziwa dama nie może pozwolić sobie na podobne uczucia.
Złożyłam wachlarz i schowałam go. Kwiat Śniegu prosiła, żebym odpisała. Nie zrobiłam tego. Minął tydzień, a wraz z nim dzień, w którym miałyśmy rozpocząć krępowanie stóp naszych córek, potem drugi. Lotos znowu zapukała do naszych drzwi, tym razem przynosząc list, który Yonggang oddała mi w izbie na górze. Rozwinęłam papier i przebiegłam wzrokiem znaki. Delikatne pociągnięcia pędzelka, które kiedyś odbierałam jak pieszczoty, a teraz jak zadawane sztyletem ciosy.

Dlaczego nie piszesz? Czy jesteś chora, czy może szczęście znowu uśmiechnęło się do twojej rodziny? Zaczęłam krępować stopy mojej córki dwudziestego czwartego dnia, tego samego, kiedy matki zaczęły krępować nasze stopy. Czy ty także tego dnia nałożyłaś córce bandaże? Wyglądam przez okno i patrzę w stronę twojego domu. Moje serce leci ku tobie na skrzydłach, śpiewając pieśń szczęścia dla naszych córek.

Przeczytałam list, potem przytknęłam róg papieru do płomienia olejnej lampki. Patrzyłam, jak jego brzegi skręcają się i czernieją, a słowa ulatują z dymem. W następnych dniach, gdy na dworze zrobiło się chłodniej i wreszcie zaczęłam krępować stopy Nefrytu, dostałam jeszcze kilka listów. Spaliłam wszystkie.
Skończyłam trzydzieści trzy lata. Miałam szansę przeżyć jeszcze siedem, może nawet siedemnaście. Wydawało mi się, że nie zniosę dręczących mnie uczuć przez kolejną minutę, a cóż dopiero przez rok lub dłużej. Bardzo cierpiałam, ale pomogła mi dyscyplina wewnętrzna, dzięki której przetrwałam krępowanie stóp, epidemię i zimę w górach. Przystąpiłam do Wycinania Choroby z Serca – tak nazwałam tę operację. Kiedy pamięć podsuwała mi jakieś wspomnienie, pośpiesznie zamalowywałam je na czarno. Gdy moje oczy

spoczęły na czymś, co kojarzyło się z Kwiatem Śniegu, zamykałam je. Kiedy poczułam znajomy zapach, ukrywałam twarz w płatkach kwiatu, dorzucałam parę ząbków czosnku do woka lub przywoływałam zapach głodu, który wiecznie towarzyszył mi w górach. Kiedy wspomnienie musnęło moją skórę – w postaci dotyku dłoni córki, oddechu męża w nocy czy lekkiego podmuchu wiatru przemykającego po moich piersiach w czasie kąpieli – drapałam ją szczotką, szorowałam i myłam, dopóki nie znikło. Byłam surowa i bezwzględna jak rolnik, który po żniwach wydziera z ziemi pozostałości ostatnich wspaniałych plonów. Usiłowałam wyrwać wszystkie wspomnienia z korzeniami, wiedząc, że tylko w ten sposób zdołam ocalić głęboko zranione serce.

Gdy wspomnienia miłości Kwiatu Śniegu nadal mnie prześladowały, zbudowałam wieżę z kwiatów, podobną do tej, jaką kiedyś wzniosłyśmy, aby oddalić ducha Pięknego Księżyca. Musiałam wygnać tego nowego ducha, nie pozwolić mu na nowo osiedlić się w moim umyśle. Nie mogłam dopuścić, by znowu zaczął dręczyć mnie złamanymi obietnicami wielkiego uczucia. Oczyściłam kosze, kufry, skrzynie, szuflady i półki z podarunków, które przez te wszystkie lata otrzymałam od Kwiatu Śniegu. Chciałam znaleźć wszystkie listy, które do mnie napisała, ale miałam trudności z ich odszukaniem. Nie mogłam znaleźć naszego wachlarza... Nie mogłam znaleźć wielu rzeczy, ale to, co znalazłam, umieściłam w wieży z kwiatów. Potem ułożyłam list:

Ty, która dawniej znałaś moje serce, teraz nic o mnie nie wiesz. Palę wszystkie twoje słowa z nadzieją, że rozpłyną się w chmurach. Ty, która zdradziłaś mnie i porzuciłaś, na zawsze straciłaś miejsce w moim sercu. Proszę, proszę, zostaw mnie w spokoju.

Złożyłam papier i przez malutkie okienko wrzuciłam do górnej izby wieży z kwiatów, a potem podpaliłam całą budowlę, tu i ówdzie polewając olejem chusteczki, fragmenty tkanin i haftów.

Jednak Kwiat Śniegu nie przestała mnie prześladować. Gdy krępowałam stopy córki, miałam wrażenie, ze moja *laotong* jest ze mną w izbie, kładzie rękę na moim ramieniu i szepcze mi do ucha: „Sprawdź, czy równo nałożyłaś bandaże. Okaż córce matczyną miłość". Śpiewałam, żeby zagłuszyć te słowa. Czasami w nocy wydawało mi się, że czuję dotyk jej dłoni na moim policzku i długo nie mogłam zasnąć. Leżałam wpatrzona w ciemność, wściekła na siebie i na nią, powtarzając w myśli: „Nienawidzę cię, nienawidzę cię, nienawidzę... Złamałaś przysięgę wierności. Zdradziłaś mnie".

Dwie osoby odczuły gorzką siłę mojego cierpienia. Pierwszą z nich, przyznaję ze wstydem, była córka, drugą, mówię to z prawdziwym żalem, stara pani Wang. Macierzyńska miłość, którą nosiłam w sercu, była bardzo silna i kiedy krępowałam stopy Nefrytu, starałam się zachować wszelkie środki ostrożności, pamiętając nie tylko o tym, co spotkało trzecią siostrę, ale także o wszystkich cennych wskazówkach mojej teściowej, która dobrze wiedziała, jak zapobiec infekcji, okaleczeniu czy śmierci. Nie przeczę jednak, że przy okazji przelewałam ból, który czułam, prosto w stopy córki, bo czyż moje własne stopy nie stały się dla mnie źródłem wszystkich cierpień i korzyści?

Chociaż kości Nefrytu oraz jej wewnętrzne nastawienie były miękkie i ustępliwe, dziewczynka płakała żałośnie. Nie mogłam znieść jej płaczu, chociaż dopiero zaczęłyśmy krępowanie. Zapanowałam nad uczuciami i zaprzęgłam je do roboty, każąc małej chodzić w tę i z powrotem po izbie, przy każdej zmianie bandaży krępując jej stopy jeszcze ciaśniej i upominając ją – nie, raczej wykrzykując z goryczą słowa, które matka wbijała mi do głowy: „Prawdziwa dama nie pozwala, aby w jej życie weszła brzydota. Tylko poprzez ból osiągniesz piękno. Tylko cierpienie prowadzi do spokoju. Ja krępuję i wiążę twoje stopy, ale ty odbierzesz nagrodę". Miałam nadzieję, że dzięki temu, co robię, sama otrzymam choćby najmniejszą nagrodę i znajdę odrobinę spokoju, o którym mówiła matka.

Wmawiając sobie, że chcę dla Nefrytu jak najlepiej, zaczęłam rozmawiać z innymi kobietami z Tongkou, które w tym samym czasie krępowały stopy córek.

– Wszystkie mieszkamy w tej wiosce, więc czy nasze córki nie powinny zostać zaprzysiężonymi siostrami?

Ostatecznie stopy Nefrytu okazały się prawie równie małe jak moje, ale zanim się tego dowiedziałam, piątego miesiąca nowego roku księżycowego wizytę złożyła mi pani Wang. Zapamiętałam ją jako osobę, która w ogóle się nie zmienia. Zawsze była starą kobietą, ale tamtego dnia przyjrzałam jej się krytycznie. Była dużo młodsza niż ja jestem teraz, co znaczy, że kiedy pierwszy raz zobaczyłam ją wiele lat wcześniej, musiała mieć najwyżej czterdzieści lat. Moja matka i matka Kwiatu Śniegu nie dożyły tak zaawansowanego wieku, a i tak wszyscy uważali, że żyły dość długo. Dziś myślę, że pani Wang, zostawszy wdową, nie chciała umrzeć ani zamieszkać w domu innego mężczyzny. Postanowiła żyć i radzić sobie całkiem sama. Oczywiście nie udałoby się jej, gdyby nie była wyjątkowo bystra, sprytna i świadoma, jak zarabiać. Musiała jednak poradzić sobie jeszcze ze swoim ciałem, dała więc wszystkim do zrozumienia, że nie myśli o małżeństwie, pokrywając grubą warstwą pudru twarz, która być może była piękna, i ubierając się w kolorowe stroje, wyróżniające ją spośród zamężnych kobiet naszego okręgu. Gdy wtedy odwiedziła mnie w domu, z całą pewnością miała sześćdziesiąt parę lat, może nawet dobiegała siedemdziesiątki, i już nie musiała ukrywać urody pod pudrem i wulgarnie barwnymi jedwabiami. Była starą kobietą, nadal bystrą, nadal świetnie zorientowaną w interesach, lecz miała jedną, ważną dla mnie wadę. Pani Wang kochała swoją siostrzenicę.

– Bardzo dawno się nie widziałyśmy, pani Lu – powiedziała, opadając na krzesło w głównej izbie. Gdy nie zapro-

ponowałam jej herbaty, niespokojnie rozejrzała się dookoła. – Czy twój mąż jest w domu?

– Pan Lu wróci później, ale ta wizyta to chyba wynik jakiegoś nieporozumienia – odparłam. – Moja córka jest jeszcze za młoda, aby ojciec negocjował dla niej małżeństwo...

Pani Wang z rozmachem klepnęła się w udo i zarecho-
tała. Kiedy nie przyłączyłam się do tego wybuchu weso-
łości, szybko spoważniała.

– Wiesz, że nie małżeństwo jest celem mojej wizyty. Przyjechałam omówić związek *laotong*, a te sprawy dotyczą tylko kobiet...

Zaczęłam powoli postukiwać paznokciem palca wskazującego w poręcz krzesła z tekowego drewna. Dźwięk ten nawet mnie wydał się głośny i denerwujący, ale nie przestałam.

Pani Wang sięgnęła do rękawa i wyjęła wachlarz.

– Przywiozłam go dla twojej córki. Może pozwolisz, abym
jej przekazała.

– Moja córka jest na piętrze, ale pan Lu na pewno nie
chciałby, aby w jej ręce dostało się coś, czego sam wcześniej
nie obejrzał.

– Ależ pani Lu, ten list został napisany pismem kobiet!

– Więc proszę mi go dać – wyciągnęłam rękę.

Stara swatka popatrzyła na moją drżącą rękę i zawahała się.

– Kwiat Śniegu...

– Nie! Krótkie słowo zabrzmiało ostrzej, niż zamierzałam, ale nie mogłam znieść dźwięku jej imienia. – Poproszę
o wachlarz – dodałam spokojniej.

Podała mi go niechętnie. W mojej głowie szalała armia
nasączonych czarnym tuszem pędzelków, które pracowicie
zamazywały pojawiające się tam myśli i wspomnienia. Przy-
wołałam na pomoc myśl o twardych brązowych figurach
w świątyni przodków, twardym lodzie w środku zimy, twardych kościach, wysuszonych bezlitosnym słońcem i jednym
ruchem otworzyłam wachlarz.

Słyszałam, że w twoim domu mieszka dziewczyna dobrego charakteru i bogatej wiedzy w sprawach kobiet. Były to prawie dokładnie te same słowa, które wiele lat temu napisała do mnie Kwiat Śniegu. Podniosłam wzrok i zobaczyłam, że pani Wang uważnie wpatruje się w moją twarz, postarałam się więc nadać rysom wyraz spokoju i łagodności, upodobnić je do powierzchni stawu w bezwietrzną noc. *Nasze rodziny uprawiają ogrody. Kwitną w nich dwa kwiaty. Przyszedł czas, aby się spotkały. Ty i ja przyszłyśmy na świat w tym samym roku. Czy zostaniemy* laotong? *Razem wzbijemy się wysoko ponad chmury.*

W każdym starannie nakreślonym znaku słyszałam głos Kwiatu Śniegu. Z trzaskiem zamknęłam wachlarz i podałam pani Wang, lecz ona nie wzięła go z mojej ręki.

– Wydaje mi się, pani Wang, że zaszła jakaś pomyłka. Osiem znaków tych dwóch dziewcząt zupełnie do siebie nie pasuje, zgodność dotyczy tylko roku urodzenia. Ich stopy od początku różniły się wielkością i sądzę, że po zakończeniu krępowania nadal tak będzie. Poza tym... – szerokim gestem ogarnęłam główną izbę mojego domu – ...warunki, w jakich żyją dziewczęta, są całkowicie odmienne, o czym wszyscy doskonale wiedzą.

Pani Wang zmrużyła oczy.

– Myślisz, że nie wiem, o co naprawdę chodzi? – prychnęła. – Otóż wiem wszystko. Bez słowa wyjaśnienia przecięłaś łączącą was więź. Pewna kobieta, twoja *laotong*, gorzko szlocha, zagubiona i pełna smutku...

– Zagubiona i pełna smutku? Wiesz, co zrobiła?

– Porozmawiaj z nią – ciągnęła pani Wang. – Nie psuj planów ułożonych przez dwie kochające matki. Dwie dziewczyny mają przed sobą jasną przyszłość, wspólną przyszłość. Mogą być równie szczęśliwe jak ich matki...

Nie mogłam przystać na propozycję swatki, w żadnym razie. Byłam słaba z rozpaczy i w przeszłości zbyt wiele razy pozwoliłam, aby Kwiat Śniegu oszukała mnie, okłamała, przekonała... Nie mogłam też ryzykować, że zobaczę

Kwiat Śniegu w otoczeniu jej zaprzysiężonych sióstr. Tak długo się zadręczałam, myśląc, jak szepczą sobie na ucho sekrety i wymieniają intymne zwierzenia.

– Nie mogę dopuścić, aby moja córka zniżyła się do poziomu córki rzeźnika – rzuciłam twardo.

Celowo użyłam tak zjadliwych słów. Miałam nadzieję, że swatka sama porzuci poruszony temat, ale ona jakby mnie nie usłyszała.

– Pamiętam, jakie byłyście szczęśliwe – powiedziała. – Raz, gdy przechodziłyście przez most, zobaczyłam wasze odbicie w wodzie... Byłyście tego samego wzrostu, wasze stopy miały tę samą długość, los dał wam taką samą odwagę. Przyrzekłyście sobie wierność. Obiecałyście, że nigdy nie oddalicie się od siebie nawet na krok, że zawsze będziecie razem, że nic was nie rozdzieli...

Szczerym sercem złożyłam te wszystkie obietnice, to prawda, ale co z Kwiatem Śniegu?

– Nie wiesz, o czym mówisz – odparłam. – Tego samego dnia, kiedy podpisałyśmy kontrakt, powiedziałaś: „Żadnych konkubin", pamiętasz, stara kobieto? A teraz idź do swojej siostrzenicy i zapytaj ją, co zrobiła!

Rzuciłam wachlarz na kolana swatki i odwróciłam głowę. Moje serce było tak zimne jak wody rzeki, w której dawno temu moczyłam nogi. Czułam na sobie spojrzenie starej pani Wang, pytające, pełne wątpliwości, żądające wyjaśnień. Nie miała siły prowadzić tej rozmowy dalej, bo usłyszałam, jak niepewnie podnosi się z krzesła. Nadal nie spuszczała ze mnie wzroku, ale ja nie zamierzałam się poddać.

– Przekażę wiadomość od ciebie – odezwała się w końcu łagodnym, pełnym głębokiego zrozumienia głosem, co bardzo mnie zirytowało. – Powinnaś jednak wiedzieć jedno – jesteś wyjątkową osobą, dostrzegłam to dawno temu. Wszyscy mieszkańcy naszego okręgu zazdroszczą ci szczęścia, wszyscy życzą ci długiego życia i pomyślności, lecz ja widzę, że złamałaś dwa serca. To bardzo smutne... Pamiętam małą dziewczynkę, którą kiedyś byłaś... Nie miałaś niczego poza parą ślicznych stóp, a teraz opływasz we wszystko, pani Lu, przede wszystkim zaś zgromadziłaś ogromne zapasy złości, niewdzięczności i zdolności zapominania...

Powoli wyszła na zewnątrz. Słyszałam, jak wsiada do palankinu i wydaje tragarzom polecenie, żeby zanieśli ją do Jintian. Nie mogłam uwierzyć, że pozwoliłam, aby ostatnie słowo należało do niej, nie do mnie.

Minął rok. Zbliżał się dzień Siedzenia i Śpiewania kuzynki Kwiatu Śniegu, która mieszkała w domu obok naszego. Wciąż byłam głęboko przygnębiona i moje serce nadal wybijało niekończący się rytm – *ta dum, ta dum, ta dum* – kobiecych pieśni. Kwiat Śniegu i ja planowałyśmy, że razem udamy się na te uroczystości. Nie wiedziałam, czy teraz moja była *laotong* zjawi się w domu sąsiadów, ale miałam nadzieję, że zdołam uniknąć konfrontacji. Nie chciałam walczyć z Kwiatem Śniegu tak, jak kiedyś walczyłam z moją matką.

Nadszedł dziesiąty dzień dziesiątego miesiąca – doskonała data na rozpoczęcie weselnych ceremonii. Udałam się do domu sąsiadów i weszłam do izby na górze. Panna młoda była ładna, lecz odrobinę bezbarwna. Jej zaprzysiężone siostry siedziały dookoła niej. Od razu zauważyłam panią Wang, a obok niej Kwiat Śniegu. Wyglądała schludnie, włosy ściągnęła do tyłu, w stylu odpowiednim dla mężatki, ubrana była w jeden z kompletów, które podarowałam jej rok wcześniej. To wrażliwe miejsce, gdzie żebra łączą się nad żołądkiem, eksplodowało we mnie nagle skurczem dotkliwego bólu. Krew odpłynęła mi z głowy, miałam wrażenie, że zaraz zemdleję. Nie byłam pewna, czy uda mi się przesiedzieć kilka godzin w tej izbie, blisko Kwiatu Śniegu, i do końca zachować kobiecą godność. Szybko przebiegłam wzrokiem po innych twarzach. Kwiat Śniegu nie przyprowadziła ze sobą Wierzby, Lotosu ani Kwiatu Śliwy... Odetchnęłam z ulgą. Gdyby była tu któraś z nich, uciekłabym bez wahania.

Zajęłam miejsce naprzeciwko Kwiatu Śniegu i jej ciotki.

Na uroczystość składały się wszystkie tradycyjne śpiewy, narzekania, opowieści i żarty. Potem matka panny młodej poprosiła Kwiat Śniegu, żeby opowiedziała, jak wyglądało jej życie po opuszczeniu Tongkou.

– Dzisiaj zaśpiewam List Pełen Wyrzutów – oznajmiła Kwiat Śniegu.

Nie spodziewałam się tego. Czy naprawdę chciała publicznie wytoczyć przeciwko mnie oskarżenie, skoro to mnie spotkała krzywda? Nie mieściło mi się to w głowie. Gdybym wiedziała, przygotowałabym pieśń, w której odparłabym jej zarzuty i wyliczyła własne.

– Bażant gdacze i dźwięk niesie się daleko – zaczęła.

Kobiety zwróciły się w jej stronę, słysząc znajomy początek tradycyjnej pieśni. Wtedy Kwiat Śniegu zaczęła recytację w tym samym rytmie, jaki od wielu miesięcy słyszałam w głowie – *ta dum, ta dum, ta dum...*

– Przez pięć dni paliłam kadzidło i modliłam się o odwagę, aby przyjść tutaj. Przez trzy dni gotowałam pachnącą wodę, w której potem opłukałam się i wyprałam ubranie, żeby nie razić oczu dawnych znajomych. Włożyłam całą duszę w tę pieśń. Jako dziecko byłam ukochaną córką, lecz wszystkie wiecie, jak trudne było moje życie. Straciłam rodzinny dom, straciłam rodzinę... Kobiety z mojego rodu od dwóch pokoleń prześladuje zły los. Mąż nie jest dla mnie dobry. Teściowa źle mnie traktuje. Siedem razy byłam w ciąży, ale tylko trojgu dzieciom było dane odetchnąć powietrzem tego świata. Teraz mam tylko syna i córkę. Wydaje mi się, że jestem przeklęta. W poprzednim życiu musiałam popełnić wiele złych czynów. Ludzie uważają mnie za gorszą od innych...

Zaprzysiężone siostry panny młodej zaszlochały współczująco, zgodnie ze zwyczajem. Ich matki słuchały uważnie, wydając ciężkie westchnienia w najbardziej odpowiednich miejscach, trzęsąc głowami nad okropnym kobiecym losem i podziwiając sposób, w jaki Kwiat Śniegu posługiwała się naszym językiem smutku.

– Jedyną radość czerpałam z kontaktów z moją *laotong* – ciągnęła, wciąż w rytmie *ta dum, ta dum, ta dum*. – W kontrakcie, który podpisałyśmy, obiecałyśmy sobie, że nigdy nie padnie między nami żadne ostre słowo, i przez dwadzieścia siedem lat rzeczywiście tak było. Zawsze mówiłyśmy prawdę. Byłyśmy jak długie pędy winorośli, na zawsze mocno splecione, lecz gdy zwierzyłam się z moich smutków, nie miała dla mnie cierpliwości. Kiedy odkryła moje przygnębienie, przypomniała, że mężczyźni uprawiają rolę, a kobiety przędą, że pracowitość oddala głód, pragnęła bowiem, abym zmieniła swoje przeznaczenie. Ale czy może istnieć świat bez ubogich i nieszczęśliwych?

Patrzyłam, jak kobiety w izbie płaczą z żalu nad Kwiatem Śniegu. Byłam oszołomiona, więcej, porażona zdumieniem.

– Dlaczego odwróciłaś się ode mnie? – zaśpiewała wysokim, pięknym głosem. – Jesteśmy przecież *laotong*, nasze dusze trwają w bliskości nawet wtedy, gdy nie możemy być razem... – Nagle wprowadziła nowy wątek. – Dlaczego skrzywdziłaś moją córkę? Wiosenny Księżyc jest młodziutka i nie rozumie, o co chodzi, a ty nie chcesz jej tego wyjaśnić. Nie sądziłam, że masz tak złe serce... Przypomnij sobie, że kiedyś łączyły nas dobre uczucia, głębokie jak morze. Proszę, nie skazuj na cierpienie trzeciego pokolenia kobiet...

Jej ostatnie słowa sprawiły, że atmosfera w izbie wyraźnie się zmieniła. Życie wszystkich dziewcząt było wystarczająco trudne i osoba, która starałaby się uczynić je jeszcze trudniejszym dla kogoś słabszego od siebie, niewątpliwie byłaby winna strasznej niesprawiedliwości.

Wyprostowałam się. Byłam panią Lu, kobietą, która cieszyła się największym szacunkiem w całym okręgu, więc powinnam była wznieść się ponad te oskarżenia, lecz ja słyszałam tylko wewnętrzną muzykę, prześladującą mnie od wielu, wielu miesięcy.

– Bażant gdacze i dźwięk niesie się daleko – zaczęłam.

List Pełen Wyrzutów już powstał w mojej głowie. Nadal pragnęłam zachować się rozważnie i dlatego odniosłam się do ostatniego i najbardziej niesprawiedliwego zarzutu, jaki wytoczyła przeciwko mnie Kwiat Śniegu.

– Nasze córki nie mogą zawrzeć związku *laotong* – zaśpiewałam, wodząc wzrokiem po twarzach zebranych kobiet. – Pod żadnym względem nie są takie same. Twoja dawna sąsiadka chce czegoś dla swojej córki, ale ja nie złamię tabu. Odmawiając, robię to, co na moim miejscu zrobiłaby każda matka... Wszystkie wiemy, jak trudne jest życie kobiety. Jako dziewczynki jesteśmy nazywane bezużytecznymi gałązkami. Kochamy nasze rodziny, ale szybko opuszczamy rodzinne domy. Jako młode mężatki przenosimy się do wiosek, których nie znamy, wchodzimy do obcych rodzin, zaczynamy życie u boku mężczyzn, o których nic nie wiemy. Pracujemy niestrudzenie, a jeżeli zaczynamy się skarżyć, teściowie przestają darzyć nas nawet tą odrobiną szacunku, na którą zasłużyłyśmy. Rodzimy dzieci – czasami je tracimy, czasami same umieramy przy porodzie. Kiedy nasi mężowie mają nas dosyć, wprowadzają do domu konkubiny. Wszystkie musimy radzić sobie z przeciwnościami losu – zdarzają się zbyt małe zbiory, zbyt mroźne zimy i suche wiosny. Nie ma w tym nic zaskakującego, a jednak ta kobieta się domaga, aby jej troskom poświęcić specjalną uwagę...

Odwróciłam się do Kwiatu Śniegu. Oczy piekły mnie od łez, gdy zwróciłam się bezpośrednio do niej, zaraz też pożałowałam wypowiedzianych słów.

– Ty i ja pasowałyśmy do siebie jak para kaczek mandarynek. Zawsze byłam ci wierna, lecz ty odsunęłaś mnie, aby przyłączyć się do zaprzysiężonych sióstr. Dziewczyna posyła wachlarz jednej przyjaciółce, nie pisze do wielu. Dobry koń ma tylko jedno siodło, nie dwa – dobra kobieta nie zdradza swojej *laotong*. Może to właśnie twoja perfidia sprawia, że twój mąż, teściowa, dzieci oraz zdradzona taka sama, którą masz przed sobą, nie cenią cię tak, jak by mogli. Zawstydzasz nas swoimi dziewczęcymi kaprysami. Gdyby mój mąż sprowadził dziś do domu konkubinę, zostałabym wyrzucona z łoża, zaniedbana, pozbawiona jego uwagi i podobnie jak wszystkie obecne tu kobiety, musiałabym zaakceptować tę sytuację. Ale coś takiego z twojej strony... Gardło ścisnęło mi się boleśnie, długo powstrzymywane łzy popłynęły z oczu. Przez chwilę miałam wrażenie, że nie wykrztuszę już ani słowa. Odepchnęłam cierpienie i spróbowałam określić swoje emocje obrazami, które byłyby zrozumiałe dla siedzących obok mnie kobiet.

– Możemy się spodziewać, że nasi mężowie przestaną darzyć nas uczuciem – mają do tego prawo, ponieważ są mężczyznami, a my tylko kobietami – ale taki cios, zadany ręką innej kobiety, która także z powodu płci doznała wielkiego okrucieństwa życia, jest po prostu bezlitosny...

Mówiłam dalej, przypominając sąsiadkom o moim statusie, o mężu, który przywiózł sól do wioski i bezpiecznie doprowadził wszystkich mieszkańców w spokojne miejsce podczas rebelii.

– Mój próg jest czysty – oznajmiłam, patrząc na Kwiat Śniegu. – Ale czy możesz powiedzieć to samo o swoim?

W tym momencie gdzieś w głębi serca otworzyło się źródło niepohamowanego gniewu. Żadna z kobiet nie odważyła się mi przeszkodzić. Słowa, którymi się posłużyłam, pochodziły z tak mrocznego i przesiąkniętego goryczą zakamarka, że miałam wrażenie, jakby ktoś rozciął moje ciało ostrym nożem. Wiedziałam wszystko o Kwiecie Śniegu i teraz użyłam tej wiedzy przeciwko niej, maskując to towarzyską poprawnością oraz siłą mojej pozycji. Upokorzyłam ją wobec wszystkich kobiet, odsłaniając każdą jej słabość. Nie cofnęłam się przed niczym, ponieważ całkowicie straciłam kontrolę nad sobą. Pamięć podsunęła mi obraz mojej młodszej siostry, wymachującej w powietrzu nogą, oraz fruwających wokół niej rozplątanych bandaży. Każde obraźliwe słowo pod adresem Kwiatu Śniegu sprawiało, że czułam się, jakbym się uwalniała z ciasno spowijających mnie do tej pory płóciennych pasów – wreszcie mogłam powiedzieć to, co naprawdę myślałam. Minęło wiele lat, nim pojęłam, jak bardzo się wtedy myliłam. Bandaże wcale nie fruwały w powietrzu i nie uderzały w moją *laotong*, wręcz przeciwnie, owijały się dookoła mnie coraz ciaśniej, jakby próbowały wycisnąć ze mnie głęboką miłość, której pragnęłam przez całe życie.

– Ta kobieta, dawniej wasza sąsiadka, wzięła z domu wiano wykonane z wiana jej matki, więc gdy ta straciła dach nad głową, nie miała już żadnych kołder ani ubrań, żeby się ogrzać – oświadczyłam. – Ta kobieta, wasza sąsiadka, nie ma czystego domu. Jej mąż wykonuje nieczysty zawód, zabija świnie na platformie przed wejściem do domu. Ta kobieta, wasza sąsiadka, posiadała wiele talentów, lecz zmarnowała swoje umiejętności, nie chcąc uczyć kobiet w domu męża naszego sekretnego języka. Ta kobieta, wasza sąsiadka, jako dziewczyna fałszywie przedstawiała warunki, w jakich żyła, kłamała też jako młoda kobieta w Dniach Upinania Włosów i nadal kłamie jako żona i matka w Dniach Ryżu i Soli. Okłamała nie tylko was, ale także swoją *laotong*...

Zawiesiłam głos i potoczyłam wzrokiem po twarzach zebranych.

– W jaki sposób spędza czas? Powiem wam – dając ujście żądzy! Zwierzęta przeżywają okresy rui, ale ta kobieta nieustannie płonie cielesnym pożądaniem! Jej pożądliwość sprawia, że cały dom milknie z zażenowania. Kiedy schroniliśmy się przed buntownikami w górach... – Zakołysałam się gwałtownie, a wszystkie kobiety nachyliły się w moją stronę. – Gdy byliśmy w górach, wolała uprawiać sprawy łóżkowe z mężem niż przebywać ze mną, swoją *laotong*. Mówi, że w poprzednim życiu musiała popełnić wiele złych czynów, lecz ja, pani Lu, mówię wam, że zły los sprowadziły na nią niegodziwości popełnione w tym życiu...

Kwiat Śniegu siedziała naprzeciwko mnie. Łzy płynęły po jej policzkach, ale moje poczucie gorzkiego zawodu i zagubienia było tak wielkie, że stać mnie było tylko na gniew.

315

– Jako dziewczęta podpisałyśmy kontrakt *laotong* – zakończyłam. – Złożyłaś obietnicę i złamałaś ją.

Kwiat Śniegu odetchnęła głęboko, by się uspokoić.

– Prosiłaś mnie kiedyś, żebym zawsze mówiła ci prawdę, ale gdy ją mówię, nie rozumiesz mnie lub nie podoba ci się to, co słyszysz. W mojej wiosce znalazłam kobiety, które nie patrzą na mnie z góry... Nie krytykują mnie i nie oczekują, że stanę się inną osobą...

Każde jej słowo umacniało mnie w przekonaniu, że moje podejrzenia były słuszne.

– Nie upokarzają mnie wobec innych – ciągnęła. – Haftuję z nimi i pocieszamy się nawzajem w złych chwilach. Nie litują się nade mną. Odwiedzają mnie, gdy źle się czuję. Jestem samotna i osamotniona. Potrzebuję kobiet, które chcą widzieć mnie taką, jaka jestem, nie taką, jaką mnie pamiętają albo pragną zobaczyć... Czuję się jak ptak, który samotnie szybuje nad ziemią. Nie mogę znaleźć towarzysza...

Te łagodne wymówki były tym, czego się obawiałam. Zamknęłam oczy, usiłując powstrzymać falę uczuć. Aby chronić siebie, musiałam pamiętać o niegodziwych postępkach Kwiatu Śniegu, myśleć o niej z taką samą goryczą, jak kiedyś o matce. Gdy podniosłam powieki, Kwiat Śniegu wstała i ruszyła w kierunku schodów, chwiejąc się z gracją. Pani Wang nie poszła za nią. Nagle ogarnęło mnie współczucie dla mojej byłej przyjaciółki – nawet jej własna ciotka, jedyna spośród nas, która sama zarabiała na życie, nie zdecydowała się jej pocieszyć.

Kiedy Kwiat Śniegu ostrożnie zeszła na dół, obiecałam sobie, że nigdy więcej jej nie zobaczę.

Wracając myślami do tamtego dnia, mam pełną świadomość, że w okropny sposób zlekceważyłam swoje obowiązki. To, co zrobiła Kwiat Śniegu, było niewybaczalne, ale moje wystąpienie oceniam dziś jako godne najwyższej pogardy. Pozwoliłam, aby bez reszty opanowały mnie gniew, rozgoryczenie, a w końcu pragnienie zemsty. Jak na ironię, właśnie to, czego później szczerze żałowałam i wstydziłam się, pozwoliło mi umocnić swoją pozycję jako pani Lu. Sąsiedzi widzieli, jak dzielnie zachowałam się w czasie wyprawy mojego męża do Guilin. Pamiętali, jak opiekowałam się matką męża podczas epidemii tyfusu i oddawałam cześć zmarłym teściom. Po zimie spędzonej w górach byli świadkami, jak wysyłałam nauczycieli do okolicznych wiosek, uczestniczyłam w rozmaitych uroczystościach prawie we wszystkich domach w Tongkou i jak dobrze wywiązywałam się z roli i obowiązków małżonki naczelnika wioski. Jednak to właśnie tamtego dnia naprawdę zasłużyłam na należny pani Lu szacunek, robiąc to, co zasadniczo wszystkie powinnyśmy robić dla kraju, ale co tak rzadko udaje nam się osiągnąć – dałam wtedy przykład godnego zachowania i właściwego sposobu myślenia w świecie wewnętrznym. Jeżeli kobieta zrobi coś takiego, sława idzie w ślad za nią, zachęcając do dobrego postępowania kobiety i dzieci oraz inspirując mężczyzn do dbania o bezpieczeństwo i porządek w świecie zewnętrznym. Wtedy cesarz może w dowolnej chwili spojrzeć na kraj z wysokości swego tronu i zawsze ujrzy tylko ład i spokój. Spełniłam swoją powinność i osiągnęłam cel, publicznie uświadamiając sąsiadkom, że Kwiat Śniegu jest złą, niegodziwą kobietą, która nie powinna być częścią naszego świata. Odniosłam sukces, lecz zniszczyłam moją *laotong*.

Mój List Pełen Wyrzutów stał się szeroko znany. Zapisywano go na chusteczkach i wachlarzach, dziewczęta uczyły się go na pamięć, śpiewano go w czasie ślubnych uroczystości jako ostrzeżenie dla młodych żon, które jeszcze nie zdają sobie sprawy z zasadzek czyhających na każdym kroku. W ten sposób hańbę Kwiatu Śniegu poznał cały okrąg. Jeśli chodzi o mnie, to tamte wydarzenia okaleczyły mnie wewnętrznie. Nie miałam siły cieszyć się pozycją pani Lu, bo w moim życiu zabrakło miłości.

Ucieczka w chmury

Minęło osiem lat. W tym czasie umarł cesarz Xianfeng, na tron wstąpił jego następca Tongzhi, bunt Taipingów wypalił się gdzieś w odległej prowincji. Mój pierworodny syn ożenił się, jego żona zaszła w ciążę, wprowadziła się do naszego domu i urodziła syna – pierwszego z moich wielu kochanych wnuków. Syn zdał także pierwsze egzaminy na okręgowego urzędnika *shengyuan* i natychmiast zaczął przygotowywać się do egzaminów na urzędnika prowincji, *xiucai*. Nie miał dużo czasu dla żony, myślę jednak, że znalazła ona spokój i pociechę w naszej izbie na piętrze. Była młodą, wykształconą kobietą, doskonale obeznaną z domowymi zajęciami i ręcznymi robótkami. Bardzo ją polubiłam. Moja córka, już szesnastoletnia Nefryt, która wkroczyła w Dni Upinania Włosów, została zaręczona z synem kupca ryżowego z dalekiego Guilin. Wiedziałam, że gdy na dobre zamieszka w domu męża, może nigdy więcej jej nie zobaczę, ale ten związek miał ugruntować i chronić nasze zaangażowanie w handel solą. Rodzina Lu cieszyła się zamożnością, ogólnym szacunkiem i szczęściem. Miałam czterdzieści dwa lata i zrobiłam wszystko, co w mojej mocy, aby zapomnieć o Kwiecie Śniegu.

Pewnego jesiennego dnia w czwartym roku panowania

cesarza Tongzhi do izby na piętrze zajrzała Yonggang i szepnęła mi do ucha, że ktoś chce się ze mną widzieć. Poleciłam jej wprowadzić gościa na górę, lecz ona spojrzała na moją synową i córkę, które razem haftowały, i ostrożnie potrząsnęła głową. Oznaczało to, że albo Yonggang pozwala sobie na impertynencję, albo chodzi o coś poważniejszego. Bez słowa ruszyłam na dół. Kiedy weszłam do głównej izby, młoda dziewczyna w znoszonym stroju padła na kolana i dotknęła czołem podłogi. Wyglądający podobnie do niej żebracy często pukali do moich drzwi, byłam bowiem znana z hojności.

– Pani Lu, tylko ty możesz mi pomóc – powiedziała błagalnie, przesuwając się ku mnie po podłodze i w końcu opierając czoło o moje liliowe stopy.

Schyliłam się i dotknęłam jej ramienia.

– Daj mi swoją miskę, żebym mogła ją napełnić.

– Nie mam żebraczej miski i nie przyszłam po jedzenie.

– W takim razie co cię sprowadza?

Dziewczyna zaczęła szlochać. Kazałam jej się podnieść, a gdy nie usłuchała, znowu dotknęłam jej ramienia. Stojąca tuż za mną Yonggang uparcie wpatrywała się w podłogę.

– Wstań! – rzuciłam stanowczo.

Nieznajoma podniosła głowę i spojrzała mi prosto w oczy. Poznałam ją natychmiast, bez najmniejszego trudu. Córka Kwiatu Śniegu wyglądała dokładnie jak jej matka, gdy była w tym wieku. Gęste, lśniące włosy walczyły ze spinkami i opadały miękkimi lokami po obu stronach jasnej, promieniejącej wewnętrznym światłem twarzy, pięknej jak wiosenny księżyc, po którym otrzymała imię. Przypomniałam sobie, jaka śliczna była jako dziecko, nawet w strasznych dniach spędzonej w górach zimy. Kiedyś ta urocza dziewczyna mogła zostać *laotong* mojej córki, teraz klęczała przede mną i błagała o pomoc.

– Moja matka jest bardzo chora – powiedziała. – Nie przeżyje zimy. Nic nie jesteśmy w stanie dla niej zrobić, możemy tylko uspokoić jej rozgorączkowany umysł. Proszę, przyjedź do niej. Woła cię i tylko ty możesz odpowiedzieć na to wołanie...

Jeszcze pięć lat wcześniej siła mojego cierpienia była tak wielka, że pewnie odesłałabym tę dziewczynę z niczym, ale pełnienie obowiązków pani Lu dużo mnie nauczyło. Wiedziałam, że nigdy nie przebaczę Kwiatowi Śniegu bólu, jaki mi sprawiła, lecz ze względu na pozycję w okręgu musiałam zamanifestować swoją łaskawość. Kazałam Wiosennemu Księżycowi wracać do domu i obiecałam, że sama wkrótce tam przybędę. Potem poleciłam przygotować palankin i w drodze do Jintian starałam się przygotować wewnętrznie na spotkanie z Kwiatem Śniegu i rzeźnikiem, ich synem, który na pewno już się ożenił, no i, oczywiście, zaprzysiężonymi siostrami.

Wysiadłam przed domem Kwiatu Śniegu. Nic się tu nie zmieniło. O ścianę domu oparty był stos drewna, platforma z wpuszczonym wokiem czekała na nowe ofiary. Zawahałam się. W drzwiach stanął rzeźnik. Gdy podszedł do mnie, zobaczyłam, że jest starszy, bardziej żylasty, ale pod wieloma względami wciąż taki sam.

– Nie mogę patrzeć, jak ona cierpi. – Takie były pierwsze słowa, jakie wypowiedział do mnie po ośmiu latach. Nieuważnie otarł wilgotne oczy wierzchem dłoni. – Dała mi syna, który pomógł mi zdobyć więcej klientów i lepiej prowadzić interesy. Dała mi dobrą i użyteczną córkę. Uczyniła mój dom piękniejszym. Opiekowała się moją matką aż do jej śmierci. Robiła wszystko, co może zrobić dobra żona, ale ja byłem wobec niej okrutny, pani Lu, teraz widzę to bardzo wyraźnie...

Bez słowa patrzyłam, jak idzie w kierunku pola, jedynego miejsca, gdzie mężczyzna może być sam ze swoimi uczuciami.

Nawet dziś, po tylu latach, trudno mi myśleć o tamtych chwilach. Sądziłam, że wymazałam Kwiat Śniegu z pamięci i wycięłam ją ze swego serca. Naprawdę mocno wierzyłam, że nigdy jej nie wybaczę, iż obdarzyła zaprzysiężone siostry większą miłością niż mnie, ale w chwili, gdy zobaczyłam ją, leżącą nieruchomo na łóżku, wszystkie te myśli i uczucia opadły. Czas – nie, nie czas, lecz życie zupełnie ją zniszczyło. Ja także się zestarzałam, to prawda, ale moja skóra nadal była gładka dzięki pielęgnacji kremami i pudrami, od prawie dziesięciu lat starannie chroniona przed słońcem, a jakość mojego stroju mówiła sama za siebie. Na łóżku pod ścianą leżała Kwiat Śniegu, wynędzniała staruszka w łachmanach. Mówiłam już, że jej córkę rozpoznałam od razu, lecz gdybym zobaczyła Kwiat Śniegu na ulicy przed świątynią Gupo, z pewnością uznałabym ją za obcą osobę.

Tamte kobiety także tu były – Lotos, Wierzba i Kwiat Śliwy. Tak jak podejrzewałam od samego początku, zaprzysiężone siostry Kwiatu Śniegu były tymi, które koczowały z nami w górach pod rozłożystym drzewem. Nie przywitałyśmy się.

Kiedy zbliżyłam się do łóżka, Wiosenny Księżyc podniosła się i odsunęła. Oczy Kwiatu Śniegu były zamknięte, skóra śmiertelnie blada. Zerknęłam na jej córkę, niepewna, co robić. Dziewczyna skinęła głową i wtedy ostrożnie ujęłam wyziębioną dłoń Kwiatu Śniegu. Poruszyła się i oblizała spękane wargi, lecz nie podniosła powiek.

– Czuję... – wyszeptała i zaraz pokręciła głową, jakby próbowała pozbyć się jakiejś myśli.

Cicho zawołałam jej imię, potem delikatnie ścisnęłam palce.

Moja *laotong* otworzyła oczy. Usiłowała skupić wzrok na mojej twarzy, ale w pierwszej chwili najwyraźniej nie mogła uwierzyć, że mnie widzi.

– Poczułam twój dotyk... – wymamrotała po chwili. – Wiedziałam, że to ty...

Jej głos był słaby, lecz z każdym słowem długie lata cierpienia i rozpaczy odchodziły w nicość. Spod maski wyniszczonej chorobą kobiety wyłaniała się mała dziewczynka, która dawno temu zaproponowała mi, żebym została jej *laotong*.

– Usłyszałam twoje wołanie – skłamałam. – I przyjechałam najszybciej, jak mogłam...

– Czekałam...

Jej twarz wykrzywił spazm bólu. Chwyciła się drugą ręką za brzuch i odruchowo podciągnęła wyżej kolana, starając się opanować skurcz. Córka Kwiatu Śniegu bez słowa zmoczyła kawałek płótna w misce z wodą, wyżęła go i podała mi. Otarłam z czoła przyjaciółki pot, który zrosił je w czasie ataku bólu.

– Przepraszam cię za wszystko, ale powinnaś wiedzieć, że nigdy nie zachwiałam się w miłości do ciebie... – powiedziała z trudem.

Ledwo przyjęłam jej przeprosiny, a już ból zaatakował ponownie, tym razem z większą siłą niż poprzednio. Kwiat Śniegu zacisnęła powieki i już się nie odezwała. Znowu zwilżyłam ściereczkę i położyłam na jej czole, a potem usiadłam na brzegu łóżka i z jej dłonią w mojej siedziałam tak do zachodu słońca. Pozostałe kobiety wyszły, Wiosenny Księżyc zeszła na dół, żeby przygotować kolację. Gdy zostałyśmy same, podniosłam kołdrę. Choroba pożerała ciało Kwiatu Śniegu i karmiła nim guza w brzuchu, który osiągnął rozmiary dziewięciomiesięcznego płodu.

Do dziś nie potrafię wytłumaczyć moich emocji. Tak długo byłam zraniona i pełna gniewu... Uważałam, że nigdy nie wybaczę mojej *laotong*, ale zamiast się zastanowić, co właściwie nas rozdzieliło, myślałam tylko o tym, że łono Kwiatu Śniegu zawiodło ją raz jeszcze i że ten guz musiał rozwijać się od wielu lat. Miałam obowiązek zadbać...

Nie! Nie chodziło o obowiązek. Przez cały ten czas czułam się zraniona, ponieważ wciąż kochałam Kwiat Śniegu. Ona od początku naszej przyjaźni widziała moje słabe strony i kochała mnie mimo wszystko. A ja kochałam ją nawet wtedy, gdy czułam do niej nienawiść.

Otuliłam ją kołdrą i zaczęłam snuć plany. Musiałam sprowadzić dobrego lekarza. Kwiat Śniegu musi zacząć jeść, poza tym potrzebny nam będzie wróżbita, myślałam. Chciałam, żeby moja *laotong* walczyła tak, jak walczyłabym ja. Widzicie, nadal nie umiałam zrozumieć, że nie mamy żadnej władzy nad tym, w jaki sposób inni ludzie okazują miłość, i że nie jesteśmy w stanie zmienić czyjegoś przeznaczenia.

Podniosłam zimną dłoń Kwiatu Śniegu do ust, a potem zeszłam na dół. Rzeźnik siedział przy stole, przygarbiony, z twarzą ukrytą w dłoniach. Syn Kwiatu Śniegu, teraz już dorosły mężczyzna, stał obok siostry. Oboje patrzyli na mnie oczyma, które odziedziczyli po matce – dumnymi, łagodnymi, pełnymi cierpienia, o ujmującym wyrazie.

– Jadę do domu – oświadczyłam. W twarzy syna mojej przyjaciółki wyczytałam rozczarowanie, więc uspokajająco podniosłam rękę. – Jutro wrócę. Proszę, przygotujcie dla mnie miejsce do spania. Nie wyjdę stąd, dopóki...

Nie mogłam dokończyć.

Sądziłam, że kiedy zajmę się Kwiatem Śniegu, wygramy tę bitwę, ale okazało się, że mieliśmy przed sobą tylko dwa tygodnie. Dwa tygodnie zamiast osiemdziesięciu lat, w czasie których mogłabym okazać Kwiatowi Śniegu, jak bardzo ją kocham. Ani razu nie wyszłam z jej izby, nawet na chwilę. Jadłam tylko to, co przynosiła Wiosenny Księżyc, która cierpliwie wynosiła mój nocnik i opróżniała go. Codziennie obmywałam ciało Kwiatu Śniegu, potem sama myłam się w tej samej wodzie. Wiele lat temu wspólna miska wody stała się w moich oczach symbolem miłości Kwiatu Śniegu do mnie. Teraz mogłam tylko mieć nadzieję, że przyjaciółka widzi, co robię, wspomina przeszłość i wie, że nic się nie zmieniło.

W nocy, kiedy zostawałyśmy same, wstawałam z posłania przygotowanego przez rodzinę Kwiatu Śniegu i kładłam się obok niej. Otaczałam ją ramionami, starając się ogrzać jej wychudzone ciało i ukoić ból, który był tak dotkliwy, że nawet we śnie jęczała cichutko. Co noc zasypiałam, gorzko żałując, że moje dłonie nie są gąbkami, które mogłyby wchłonąć drzemiące w jej brzuchu przekleństwo. Codziennie po przebudzeniu czułam jej dłoń na swoim policzku i patrzyłam w utkwione w mojej twarzy zapadnięte, wielkie oczy.

Przez wiele lat Kwiatem Śniegu zajmował się lekarz z Jintian. Teraz posłałam po naszego doktora, który po krótkich oględzinach zmarszczył brwi i pokręcił głową.

– Nie ma leku na tę chorobę, pani Lu – powiedział. – I nie ma szans na wyzdrowienie. Można tylko czekać na śmierć, zresztą już widać jej bliskość w fioletowym zabarwieniu skóry nad bandażami. Koniec zacznie się od nóg, które staną się obrzmiałe i sine. Siła życiowa osłabnie, rytm i głębokość oddechu wyraźnie się zmieni. Zauważy to pani bez trudu. Wdech, wydech, potem długa przerwa. Kiedy będzie się wydawało, że jest już po wszystkim, chora znowu wciągnie powietrze. Proszę nie płakać, pani Lu. Wtedy koniec będzie już bardzo blisko, a ona nie będzie świadoma bólu.

Zostawił kilka paczuszek ziół do zaparzenia. Zapłaciłam mu i obiecałam sobie, że nigdy więcej go nie wezwę. Po jego wyjściu Lotos, najstarsza z zaprzysiężonych sióstr, próbowała mnie pocieszyć.

– Mąż Kwiatu Śniegu sprowadzał jednego lekarza po drugim, ale żaden z nich nie zdołał jej pomóc – powiedziała.

Dawny gniew podniósł się we mnie potężną falą, ale na szczęście dostrzegłam współczucie i zrozumienie w twarzy Lotosu, i to nie tylko dla Kwiatu Śniegu, lecz również dla mnie.

Przypomniałam sobie, że gorycz jest najbardziej charakterystycznym smakiem *yin*. Gorzkie potrawy powodują skurcze, obniżają gorączkę i uspokajają serce oraz nerwy. Przekonana, że gorzki melon uleczy chorobę, poprosiłam zaprzysiężone siostry, żeby przyrządziły gotowany gorzki melon z sosem z czarnej fasoli, a także zupę z gorzkiego melona. Spełniły moją prośbę. Usiadłam na brzegu łóżka Kwiatu Śniegu i zaczęłam ostrożnie karmić ją łyżeczką. Początkowo jadła bez protestu, ale po paru chwilach zacisnęła wargi i utkwiła wzrok w ścianie, zupełnie jak gdyby mnie nie widziała.

Średnia zaprzysiężona siostra odciągnęła mnie od łóżka. W korytarzu, u szczytu schodów, Wierzba wyjęła miseczkę z moich rąk.

– Już na to za późno – szepnęła. – Ona nie chce jeść. Pozwól jej odejść w spokoju.

Pocieszająco poklepała mnie po policzku. Później to właśnie ona umyła Kwiat Śniegu, która zwróciła zupę z gorzkiego melona.

Moim następnym i ostatnim pomysłem było sprowadzenie wróżbity.

– W ciele twojej przyjaciółki zamieszkał obcy duch – oznajmił zaraz po wejściu do izby. – Nie martw się, razem wypędzimy go z tego domu i chora wyzdrowieje. Panno Kwiat Śniegu, oto słowa, które powinnaś recytować – dodał, nachylając się nad łóżkiem. – Uklęknijcie i módlcie się – polecił nam.

Tak więc Wiosenny Księżyc, pani Wang – tak, stara swatka towarzyszyła nam prawie codziennie – trzy zaprzysiężone siostry i ja uklękłyśmy dookoła łóżka i zaczęłyśmy modlić się i śpiewać do Bogini Łaski, podczas gdy Kwiat Śniegu słabym głosem powtarzała modlitwę. Wróżbita wyjął z kieszeni kawałek papieru, zapisał na nim kilka zaklęć, podpalił je i zaczął biegać po izbie, usiłując wypędzić wygłodniałego ducha, a potem mieczem parę razy przeciął smużkę dymu.

– Wynoś się, duchu! Wynoś się, duchu! Wynoś się, duchu!

Jednak to także nie pomogło. Zapłaciłam wróżbicie i przez okno patrzyłam, jak wsiada do ciągniętego przez kuca wózka i odjeżdża. Przysięgłam sobie, że od tej pory będę wzywać wróżbitów tylko w celu ustalania korzystnych dat.

Kwiat Śliwy, najmłodsza z zaprzysiężonych sióstr, stanęła obok mnie.

– Kwiat Śniegu robi wszystko, o co ją poprosisz, mam jednak nadzieję, że zdajesz sobie sprawę, iż podejmuje te wysiłki wyłącznie ze względu na ciebie, pani Lu. Jej cierpienia i tak trwają już zbyt długo. Czy gdyby była psem, pozwoliłabyś, aby tak się męczyła?

Cierpienie istnieje na wielu poziomach. W tym wypadku była to fizyczna agonia Kwiatu Śniegu, ból, z jakim patrzyłam na jej męki, wierząc, że sama nie zniosłabym tego ani chwili dłużej, rozpaczliwy żal z powodu słów, którymi zraniłam ją przed ośmiu laty... Po co to zrobiłam? Żeby zasłużyć na szacunek kobiet z mojej wioski? Żeby zranić Kwiat Śniegu tak głęboko, jak ona zraniła mnie? A może w grę wchodziła duma, pycha – skoro nie chciała być ze mną, nie powinna być z nikim innym? Jeżeli kiedyś tak rzeczywiście myślałam, to nawet i w tym nie miałam racji. Podczas tych długich dni widziałam, jak wielką pociechą była dla Kwiatu Śniegu obecność tamtych kobiet. One nie zjawiły się u jej boku w ostatniej chwili, tak jak ja, ale czuwały nad nią od lat. Ich dobroć i hojność przybierała postać małych woreczków ryżu, poszatkowanych warzyw i naręczy chrustu na opał, i trzymała ją przy życiu. Teraz przychodziły codziennie, zaniedbując domowe obowiązki. Nie próbowały wedrzeć się w nasz wyjątkowy związek, po prostu były w pobliżu, czujne jak dobre duchy, modląc się, zapalając ogień, który miał odstraszać złe duchy i zawsze pozwalając nam przebywać ze sobą.

Musiałam czasem zapadać w sen, ale nie pamiętam tego. Kiedy nie opiekowałam się Kwiatem Śniegu, szyłam dla niej trumienne buciki. Wybrałam jej ulubione kolory. Na jednym buciku wyhaftowałam kwiat lotosu, symbolizujący stałość, oraz drabinę, symbol wspinania się; te znaki mówiły, że Kwiat Śniegu bezustannie wspina się do bram Niebios. Drugi ozdobiłam wizerunkiem maleńkiego jelenia i nietoperzy o pierzastych skrzydłach – były to symbole długiego życia, te same, które umieszcza się na ślubnych szatach i urodzinowych ozdobach. Chciałam, aby przypominały mojej *laotong*, że nawet po śmierci jej krew będzie nadal żyła w jej synu i córce.

Stan Kwiatu Śniegu szybko się pogarszał. Kiedy po przyjeździe pierwszy raz myłam jej stopy i zmieniałam na nich bandaże, zauważyłam, że podgięte palce przybrały już ciemnofioletową barwę. Teraz, zgodnie ze słowami lekarza, przerażający kolor śmierci sięgał aż do łydek. Starałam się nakłonić Kwiat Śniegu, aby walczyła z chorobą. Z początku błagałam, by siłą ducha Konia zrzucała z siebie duchy, które wyciągały po nią szpony, lecz teraz wiedziałam, że możemy już tylko pomóc jej łatwiej przejść w zaświaty.

Yonggang widziała to wszystko, kiedy przychodziła do mnie codziennie rano, przynosząc świeże jajka, czyste ubrania i wiadomości od mojego męża. Wiele lat służyła mi wiernie i posłusznie, ale właśnie w tamtych dniach odkryłam, że jeden, jedyny raz wypowiedziała mi posłuszeństwo. Będę jej za to wdzięczna aż do śmierci. Trzy dni przed śmiercią Kwiatu Śniegu Yonggang uklękła przede mną i położyła niewielki koszyk u moich stóp.

– Widziałam cię wiele lat temu, pani Lu... – wykrztusiła łamiącym się ze strachu głosem. – I zrozumiałam, że w głębi serca wcale nie chcesz zniszczyć tych rzeczy...

Nie miałam pojęcia, o co jej chodzi ani dlaczego wybrała na zwierzenia właśnie ten moment. Pojęłam wszystko dopiero wtedy, gdy wyjęła z koszyka listy, chusteczki, hafty oraz nasz sekretny wachlarz. To tych rzeczy szukałam, kiedy w dniach Wycinania Choroby z Serca puszczałam z dymem swoją przeszłość. Moja służąca ukryła je, ryzykując utratą pozycji i dachu nad głową.

Na ten widok Wiosenny Księżyc i zaprzysiężone siostry rozbiegły się po izbie, otwierając szuflady, szukając skrytki pod łóżkiem i wyrzucając hafty i nici z kosza na ręczne robótki. Po chwili miałam przed sobą wszystkie listy, jakie napisałam do Kwiatu Śniegu oraz rzeczy, które dla niej zrobiłam. Było tu wszystko, wszystko z wyjątkiem tych listów i przedmiotów, które zdążyłam zniszczyć.

W ostatnich dniach życia Kwiatu Śniegu zabrałam ją w podróż po naszym wspólnym życiu. Obie miałyśmy doskonałą pamięć, mogłyśmy recytować długie fragmenty listów, ale moja przyjaciółka szybko traciła siły, więc przede wszystkim trzymała mnie za rękę i słuchała.

W nocy, kiedy leżałyśmy w łóżku pod oknem, skąpane w blasku księżyca, wracałyśmy do lat wczesnej młodości. Wypisywałam na jej dłoni znaki *nu shu*. *Łóżko tonie w świetle księżyca...*

– Co napisałam? – zapytałam na dzień przed jej śmiercią. – Powiedz mi, jakie to były znaki...

– Nie wiem... – szepnęła. – Nie mogę odgadnąć...

Wyrecytowałam tamten wiersz i patrzyłam, jak łzy spływają z kącików jej oczu po skroniach aż do uszu.

– Możesz coś dla mnie zrobić? – spytała w czasie naszej ostatniej rozmowy.

– Wszystko, co zechcesz – odparłam szczerze.

– Proszę, bądź ciotką dla moich dzieci.

Obiecałam jej.

Nic nie łagodziło cierpień. W ostatnich godzinach czytałam jej nasz kontrakt i wspomniałam, jak poszłyśmy do świątyni Gupo, kupiłyśmy czerwony papier i razem ułożyłyśmy umowę. Czytałam nasze listy i pogodne fragmenty zapisków na wachlarzu. Nuciłam stare melodie z okresu dzieciństwa. Mówiłam, jak bardzo ją kocham i powtarzałam, że mam nadzieję, iż będzie czekała na mnie w zaświatach. Mówiłam bez przerwy, nie chcąc, aby odeszła, a jednocześnie pragnęłam pozwolić jej, by uleciała w chmury.

Skóra Kwiatu Śniegu straciła lodowatą bladość i przybrała złocistą, słoneczną barwę. Niezliczone troski odeszły, pozostawiając twarz gładką i młodą. Zaprzysiężone siostry, Wiosenny Księżyc, pani Wang i ja słuchałyśmy oddechu Kwiatu Śniegu – wdech, wydech, cisza. Po paru sekundach znowu to samo – wdech, wydech, cisza. Jeszcze kilka przerażających sekund i znowu – wdech, wydech, cisza. Ciągle trzymałam dłoń na policzku Kwiatu Śniegu, powtarzając gest, którym zawsze uspokajała mnie i pocieszała. Chciałam, by wiedziała, że jej *laotong* jest przy niej aż do tego ostatniego wdechu, wydechu i wreszcie wiecznej ciszy.

Wiele z tego, co się wydarzyło, przypomniało mi śpiewaną nam przez stryjenkę historyjkę o dziewczynie, która miała trzech braci. Dziś rozumiem, że uczono nas tych pieśni i opowieści nie tylko po to, abyśmy poznały odpowiednie formy zachowania, ale także dlatego, że każdy człowiek styka się w życiu z rozmaitymi odmianami takich historii i niektórymi ich wątkami.

Kwiat Śniegu została zniesiona do głównej izby. Tam umyłam ją i ubrałam w strój na wieczność, znoszony i wyblakły, lecz ozdobiony aplikacjami i haftami, które pamiętałam z naszego dzieciństwa. Najstarsza zaprzysiężona siostra uczesała ją, średnia omiotła twarz pudrem i umalowała wargi, a najmłodsza ozdobiła fryzurę kwiatami. Potem ciało złożono w trumnie. Mała orkiestra grała żałobne melodie, kiedy siedziałyśmy przy niej w głównej izbie. Najstarsza siostra miała dość pieniędzy, by kupić kadzidło, średniej wystarczyło na papier do spalenia, a najmłodsza nie miała nic, ale płakała żałośnie i przejmująco.

Trzy dni później rzeźnik, jego syn oraz mężowie i synowie zaprzysiężonych sióstr ponieśli trumnę na miejsce pochówku. Szli bardzo szybko, zupełnie jakby lecieli tuż nad ziemią. Zabrałam prawie wszystkie zapiski Kwiatu Śniegu w *nu shu* oraz część moich i spaliłam je, aby nasze słowa towarzyszyły jej także i w zaświatach.

Po ceremonii wróciliśmy do domu rzeźnika. Wiosenny Księżyc zaparzyła herbatę, a trzy zaprzysiężone siostry i ja poszłyśmy na górę, żeby uprzątnąć ślady śmierci.

Właśnie wtedy dowiedziałam się o mojej największej hańbie. Lotos, Wierzba i Kwiat Śliwy powiedziały mi, że Kwiat Śniegu nigdy nie została ich zaprzysiężoną siostrą. Nie uwierzyłam.

- A wachlarz? – wykrzyknęłam, gdy usiłowały mnie przekonać. – Przecież napisała na nim, że przyłącza się do was...
– Nie – sprostowała Lotos. – Napisała, że nie chce, byś
wciąż musiała się o nią martwić i że ma tu przyjaciółki, które niosą jej pociechę.

Zapytały, czy same mogłyby obejrzeć nasz wachlarz.
Okazało się, że Kwiat Śniegu nauczyła je czytać znaki *nu
shu*. Teraz zgromadziły się nad wachlarzem niczym stadko
kur, wykrzykując i pokazując sobie nawzajem ważne fragmenty, o których mówiła im Kwiat Śniegu. Kiedy jednak
dotarły do ostatniej fałdy, ich twarze spoważniały.

– Popatrz... – odezwała się Lotos, nie odrywając palca od
znaków. – Nie ma tu ani słowa o tym, że została naszą zaprzysiężoną siostrą...

Wyrwałam im wachlarz i pobiegłam z nim do kąta. Mam
zbyt wiele kłopotów, pisała Kwiat Śniegu. Nie mogę być
taka, jaką chciałabyś mnie widzieć. Nie będziesz dłużej musiała słuchać moich narzekań. Trzy zaprzysiężone siostry
obiecały kochać mnie taką, jaka jestem...

– Sama widzisz, pani Lu... – pokiwała głową Lotos. –
Kwiat Śniegu chciała, żebyśmy ją wysłuchały, a w zamian
nauczyła nas sekretnego pisma. Była naszą nauczycielką,
a my darzyłyśmy ją szacunkiem i miłością, ale ona kochała
ciebie, nie nas. Pragnęła cieszyć się wzajemnością, wzajemnością nieobciążoną twoją litością i zniecierpliwieniem.

To, że byłam płytka, uparta i samolubna w najmniejszym
stopniu nie łagodziło mojej winy. Popełniłam największy
błąd, jaki może zrobić kobieta, która zna *nu shu* – zlekceważyłam zabarwienie emocjonalne, kontekst i znaczenie tek-
stu. Co więcej, zapatrzona w siebie i przekonana o swojej
nieomylności, zapomniałam o tym, czego dowiedziałam się
na samym początku naszego związku – że Kwiat Śniegu
zawsze była bardziej wrażliwa i subtelna niż marna córka
zwykłego rolnika. Przez osiem lat cierpiała z powodu mojej
ślepoty i ignorancji. Przez resztę życia, czyli niemal tyle, ile

przeżyła na świecie moja *laotong*, gorzko żałowałam tego, co zrobiłam.

Jednak zaprzysiężone siostry jeszcze ze mną nie skończyły.

– Starała się zadowolić cię pod każdym względem – powiedziała Lotos. – Nawet uprawiając sprawy łóżkowe za szybko po porodzie...

– To nieprawda!

– Po każdym poronieniu okazywałaś jej mniej więcej tyle współczucia co mąż albo teściowa – podjęła Wierzba. – Zawsze powtarzałaś, że jej wartość zależy tylko od tego, czy wyda na świat synów, a ona ci wierzyła. Mówiłaś, żeby próbowała dalej, a ona słuchała.

– Przecież zawsze mówi się takie rzeczy! – odparłam z oburzeniem. – W ten sposób pocieszają się wszystkie kobiety...

– Myślisz, że takie słowa były jej pociechą po stracie następnego dziecka?

– Nie było was wtedy przy niej. Nie słyszałyście...

– Próbuj dalej! Staraj się! Próbuj dalej! – przedrzeźniała mnie Kwiat Śliwy. – Zaprzeczasz, że tak do niej mówiłaś?

Nie mogłam zaprzeczyć.

– Żądałaś, aby postępowała zgodnie z twoimi radami w wielu sprawach – odezwała się Lotos. – A gdy to robiła, krytykowałaś ją.

Przekręcacie moje słowa!

– Naprawdę? – spytała Wierzba. – Ciągle o tobie mówiła. Nigdy cię nie krytykowała, ale my słuchałyśmy bardzo uważnie i usłyszałyśmy prawdę.

– Kochała cię za to, kim byłaś i czego ci brakowało, tak, jak powinna kochać *laotong* – westchnęła Kwiat Śliwy. – Lecz ty myślisz podobnie jak mężczyźni... Kochałaś ją tak, jak oni kochają – ceniłaś tylko wtedy, gdy postępowała zgodnie z twoimi zasadami...

Lotos zaczęła następny cykl wspomnień.

– Pamiętasz, jak w górach straciła dziecko? – zapytała tonem, który napełnił mnie nagłym lękiem.

– Oczywiście...

– Już wtedy była chora.

– To niemożliwe. Rzeźnik...

– Może jej mąż tamtego dnia dał początek tej chorobie, nie wiemy – przyznała Wierzba. – Ale krew, która wypłynęła z jej ciała, była czarna, gęsta i martwa... I żadna z nas nie widziała dziecka w tej krwawej masie...

– Byłyśmy z nią przez wiele lat i coś podobnego zdarzyło się jeszcze kilka razy. Gdy śpiewałaś swój List Pełen Wyrzutów, Kwiat Śniegu była już poważnie chora – zakończyła Kwiat Śliwy.

Nie byłam w stanie spierać się z nimi wcześniej, a cóż dopiero teraz... Guz na pewno rósł bardzo długo. Dotarło do mnie znaczenie wielu innych rzeczy – brak apetytu, na który się skarżyła, przejrzysta bladość jej skóry, utrata energii i słabość. A ja uparcie zachęcałam ją, żeby jadła pożywne potrawy, szczypała się w policzki, aby stały się rumiane, wykonywała wszystkie domowe obowiązki i dbała o spokój i harmonię w domu męża... W tej samej chwili przypomniałam sobie, że przed dwoma tygodniami, kiedy przyjechałam do Jintian, Kwiat Śniegu przeprosiła mnie, ale ja nie poprosiłam ją o wybaczenie. Nie zrobiłam tego nawet wtedy, gdy potwornie cierpiała, nawet wtedy, gdy śmierć stała nad jej łóżkiem i nawet wtedy, gdy z wielkim samozadowoleniem powtarzałam sobie, że wciąż bardzo ją kocham... Jej serce zawsze było czyste, a moje twarde i wyschnięte jak stary orzech.

Dość często myślę o tych trzech zaprzysiężonych siostrach – oczywiście wszystkie już nie żyją. Musiały uważnie dobierać słowa, bo przecież byłam panią Lu, ale nie zamierzały dopuścić, abym wyszła z domu rzeźnika, nie poznawszy prawdy.

Wróciłam do Tongkou i schroniłam się w izbie na górze z wachlarzem i kilkoma uratowanymi listami. Rozrobiłam tusz tak czarny jak niebo w nocy, otworzyłam wachlarz, zmoczyłam pędzelek i dokonałam ostatniego zapisu, w każdym razie tak mi się wtedy wydawało.

Ty, która zawsze znałaś moje serce, szybujesz teraz nad chmurami, w ciepłych promieniach słońca. Mam nadzieję, że pewnego dnia poszybujemy razem. Miałam przed sobą wiele lat na rozważanie tych słów. Wiele lat, które chciałam wykorzystać na naprawienie krzywdy, wyrządzonej najbardziej przeze mnie ukochanej i niedocenionej osobie.

Siedząc spokojnie

Żal

Jestem już za stara, aby własnymi rękami gotować, tkać czy haftować. Gdy patrzę na swoje dłonie, widzę, że są usiane plamami, które pojawiają się na skórze ludzi żyjących za długo, niezależnie od tego, czy pracują w ostrych promieniach słońca, czy spędzają całe życie w izbie dla kobiet. Moja skóra jest tak cienka, że kiedy wpadam na jakieś przedmioty (albo one wpadają na mnie), natychmiast tworzą się na niej krwawe kręgi. Moje dłonie są zmęczone od ucierania tuszu, a knykcie opuchnięte od trzymania pędzelka. Przed chwilą dwie muchy przysiadły na moim kciuku, jestem jednak zbyt znużona, aby je odgonić. Moje oczy – wiecznie załzawione, jak to u bardzo starej kobiety – ciągle pieką, a włosy, siwe i rzadkie, wymykają się spod spinek, które powinny utrzymywać je w ładzie i porządku pod nakryciem głowy. Goście, którzy przychodzą mnie odwiedzić, starają się na mnie nie patrzeć, a ja staram się nie patrzeć na nich. Żyję już zbyt długo.

W chwili śmierci Kwiatu Śniegu wciąż miałam przed sobą drugą połowę życia. Moje Dni Ryżu i Soli jeszcze się wtedy nie skończyły, ale w głębi serca rozpoczęłam już lata Spokojnego Siedzenia. Dla większości kobiet okres ten zaczyna się wraz ze śmiercią męża, lecz ja zaczęłam go przeżywać po śmierci Kwiatu Śniegu. Byłam „tą, która nie umarła", ale rozmaite sprawy i wydarzenia nie pozwalały mi siedzieć zupełnie spokojnie. Mąż i rodzina potrzebowali mnie jako żony i matki. Społeczność Tongkou – jako pani Lu. No i były jeszcze dzieci Kwiatu Śniegu, których potrzebowałam ja sama – po to, aby naprawić krzywdy wyrządzone mojej *laotong*. Trudno jednak być naprawdę hojną i zachowywać się naturalnie i bezpośrednio, gdy się nie wie, jak to zrobić.

Pierwszą rzeczą, jaką zrobiłam zaraz po śmierci Kwiatu Śniegu, było zajęcie jej miejsca we wszystkich ślubnych obchodach i ceremoniach jej córki. Wiosenny Księżyc wydawała się z rezygnacją podchodzić do perspektywy małżeństwa – smuciła ją konieczność opuszczenia domu i niepewność tego, co ją czeka, widziała bowiem, jak ojciec traktował matkę. Tłumaczyłam sobie, że wszystkie dziewczęta przeżywają podobne rozterki, ale w noc poślubną, kiedy jej świeżo poślubiony mąż zasnął, Wiosenny Księżyc popełniła samobójstwo, topiąc się w wioskowej studni.

– Ta dziewczyna nie tylko naznaczyła piętnem swoją nową rodzinę, ale także zanieczyściła wodę pitną całej wioski – szeptały plotkary. – Była dokładnie jak jej matka... Pamiętacie ten List Pełen Wyrzutów?

Świadomość, że to ja byłam autorką listu, który zniszczył reputację Kwiatu Śniegu, był prawdziwą męką dla mojego sumienia, starałam się więc uciszać takie plotki, gdy do mnie docierały. Ludzie wychwalali mnie za dobroć i litość dla nieczystych, ja jednak wiedziałam, że pierwsza próba zadośćuczynienia Kwiatowi Śniegu zakończyła się moją klęską. Dzień, w którym zapisałam śmierć Wiosennego Księżyca na wachlarzu, był jednym z najgorszych w moim życiu.

Później skoncentrowałam wysiłki na synu mojej *laotong*. Mimo marnych warunków życia i braku jakiegokolwiek wsparcia ze strony ojca udało mu się bardzo pobieżnie nauczyć pisma mężczyzn, i doskonale radził sobie z rachunkami. Pracował razem z ojcem i miał w życiu mniej więcej tyle radości, co w okresie dzieciństwa. Poznałam jego żonę, która nadal mieszkała ze swoją rodziną. Tym razem dokonano właściwego wyboru. Dziewczyna zaszła w ciążę, ale myśl, że wkrótce będzie musiała na stałe przenieść się do domu rzeźnika, nie dawała mi spokoju. Zwykle nie wtrącam się w sprawy świata mężczyzn, ale tym razem skłoniłam męża, który nie tylko odziedziczył rozległe posiadłości stryja Lu, ale jeszcze wzbogacił się na handlu solą i dokupił pola aż do granicy Jintian, by znalazł temu młodemu człowiekowi jakieś inne zajęcie. W rezultacie mąż zatrudnił syna Kwiatu Śniegu do zbierania opłat dzierżawnych i dał mu dom z ogrodem warzywnym. Po pewnym czasie, gdy rzeźnik się zestarzał i przestał pracować, przeprowadził się do syna. Bardzo kochał wnuka, który przyniósł wielką radość temu domowi. Rodzina mojej przyjaciółki była szczęśliwa, lecz ja zdawałam sobie sprawę, że nie zrobiłam jeszcze dosyć, aby zasłużyć na spotkanie z Kwiatem Śniegu po śmierci.

Kiedy miałam pięćdziesiąt lat, przestałam krwawić raz w miesiącu i moje życie znowu się zmieniło. Teraz już nie ja usługiwałam innym, ale oni usługiwali mnie, chociaż oczywiście bacznie obserwowałam wszystkie ich poczynania i wytykałam popełniane błędy. Wspominałam już, że w głębi serca znacznie wcześniej rozpoczęłam okres Spokojnego Siedzenia. Zostałam wegetarianką i zrezygnowałam z takich rozgrzewających rzeczy jak czosnek czy wino. Rozważałam sutry religijne, praktykowałam oczyszczające rytuały i miałam nadzieję wkrótce pożegnać się z zanieczyszczającymi aspektami spraw łóżkowych. Chociaż przez całe życie w małżeństwie ze wszystkich sił zabiegałam o to, aby mąż nigdy nie sprowadził do domu konkubiny, teraz, patrząc na niego, szczerze mu współczułam. Zasłużył na jakąś nagrodę za ciężką, uczciwą pracę. Nie czekając, aż sam podejmie odpowiednie kroki (może w ogóle by się na to nie zdecydował), osobiście wybrałam i sprowadziłam do domu nie jedną, lecz trzy konkubiny, aby sprawić mu przyjemność. Ponieważ to ja dokonałam wyboru, udało mi się zapobiec wybuchom zazdrości i małodusznym kłótniom, które zwykle zjawiają się w domu wraz z ładnymi młodymi kobietami. Nie przeszkadzało mi, że rodziły dzieci. Muszę przyznać, że poważanie, jakim cieszył się w wiosce mój mąż jeszcze wzrosło, nie tylko dowiódł bowiem, że stać go na utrzymanie konkubin, ale że jego *qi* jest silniejsze niż jakiegokolwiek innego mężczyzny w okręgu.

Mój związek z mężem przerodził się w wielką przyjaźń. Bardzo często przychodził do izby na górze, aby wypić ze mną herbatę i porozmawiać. Ukojenie, jakie znajdował w wewnętrznym świecie, rozwiewało troski, których powodem był chaos, niestabilność oraz korupcja świata zewnętrznego. W tym okresie byliśmy chyba najszczęśliwsi razem. Wcześniej zasadziliśmy ogród, który teraz rozkwitał wokół nas i dawał różnorakie owoce. Wszyscy nasi synowie się ożenili, a ich żony okazały się płodne. Nasz dom rozbrzmiewał wesołymi okrzykami wnucząt. Kochaliśmy je, ale mnie najbardziej interesowało inne dziecko, niezwiązane ze mną pokrewieństwem. Chciałam mieć je blisko siebie.

W małym domku w Jintian żona poborcy dzierżaw urodziła dziewczynkę. Pragnęłam, aby ta mała – wnuczka Kwiatu Śniegu – została żoną mojego najstarszego wnuka. Dość często zawiera się kontrakt narzeczeński w imieniu sześcioletnich dzieci, jeżeli obie rodziny są skłonne przypieczętować go wiążącą obietnicą i jeśli rodzina przyszłego pana młodego gotowa jest dostarczyć dary za pannę młodą, której dom jest na tyle ubogi, że potrzebuje takich darów. Uznałam, że spełniamy wszystkie warunki, a mój mąż, po trzydziestu dwóch latach małżeństwa, w czasie których nigdy nie przyniosłam mu wstydu ani nie stałam się przyczyną zażenowania, łaskawie przychylił się do mojej prośby.

Posłałam po panią Wang w tym samym miesiącu, kiedy matka dziewczynki miała zacząć krępować jej stopy. Starą kobietę wprowadziły do głównej izby dwie dziewczyny o wielkich stopach, co powiedziało mi, że chociaż teraz inne swatki mają więcej klientek, ciotka Kwiatu Śniegu zaoszczędziła dosyć pieniędzy, aby zakończyć życie w spokoju i dostatku. Mijający czas nie był jednak łaskawy dla pani Wang. Twarz miała pomarszczoną, oczy zaciągnięte bielmem, była bezzębna i prawie łysa. Jej ciało się skurczyło, plecy przygarbiły. Była tak krucha i zdeformowana, że z trudem trzymała się na liliowych stopach. Już wtedy wiedziałam, że nie chciałabym żyć tak długo, a jednak proszę, nadal tu jestem...

Poczęstowałam ją herbatą i słodyczami, chwilę uprzejmie rozmawiałyśmy o nieistotnych sprawach. Sądziłam, że nie pamięta mnie i chciałam to wykorzystać. W końcu przeszłam do rzeczy.

– Szukam odpowiedniej kandydatki na żonę dla mojego wnuka.

– Czy tej rozmowy nie powinien prowadzić ojciec chłopca? – zapytała pani Wang.

– Wyjechał i poprosił mnie, abym podjęła negocjacje w jego imieniu.

Stara kobieta przymknęła oczy, zastanawiając się nad tym, co powiedziałam, a może po prostu na chwilę zapadła w sen, kto wie...

– Słyszałam, że w Jintian mieszka dobra kandydatka – powiedziałam głośno. – To córka poborcy dzierżaw.

Następne słowa pani Wang uświadomiły mi, że doskonale wie, z kim rozmawia.

– Dlaczego nie sprowadzisz jej do domu jako małej synowej? – zagadnęła. – Twój próg jest bardzo wysoki. Jestem pewna, że twój syn i synowa byliby zadowoleni z takiego rozwiązania...

Szczerze mówiąc, oboje byli mocno niezadowoleni z mojej ingerencji, ale co mieli zrobić... Syn był cesarskim urzędnikiem. Niedawno pomyślnie przeszedł kolejny poziom egzaminów i został *juren* w bardzo młodym wieku zaledwie trzydziestu lat. Chodził po domu z głową w chmurach albo podróżował po kraju. Rzadko przyjeżdżał do Tongkou, a kiedy już się zjawiał, przywoził niezwykłe opowieści o wysokich, dziwacznych obcokrajowcach z rudymi brodami oraz ich żonach, których talie były tak mocno ściśnięte, że nieszczęsne ledwo mogły oddychać, a stopy tak wielkie, że klapały o ziemię niczym wyrzucone na brzeg ryby. Pomijając te niewiarygodne historie, syn zawsze był bardzo posłuszny i robił to, czego chciał ojciec, a synowa po prostu musiała mnie słuchać. Ale odmówiła udziału w rozmowie z panią Wang i poszła do swojej izby, aby tam popłakać.

– Nie szukam dziewczyny o wielkich stopach – powiedziałam. – Szukam takiej, która ma najdoskonalsze stopy w całym okręgu.

– Temu dziecku dopiero zaczną krępować stopy. Nie ma żadnej gwarancji...

– Ale ty oglądałaś jej stopy, prawda, pani Wang? I zawsze wydajesz celne opinie. Jaki będzie efekt?

– Nie wiem, czy matka dziewczynki będzie umiała zrobić to jak należy...

– Więc sama zajmę się krępowaniem.

– Nie możesz sprowadzić małej do tego domu, jeżeli zamierzasz wydać ją za swego wnuka – oznajmiła pani Wang zrzędliwym tonem. – Chłopiec nie powinien zobaczyć przyszłej żony, to byłoby wysoce niewłaściwe...

Nie zmieniła się ani trochę, podobnie jak ja.

– Masz rację, pani Wang. Złożę wizytę w domu dziewczynki.

– To także niewłaściwe...

– Będę ją często odwiedzać, muszę nauczyć ją wielu rzeczy.

Przyglądałam się, jak pani Wang zastanawia się nad moimi słowami. Po chwili nachyliłam się ku niej i przykryłam jej dłoń swoją.

– Wydaje mi się, ciociu, że babka dziewczynki byłaby z tego zadowolona – powiedziałam.

Oczy swatki wypełniły się łzami.

– Mała będzie musiała poznać kobiece obowiązki i zajęcia – podjęłam pośpiesznie. – Powinna podróżować, nie aż tak daleko, aby rozbudziło to w niej ambicje wykraczające poza granice wewnętrznego świata, to jasne, ale na pewno zgodzisz się, że dobrze by było, gdyby co roku odwiedzała świątynię Gupo. Żył tam kiedyś człowiek, który potrafił przyrządzać niezwykły przysmak z taro, a teraz tę tradycję kontynuuje jego wnuk...

Negocjowałam tak długo, aż w końcu wnuczka Kwiatu Śniegu znalazła się pod moją opieką. Osobiście skrępowałam jej stopy. Zmuszając ją do chodzenia w tę i z powrotem po izbie na piętrze jej rodzinnego domu, starałam się okazać jej macierzyńską miłość, jaką nosiłam w sercu. Stópki Peonii okazały się doskonałymi złocistymi liliami – osiągnęły dokładnie taką wielkość jak moje. W ciągu długich miesięcy układania kości odwiedzałam ją prawie codziennie. Rodzice bardzo ją kochali, ale ojciec starał się nie myśleć o przeszłości, a matka w ogóle jej nie znała, więc sama rozmawiałam z dziewczynką, snując opowieści o babce i jej *laotong*, o pisaniu i śpiewaniu, o przyjaźni i życiowych trudnościach.

– Twoja babcia urodziła się w wykształconej rodzinie – powiedziałam. – Nauczę cię wszystkiego, czego ona nauczyła mnie – ręcznych robótek, godności i, co najważniejsze, sekretnego pisma kobiet.

Peonia okazała się pilną i wytrwałą uczennicą, ale któregoś dnia z lekkim zniecierpliwieniem pokręciła głową.

– Mój charakter pisma nie jest zbyt staranny – wyznała. – Mam nadzieję, że okażesz mi wyrozumiałość...

Była wnuczką Kwiatu Śniegu, ale widziałam w niej moje własne słabości...

Czasami się zastanawiam, co było gorsze – patrzeć na śmierć Kwiatu Śniegu czy mojego męża. Oboje strasznie cierpieli, lecz tylko jedno miało uroczysty pogrzeb z procesją, w której trzech synów szło na kolanach aż na cmentarz. Kiedy mąż odszedł, miałam pięćdziesiąt siedem lat i byłam już za stara, aby synowie mieli myśleć o wydaniu mnie za mąż czy martwić się o moją cnotę. Byłam cnotliwą wdową i to już od wielu lat, tyle że po śmierci Dalanga zostałam wdową po raz drugi. Na tych kartach niewiele pisałam o mężu, bo jego zalety skrupulatnie wymieniłam w mojej oficjalnej autobiografii, powiem jednak, że to on dostarczał mi powodów, aby żyć dalej, dzień po dniu. Musiałam zadbać, by regularnie dostawał posiłki i wymyślać dowcipne historie, aby go zabawić. Po jego odejściu zaczęłam jeść coraz mniej i zupełnie przestało mnie obchodzić, czy nadal jestem wzorem dla innych kobiet. Dni i tygodnie mijały powoli. Zapomniałam o upływie czasu, o porach roku i cyklach rozwoju roślin. Lata niepostrzeżenie ułożyły się w dekady.

Problem długiego życia polega głównie na tym, że tyle osób odchodzi przed nami. Przeżyłam prawie wszystkich najbliższych – rodziców, stryjenkę i stryja, rodzeństwo, panią Wang, męża, córkę, dwóch synów, wszystkie synowe, nawet Yonggang. Najstarszy syn został wyniesiony na stanowisko *gongsheng*, a potem *jinshi*, cesarz osobiście odczytał jego esej o ośmiu nogach. Jako dworski dostojnik, syn większość czasu spędza z dala od domu, nie ulega jednak wątpliwości, że dzięki niemu pozycja rodziny Lu została ugruntowana na wiele pokoleń. Jest posłusznym synem i wiem, że nigdy nie zapomni o swoich obowiązkach. Kupił już nawet trumnę – dużą i pokrytą laką – w której spocznę po śmierci. Jego imię zapisane dumnymi znakami pisma mężczyzn, wisi w świątyni przodków w Tongkou obok imienia stryja Lu i pradziadka Kwiatu Śniegu. Te trzy imiona pozostaną tam do dnia, gdy świątynia rozsypie się w pył ze starości.

Peonia niedawno skończyła trzydzieści siedem lat, czyli jest sześć lat starsza, niż byłam ja, gdy zostałam panią Lu. Jako żona mojego najstarszego wnuka, przejmie moją pozycję i obowiązki, kiedy odejdę. Peonia ma dwóch synów, trzy córki i całkiem możliwe, że urodzi więcej dzieci. Jej najstarszy syn ożenił się z dziewczyną z innej wioski, która ostatnio wydała na świat bliźnięta, chłopca i dziewczynkę. W ich twarzyczkach widzę Kwiat Śniegu, ale także siebie. Gdy jesteśmy małe, powtarza się nam, że jesteśmy bezużytecznymi gałązkami, ponieważ nie przedłużymy istnienia własnej rodziny, tylko tej, do której wejdziemy, jeżeli naturalnie los pozwoli nam urodzić synów. Kobieta zawsze należy do rodziny męża, niezależnie od tego, czy żyje, czy jest już martwa. Wszystko to prawda, zgadzam się, ale czerpię duże zadowolenie z tego, że krew Kwiatu Śniegu i moja będzie wkrótce rządzić domem Lu.

Zawsze wierzyłam w stare przysłowie, które ostrzega: „Pozbawiona wiedzy kobieta jest lepsza od kobiety wykształconej". Przez całe życie starałam się zamykać uszy na to, co działo się i dzieje w świecie zewnętrznym, i nigdy nie miałam ambicji, aby poznać pismo mężczyzn, ale dokładnie poznałam styl życia kobiet, przekazywane przez nie z pokolenia na pokolenie opowieści oraz *nu shu*. Wiele lat temu, gdy w Jintian uczyłam Peonię i jej zaprzysiężone siostry znaków składających się na nasz sekretny kod, kobiety zaczęły pytać, czy zgodziłabym się spisać ich autobiografie. Nie mogłam odmówić. Oczywiście pobierałam symboliczną opłatę za tę usługę – trzy jajka i trochę pieniędzy. Nie potrzebowałam ani jajek, ani pieniędzy, ale byłam przecież panią Lu, a one musiały okazać szacunek dla mojej pozycji. Nie chodziło mi jednak tylko o moją godność. Chciałam, aby zaczęły cenić swoje życie, to życie, które najczęściej wypełniała ciężka praca i smutek. Te kobiety pochodziły z ubogich i niewdzięcznych rodzin, które wydawały je za mąż w bardzo młodym wieku. Cierpiały z powodu rozstania z rodzicami, śmierci dzieci i najniższej pozycji, jaką zajmowały w domu teściów, wiele z nich miało mężów, którzy często je bili. Dużo wiem o kobietach i ich cierpieniach, jednak moja znajomość świata mężczyzn wciąż jest bardzo ograniczona, prawie żadna. Skoro mężczyzna nie ceni i nie szanuje żony zaraz po ślubie, to dlaczego miałby okazywać jej szacunek później? Skoro widzi w niej istotę niewiele lepszą od kury, która bezustannie znosi jaja, albo od bawołu, który w nieskończoność może dźwigać na grzbiecie wiadra z wodą, to dlaczego miałby cenić ją wyżej od tych zwierząt? Może uważać ją nawet za gorszą od zwierzęcia, ponieważ nie jest tak odważna, silna, wytrwała i zdolna troszczyć się o siebie.

Wysłuchawszy tylu rozmaitych historii, w końcu pomyślałam o własnej. Od czterdziestu lat przeszłość budzi we mnie jedynie uczucie żalu. Zawsze liczyła się dla mnie tylko jedna osoba, ale potraktowałam ją gorzej niż najpodlejszy mąż. Kiedy Kwiat Śniegu poprosiła mnie, abym została ciotką jej dzieci, powiedziała (i były to ostatnie słowa, jakie usłyszałam z jej ust): „Nie jestem tak dobra jak ty, ale wierzę, że towarzyszą nam niebieskie duchy. Zawsze będziemy razem". Tyle razy wracałam myślami do tamtych chwil. Czy mówiła prawdę? A jeżeli w zaświatach nie ma współczucia ani miłosierdzia? Jeżeli jednak zmarli wciąż mają te same potrzeby i pragnienia co żyjący, wyciągam ręce do Kwiatu Śniegu i innych, którzy byli świadkami mojego życia. Proszę, wysłuchajcie moich słów. Wybaczcie mi, proszę.

Komentarz autorki
oraz podziękowania

Pewnego dnia w latach sześćdziesiątych dwudziestego wieku na wiejskiej kolejowej stacyjce w Chinach zemdlała stara kobieta. Kiedy milicjanci przeszukali rzeczy staruszki, aby ją zidentyfikować, natknęli się na kartkę pokrytą znakami, które wyglądały na jakiś tajemniczy kod. Ponieważ działo się to w latach rozkwitu rewolucji kulturalnej, kobietę aresztowano i zatrzymano pod zarzutem szpiegostwa. Specjaliści, którym przedstawiciele władzy ludowej kazali rozszyfrować zapisaną informację, od razu się zorientowali, że nie dotyczy ona bynajmniej międzynarodowego spisku. Oświadczyli, że jest to prywatna wiadomość, zapisana w sekretnym języku, którego kobiety używają od ponad tysiąca lat, przynajmniej teoretycznie w tajemnicy przed mężczyznami. Naukowcy ci zostali wysłani do obozu pracy.

Na pierwszą wzmiankę o *nu shu* natrafiłam jakiś czas temu, pisząc recenzję *Aching for Beauty* (Bolesna tęsknota za pięknem) Wang Ping dla „Los Angeles Times". Najpierw bardzo mnie to zainteresowało, później wpadłam w prawdziwą obsesję na punkcie *nu shu* i związanej z tym pismem kultury. Dowiedziałam się, że do naszych czasów przetrwało bardzo niewiele przykładów *nu shu* (listów, opowiadań, tkanin i haftów), ponieważ większość palono przy grobach z powodów metafizycznych i praktycznych. W latach trzydziestych japońscy żołnierze zniszczyli wiele dokumentów w *nu shu*, przechowywanych jako rodzinne skarby. W czasie chińskiej rewolucji kulturalnej gorliwi przedstawiciele władzy ludowej spalili jeszcze więcej tekstów, potem zaś zabronili miejscowym kobietom udziału w uroczystościach religijnych oraz odbywania dorocznej pielgrzymki do świątyni Gupo. W latach następnych chiński Urząd Bezpieczeństwa Publicznego jeszcze bardziej ograniczył zainteresowanie nauką pisma i pragnienie zachowania sekretnego języka wśród kobiet. W drugiej połowie dwudziestego wieku *nu shu* praktycznie zanikło, ponieważ zniknęły powody, dla których Chinki przez tyle lat posługiwały się tym systemem znaków.

Po rozmowie w internecie na temat *nu shu*, jaką odbyłam z Michelle Yang, fanką mojej twórczości, Michelle postanowiła poszukać informacji na temat sekretnego pisma i przekazać mi je, za co jestem jej serdecznie wdzięczna. To, co odkryła, zaciekawiło mnie na tyle, że zaczęłam planować wyprawę do Jiangyong (dawniej Yongming), które to plany ostatecznie zrealizowałam jesienią 2002 roku, dzięki nieocenionej pomocy Paula Moore'a z biura podróży Crown Travel. Kiedy dotarłam na miejsce, powiedziano mi, że przede mną region ten odwiedził tylko jeden obcokrajowiec, chociaż ja słyszałam o jeszcze paru osobach, którym udało się tam przedostać. Mogę uczciwie powiedzieć, że okręg Jiangyong nadal jest tak odległy i trudno dostępny jak w dawnych czasach i między innymi dlatego chciałabym serdecznie podziękować panu Li, który okazał się nie tylko świetnym kierowcą (a trzeba wiedzieć, że to w Chinach rzadkość), ale także człowiekiem wyjątkowo cierpliwym, czego dowiódł, kiedy jego samochód w czasie naszych podróży od wioski do wioski co jakiś czas zapadał się w błoto aż po podwozie. Miałam też wielkie szczęście, że moim tłumaczem został Chen Yi Zhong, którego łagodny, przyjazny sposób bycia, gotowość pukania do drzwi bez uprzedzenia, doskonała znajomość lokalnego dialektu oraz klasycznego języka chińskiego i historii, a także entuzjastyczne zainteresowanie dotąd kompletnie mu nieznanym *nu shu* uczyniły moją wyprawę wyjątkowo owocną. Tłumaczył rozmowy oraz opowiadania w *nu shu*, zgromadzone przez muzeum tego języka. (Pozwólcie, że przy tej okazji wyrażę też wielkie uznanie dyrektorowi tejże placówki, który bez wahania otwierał gabloty ekspozycyjne, pozwalając mi zbadać całą kolekcję). Chen przetłumaczył też dla mnie na język kolokwialny wiele innych rzeczy, między innymi wiersz z okresu panowania dynastii Tang, który Lilia i Kwiat Śniegu zapisały na swoich ciałach. Ponieważ ten region jest wciąż zamknięty dla cudzoziemców, podróżowaliśmy w asyście okręgowego urzędnika, także imieniem Chen. Dzięki jego pomocy otworzyło się przed nami wiele drzwi. Stosunek Chena do jego inteligentnej, ślicznej i kochanej córki pokazał mi wyraźniej niż cokolwiek innego, w jaki wielkim stopniu zmienił się status dziewczynek w Chinach.

Wspólne wysiłki panów Li, Chena i Chena sprawiły, że samochodem, wózkiem zaprzężonym w kucyka, sampanem i pieszo dotarłam wszędzie tam, gdzie chciałam, i zobaczyłam wszystko, co pragnęłam zobaczyć. Pojechaliśmy do wioski Tong Shan Li na spotkanie z Yang Huanyi, wówczas dziewięćdziesięciosześcioletnią, najstarszą żyjącą pisarką *nu shu*. Jej stopy zostały skrępowane, kiedy była malutką dziewczynką; opowiedziała mi o tym przeżyciu, podobnie jak o swojej uroczystości ślubnej. (Chociaż pod koniec dziewiętnastego wieku władze chińskie zaczęły wprowadzać w życie zakaz krępowania stóp, w regionach wiejskich praktyka ta przetrwała do wieku dwudziestego. Dopiero w 1951 roku, kiedy armia Mao Zedonga ostatecznie wyzwoliła region Jiangyong, zwyczaj krępowania stóp na dobre zaniknął).

Ostatnio władze Chińskiej Republiki Ludowej wycofały się z poprzedniego stanowiska i uznały *nu shu* za istotny element rewolucyjnej walki chińskiego ludu przeciwko zniewoleniu. Dziś rząd stara się ożywić i podtrzymać kulturę *nu shu* – otworzono nawet szkołę tego pisma w Puwei. Właśnie tam poznałam Hu Mei Yue, nową nauczycielkę szkoły oraz jej rodzinę. Hu Mei Yue opowiedziała mi wiele historii z życia obu swoich babek, a także o tym, jak nauczyły ją *nu shu*. Jeszcze dzisiaj wioska Tongkou jest naprawdę niezwykłym miejscem. Architektura, malowidła w domach oraz pozostałości świątyni przodków wyraźnie świadczą o wysokim poziomie życia ludzi, którzy tu dawniej mieszkali. Co ciekawe, chociaż dziś wioska jest bardzo uboga, w świątyni umieszczono imiona czterech mężczyzn z tej okolicy, którzy zostali urzędnikami cesarskimi najwyższej rangi. Chciałabym najserdeczniej podziękować wielu mieszkańcom Tongkou, którzy pozwolili mi dokładnie obejrzeć swoje domy i cierpliwie odpowiadali na niekończące się pytania. Pragnę też wyrazić wdzięczność mieszkańcom Qianjiadong – uznanej za Wioskę Tysiąca Rodzin kultury Yao, ponownie odkrytej przez chińskich uczonych w latach osiemdziesiątych dwudziestego wieku – którzy również potraktowali mnie jak honorowego gościa.

Pierwszego dnia po powrocie do domu wysłałam e-maila do Cathy Silber, profesor Williams College, która w 1988 roku przeprowadziła badania nad *nu shu* na użytek swojej pracy, i wyraziłam szczery podziw, że przeżyła sześć miesięcy w miejscu tak odizolowanym od świata i pozbawionym wszelkich wygód. Potem wiele razy rozmawiałyśmy telefonicznie i poprzez e-mail na temat *nu shu*, życia posługujących się nim kobiet oraz Tongkou. Wielką pomoc okazała mi także Hui Dawn Li, odpowiadając na moje pytania o ceremonie, język i życie codzienne kobiet tamtego regionu. Jestem im obu ogromnie wdzięczna za wiedzę, otwartość i entuzjazm.

Mam też dług wdzięczności wobec wielu innych badaczy i dziennikarzy, którzy pisali o *nu shu*; myślę o Williamie Chiangu, Henrym Chu, Hu Xiaoshen, Lin-lee Lee, Fei-wen Liu, Liu Shouhua, Anne McLaren, Orie Endo, Normanie Smisie, Wei Liming i Liming Zhao. System *nu shu* w dużej mierze opiera się na standardowych zwrotach i obrazach – na przykład: „feniks gdacze", „para kaczek mandarynek" czy „niebiańskie duchy połączyły nas ze sobą" – ja zaś opar- łam się na ich tłumaczeniach. Ponieważ *Kwiat Śniegu* jest powieścią, zrezygnowałam ze stosowanego zazwyczaj w listach, pieśniach i opowieściach *nu shu* schematu rymów penta- i heptasylabicznych.

Pisząc o ludzie Yao, kobietach w Chinach oraz praktyce krępowania stóp, korzystałam z prac Patricii Buckley Ebrey, Benjamina A. Elmana, Susan Greenhalgh, Beverley Jackson, Dorothy Ko, Ralpha A. Litzingera oraz Susan Mann. Poruszająca praca Yue-qing Yang, *Nu shu – sekretny język chińskich kobiet*, pomogła mi zrozumieć, że wiele kobiet w okręgu Jiangyong nadal żyje z trudnym dziedzictwem aranżowanych, pozbawionych miłości związków małżeńskich. Wszystkie wyżej wymienione osoby posiadają własne opinie i wnioski, trzeba jednak pamiętać, że *Kwiat Śniegu i sekretny wachlarz* jest powieścią – nie opowiada wszystkiego o *nu shu* i nie wyjaśnia niuansów tego pisma. Jest to raczej historia przefiltrowana przez moje serce, doświadczenie i poszukiwania. Krótko mówiąc, tylko ja ponoszę odpowiedzialność za wszystkie błędy i pomyłki.

Bob Loomis, mój wydawca i redaktor z Random House i tym razem wykazał się cierpliwością, wnikliwością oraz dokładnością. Benjamin Dryer, redaktor naprawdę niezwykły, już na początku pracy udzielił mi kilku doskonałych rad, za które jestem mu bardzo wdzięczna. Dziękuję Vincentowi La Scali i Janet Baker, którzy także pomagali w doprowadzeniu do końca pracy nad tą książką. Moja twórczość nie ujrzałaby światła dziennego, gdyby nie moja agentka Sandy Dijkstra. Jej wiara we mnie nigdy się nie zachwiała, a wszyscy pracownicy agencji jak zawsze okazali mi wielką pomoc – mówię tu przede wszystkim o Babette Sparr, która strzeże moich praw autorskich za granicą i jako pierwsza przeczytała manuskrypt tej książki.

Mój mąż Richard Kendall dał mi odwagę kroczenia naprzód. Tym razem musiał także radzić sobie z pytaniami, które wiele osób zadawało mu podczas mojego pobytu w Chinach: „Pozwoliłeś jej pojechać tam samej?". Richard bez wahania pozwolił mi pójść za głosem serca. Moi synowie, Christopher i Alexander, których w czasie pracy nad książką niemal nie widywałam, nadal są tak pełni zapału i inspirujący, jak tylko mogłaby tego pragnąć matka.

Na koniec chciałabym podziękować Leslee Leong, Pam Maloney, Amelii Saltsman, Wendy Strick i Alicii Tamayac – wszystkie opiekowały się mną serdecznie, kiedy tkwiłam w domu, unieruchomiona poważną kontuzją, oraz woziły po całym Los Angeles do lekarzy, a także na inne spotkania przez trzy miesiące, kiedy to sama nie mogłam prowadzić samochodu. Stanowią żywy przykład mocnego związku zaprzysiężonych sióstr – bez nich na pewno nie skończyłabym tej książki.